ОБОЖЖЕННЫЕ ЗОНОЙ

ЮРИЙ ГАЙДУК

ЕДИНОЖДЫ ПРЕДАВШИЙ

МОСКВА 2000

ББК 84 (2Рос-Рус)6
Г12

Серия основана в 1998 году

Серийное оформление А.А. Кудрявцева

В оформлении книги использованы фотоматериалы Владимира Волкова

Гайдук Ю.

Г 12 Единожды предавший: Роман. — М.: Олимп; ООО «Фирма «Издательство АСТ», 2000. — 480 с. — (Обожженные зоной).

ISBN 5-7390-0644-9 (Олимп)
ISBN 5-237-02817-9 (АСТ)

Единожды предавший — предаст снова. Единожды продавшийся готов ради денег на все. Ему плевать, что деньги его — кровавые. Его надо остановить любой ценой — сегодня, сейчас. Завтра будет поздно...

Часть первая

I

Отхаркиваясь кровью и упираясь непослушными руками в ускользающий бетонный пол, Яров заворочался в луже собственной крови, попытался было подняться на четвереньки, но страшный удар ботинка вновь опрокинул его в пронизанную тупой болью темноту, после чего он уже не мог ни встать, ни пошевельнуться, и только мозг продолжал работать, реагируя на окружающее сполохами коротких просветлений. Вот и сейчас его меркнущее сознание начало всплывать из равнодушной тьмы небытия.

...Сначала какое-то смутное разноголосие, потом злобный мат, завершившийся еще одним пинком, и, наконец, первые отчетливо услышанные слова:

— Вот же пидор! И где он, сучонок, только драться так научился?! Рэмбо хренов...

И снова мокрая, кровью воняющая темнота, гул наплывающих голосов, чей-то обеспокоенный крик:

— Вы его, часом, не убили? Ну, с-суки, если убили!..

...Чье-то приглушенное мычание, и Яров почувствовал, как его кантуют, переворачивая на спину, пытаются разлепить запекшиеся от крови веки. Неожиданно пронизавшая все его существо боль, от которой он застонал, и хриплый голос над самым лицом:

— Живой, падла!

И вновь пинок по почкам, но несильный, совсем беззлобный — видимо, так, для порядка.

Опять беззвучная темнота, затем тягучий скрип тяжеленной металлической двери, чьи-то шаги по бетонному полу камеры и короткое:

— Ну?

Этот голос, который ассоциировался в его сознании со смертельной опасностью, Яров узнал бы среди сотен других; при звуке этого голоса жизнь будто затаилась в его измочаленном, избитом теле, словно боясь выдать себя хоть малейшим движением, малейшим стоном. И эта обмершая от ужаса жизнь, что еще теплилась в нем, жадно вслушивалась в зависшую в камере гнетущую тишину. Потом как-то сразу обмякла, успокоилась, кто-то смачно сплюнул и пробормотал глухо:

— Бесполезно, гражданин начальник. Сами видите, что мы с ним сделали. Вот если замочить прикажете...

Яров недвижно лежал в собственной крови, в полнейшем бессилии ожидая страшного приговора. А в том, что мент в штатском — тот, кого сейчас назвали «гражданин начальник», может вынести ему приговор безо всякого колебания, он теперь нисколько не сомневался. Страшное ожидание заставило тело на какое-то время забыть о боли, и только обостренный слух ловил каждое слово человека, по приказу которого Ярова бросили в эту пресс-камеру, чтобы выбить из него «чистосердечное признание».

— Мудак! — хмуро отозвался мент в штатском. — Все бы тебе, козлу, замочить да опедерастить. А он мне живой нужен! Понимаешь? Живой! И чтобы «признанку» подписал!

На какое-то время в камере вновь зависла тишина, пока ее не нарушил обиженный голос камерного пахана — Сиськи:

— Живой... А как я из него эту самую «признанку» выбью, если он, с-сучара поганая, или в отключке валяется, или на хер всех посылает? Что же я, гражданин начальник, сам за этого козла ее писать должен?!

— И напишешь! — злобно пообещал опер, носком ботинка ворочая окровавленную голову Ярова.

Обиженный Сиська только хрюкнул от такого обещания и проныл просяще:

— Может, дать ему оклематься малость, гражданин начальник? Ведь замочим ненароком — с кого спрос-то будет?

— Заткнись! — рявкнул опер. — Совсем сноровку, суки, потеряли. Ну смотрите, если этот козел копыта откинет и «признанку» не подпишет! Я вас тогда самих по пресс-камерам раскидаю. А сейчас так: приведите ему рожу в порядок и, пока он не прочухается, то есть пока я лично не прикажу, пальцем его не трогать. — Он еще раз потрогал ботинком голову Ярова и добавил со смешком: — Не было еще такого, чтобы у капитана Брыля кто-то не кололся. И этот козел никуда не денется.

Затем вновь заскрипела камерная дверь, загремел металлический засов, раздался теперь уже уверенный и властный голос Сиськи:

— Слыхали, что хозяин приказал? Так что ополосните этому козлу харю и бросьте его на нары. Когда оклемается малость, похавать что-нибудь дайте.

Кто-то из сокамерников хрюкнул недовольно:

— Ага, он мне, с-сучара, половину зубов выбил, а я ему — похавать...

— Закрой пасть и делай что велено, — оборвал недовольного камерный пахан и добавил с неприкрытой угрозой: — Еще не вечер. Придет время — не только «признанку» подпишет, а и говно свое жрать станет, лишь бы выбраться отсюда...

И это были последние слова, которые более-менее внятно разобрал избитый. Сиська говорил что-то еще, и еще, и еще, но затухающее сознание вновь опрокинуло Ярова в тягучую, дремотную темноту. Это было нечто среднее между тяжелым, тревожным сном, который длился бог знает сколько времени, и каким-то полубредовым состоянием, когда Ярову казалось, что измученное болью и страхом сознание уже покидает его, что душа, оторвавшись от искалеченного тела, встает над ним, и он, Яров, видит и себя, и все вокруг как бы со стороны. Полутемная, грязная камера на десять человек, какие-то смутные тени, расплывчатые фигуры его мучителей, и он сам, распластавшийся на деревянных нарах.

Сколько времени пробыл он в таком состоянии, Яров не мог бы сказать точно, но когда проснулся, вернее, выкарабкался из тошнотной и в то же время спасительной темноты, тело уже свыклось с тупой, сосущей болью и он смог без особых усилий открыть глаза, потрогать руками разбитое лицо. Правда, когда попробовал повернуться на бок, острая, пронизывающая боль так резанула в правом подреберье, что он невольно охнул, задержав дыхание. Видать, сломали ребро, сволочи, а может, и все три, когда утюжили ногами, выбивая из него «чистосердечное признание». Однако это было не самое страшное в его положении, и он только подумал: лишь бы не было внутреннего кровоизлияния.

— Наш козел очнулся! — донеслось до него откуда-то со стороны, но он даже головы не повернул на голос, понимая, что, если сейчас огрызнется и его вновь начнут мучить, его истерзанное тело на этот раз может и не выдержать.

С трудом перевернувшись на левый бок, он с какой-то щенячьей радостью отметил, что хоть с этой стороны все ребра целы. Страшно захотелось в туалет, и Яров только сейчас понял, что в своем полубредовом состоянии он провалялся не час и не два, а по крайней мере часов двенадцать, если не более. Вот и боль потеряла остроту, да и по нужде сильно хотелось...

Еще не зная, как воспримет его воскрешение из мертвых камера, но уже не в силах больше сдерживаться, Яров приподнялся с рваного матраса, покрытого его запекшейся кровью, и, превозмогая пронзительную боль, жгучей молнией резанувшую правую сторону, спустил ноги на пол. На миг замер, закрыв глаза и давая себе возможность отдышаться. Когда немного отпустило и он понял, что сможет идти, медленно поднялся с нар и, шаркая по холодному бетонному полу голыми ногами, проковылял к параше.

Все это время в камере не прозвучало ни звука. Словно в гнетущей тишине и впрямь воскрес покойник.

А когда Яров вернулся к нарам и смог без лишней боли умаститься на клочковатом матрасе, в котором было больше дыр, чем ваты, кто-то крякнул удовлетворенно и прокомментировал гнусавым голосом:

— Ну вот, а говорили, шо помрет, — и, заржав, добавил радостно: — Н-не-е-е. Мы ему еще целку сломаем и отхарим хором, а уж потом...

— Заткнись! — оборвал не в меру веселого сокамерника Сиська и, тяжело ступая слоновьими ногами по бетонному полу, подошел к Ярову.

Невольно сжавшись в ожидании нового града тяжелых ударов и прекрасно понимая, что он уже не сможет защитить себя, Яров покорно закрыл глаза. Однако камерный пахан просто постоял над ним какое-то время, потом сплюнул и только после этого спросил негромко:

— Бумагу писать будешь?

С самого того момента, когда пахан приказал шутнику заткнуться, в камере стояла зловещая тишина, и Яров против воли успел подумать о том, какое огромное влияние имеет этот удавленник на сокамерников. Однако надо было что-то ему отвечать, и Яров с трудом шевельнул разбитыми, похожими на огромные вареники губами:

— Какую бумагу?

Кто-то хихикнул, не выдержав:

— Вот же с-сучара, еще издевается!

Сиська пропустил эту реплику мимо ушей и, смерив Ярова тяжелым взглядом остановившихся глаз, пояснил все так же негромко:

— Сам знаешь какую — «признанку».

Готовясь к самому худшему, Яров облизнул стянутые запекшейся кровью губы и пробормотал едва слышно:

— Зачем же мне на себя напраслину валить?

— Ну, как знаешь, — угрюмо протянул слоноподобный Сиська. — Тоже мне цаца. Напраслину... Да уж лучше напраслину, чем покойником стать.

Он повернулся к Ярову спиной и шагнул к своим нарам, распоряжаясь на ходу:

— Щас не трогать. Пусть еще очухается малость — может, поймет, что к чему. А там уж — как Брыль распорядится...

Еще не веря, что хоть на какое-то время прекратились его мучения, Яров открыл глаза и снова облизнул спекшиеся губы. В то, что у камерного пахана пробудились какие-то человеческие чувства, Яров мало верил. Может, он просто зауважал свою очередную жертву, которая не сломалась просто так и посмела дать отпор? Впрочем, надолго ли его хватит, этого уважения? И от этого «надолго ли?» снова засосало под ложечкой, в тоске сжалось сердце.

— Господи, помоги и спаси!

Поймав себя на том, что уже начал было непроизвольно шептать эти слова вслух, Яров оборвал себя, до боли сжав спекшиеся губы, чтобы не выдать себя даже таким проявлением слабости. И еще одно: надо было, чего бы это ни стоило, продолжать настаивать на своей легенде. Но если с самого момента задержания и до последнего допроса он нисколько не сомневался в том, что выскочит из этого каменного мешка, имя которому СИЗО, сухим и чистеньким, то теперь...

Он ненавидел поселившийся в нем с последним допросом страх — страх разоблачения, страх ожидания очередного града ударов, когда все тело — одна сплошная боль, которая лишает тебя сознания и воли, и ты превращаешься в окровавленный мешок с дерьмом... Какое счастье, что его, похоже, и впрямь оставили на время в покое, и понемногу приходящий в себя Яров в сотый, если не в тысячный, раз стал анализировать подробности своего задержания, рассматривать со всех сторон ситуацию, в которой он оказался, а главное — искать, срочно искать выход из создавшегося положения.

...Заказ на ликвидацию крупного предпринимателя в Минске поступил месяц назад. Можно было бы, конечно, направить в Белоруссию и кого-нибудь из своих подручных, но столь высоко оплачиваемые заказы, тем более когда заказывают человека такого ранга, Яров обычно выполнял сам, опасаясь возможного срыва. Его фирма имела достаточно высокий вес в российской столице, и он не желал потерять завоеванный авторитет из-за какой-нибудь ошибки или оплошности исполнителя. Хотя... Хотя здесь он просто перестраховывался: с ним работали только высококлассные профессионалы. Когда он дал согласие на исполнение заказа, в Москву мгновенно прилетел человек из Минска и они обговорили все условия. В частности, Яров потребовал предоставить на заказанного полную «объективку». Представитель заказчика поначалу было упирался, но Яров настоял, мотивируя это условие желанием иметь психологический портрет своей жертвы, дабы не допустить и малейшей ошибки. Оказалось, что убрать надо довольно солидного белорусского бизнесмена, причем бизнесмена не какого-нибудь, а государственного масштаба. Некий Баранчук Михайло Яковлевич. Сорока лет. То есть чуть старше самого Ярова. В прошлом, то есть в советские времена, сначала партийный работник, затем, как молодой выдвиженец, председатель горисполкома небольшого белорусского городка. Ну а когда развалился союз братских республик, этот самый Михайло Яковлевич смог развернуться полностью, дав волю своим недюжинным способностям. Будучи довольно неглупым человеком и обладая к тому же деловым талантом, который помогал ему с легкостью извлекать пользу как из конспектирования Марксова «Капитала», так и из его практического применения, Михайло Яковлевич легко открывал двери очень высоких кабинетов, был завсегдатаем солидных застолий, где за «рюмкой чая» решались вопросы государственного уровня, и в конце концов не только заимел свое собственное солидное производство, но и стал во главе ассоциации, переросшей в концерн, дававший ему миллионы «зеленых». А вместе с этим он поимел и столь же крупных врагов.

Знакомясь с «объективкой» на Баранчука, Яров невольно усмехался. Он уже знавал этот тип современных бизнесменов, хоть и был сей тип весьма многолик. Для одних они были «эксплуататорами трудового народа», для других — «локомотивами истории» и «генераторами производства». Наряду с криминальными авторитетами, которых заказывали менее удачливые конкуренты, быстрее всего пополняли списки нераскрытых заказных убийств именно бизнесмены, подобные Баранчуку. Причем, как правило, заказывали их физическое устранение сотоварищи по бизнесу...

Приняв окончательное решение, Яров направил в Минск группу обеспечения, которая должна была провести всю подготовительную работу, в том числе выявить профессиональные возможности охраны Баранчука. Когда все необходимое было проделано и на стол Ярова легла карта основных перемещений белорусского бизнесмена и перечень его главных привычек, Яров вылетел в Минск, а вслед за ним, но уже поездом — группа прикрытия. Понаблюдав пару дней за своей жертвой, Яров уже знал, где этого несчастного настигнет смерть.

Тот вечер сорокалетний бизнесмен должен был провести в небольшом уютном ресторанчике, почти в самом центре города, где его уже поджидал такой же бизнесмен из Вильнюса, решивший открыть на паях с белорусом довольно выгодное предприятие. Об этом люди Ярова, плотно севшие на хвост Баранчуку, узнали из телефонных перехватов. Этот ресторанчик был весьма удачным местом для исполнения заказа. Да и время будущие партнеры по бизнесу выбрали идеальное. Наваливающиеся на город сумерки, глухой колодец из панельных построек, окна которых бросали на асфальт приглушенный свет, но главное — проходные подъезды двух ближайших домов, через которые можно было выйти на соседнюю улицу.

Облачившись в черный просторный комбинезон и натянув на голову нечто вроде черной маски с прорезями для глаз, Яров лежал на крыше ресторана, которая почти вплотную примыкала к торцу соседнего дома, и, вооружившись прибором ночного видения, наблюдал за подъезжающими к ресторану машинами, из которых выползали уверенные в себе мужики с шикарными телками, менее всего похожими на жен, и вальяжно направлялись в предупредительно распахнутые двери. А оттуда уже неслась разухабистая музыка, слышался разноголосый гул, изредка выходили подышать поддатые компании. А чуть в стороне, на пятачке, засаженном кустарником, какой-то особо нетерпеливый козел трахал молодую бабенку, оголив ее задницу и сунув пьяной мордой в тоненький ствол деревца. Народ гулял, всем было весело, и Яров только усмехался, представляя себе, что будет здесь твориться через какие-нибудь четверть часа, когда во дворе появится машина Баранчука и он, Яров, сделает свой единственный выстрел. Но бизнесмен отчего-то задерживался, и Яров начал нервничать, сторожко всматриваясь в окуляры прибора.

Однако всему приходит конец.

Когда в замкнутое пространство каменного колодца вкатил уже хорошо ему знакомый «мерседес» бежевого окраса, Яров вздохнул облегченно и поудобнее перехватил карабин с оптическим прицелом. В особо сложных случаях он пользовался снайперской винтовкой, однако здесь до жертвы были считанные метры и можно было вполне обойтись этим карабином немецкого производства, огромную партию которых в свое время закупили эстонцы. Какая-то часть этих карабинов пошла на вооружение службы охраны края, а излишки этого немецкого оружия расползлись чуть ли не по всей России. Несколько штук прикупила и фирма Ярова, благо такой ствол после выполнения заказа не жалко и бросить.

Спокойно дождавшись, когда из машины выберутся двое плечистых охранников и произведут привычный, а потому легко предсказуемый визуальный осмотр двора, Яров размял затекшую кисть правой руки и прильнул щекой к отполированному ложу карабина. Чуть затаил дыхание, выждал, когда же в открытой дверце появится сорокалетний обладатель миллионов. Он уже почти досконально изучил методу прикрытия хозяина амбалами охранниками, именно в ней-то Яров обнаружил ту самую ахиллесову пяту, на которой строился весь его план.

Вот оно! Еще секунда, другая...

Один из охранников (роли у них были расписаны загодя), окончив внешний осмотр, вновь подошел к машине, распахнул дверцу и чуть отступил назад, пропуская хозяина и тем самым оставляя его один на один с киллером.

Палец уверенно лег на спусковой крючок. Яров чуть повел стволом, выцеливая место, где должна появиться голова несчастного. Прошла еще секунда...

Раздавшийся выстрел отбросил Баранчука к ногам опешившего охранника. Не веря в случившееся, тот подхватил хозяина под мышки и, прикрывая от следующего выстрела своей широкой спиной, стал вталкивать обратно в салон, что-то крича при этом водителю, который, видимо, и без его команд понял, что дело хреново и надо как-то спасать своего кормильца. Второй же охранник, на ходу выхватив из кобуры пушку, бестолково метался от машины к машине и тоже что-то дико орал — видимо, столкнулся с подобной ситуацией впервые.

Теперь у Ярова оставались считанные минуты, чтобы спокойно и без особых осложнений уйти с крыши. Отбросив ненужный карабин, он стащил наплечники, привычным движением сбросил камуфляжный комбинезон, матерчатую маску, сунул все это в объемистую сумку и последний раз посмотрел в освещенную глубину каменного колодца, где в панике метались люди и кто-то, видимо один из охранников, кричал, чтобы вызвали «скорую».

Подхватив сумку, Яров невольно улыбнулся. Уж кто, как не он, знал, что «скорая» здесь не нужна. За все то время, что он исполнял заказы, у него пока что не было ни одного промаха. Пуля входила точно в лоб или в то самое место, где бьется сердце, не оставляя даже малейших шансов на спасение. За что ему и платили столь высокий гонорар.

Оставшись в костюме, элегантность которого подчеркивал красиво завязанный галстук, Яров в считанные секунды спустился с крыши и почти нос к носу столкнулся с пьяненьким мужиком в какомто рванье, который то ли пустые бутылки здесь искал, то ли место, где можно спокойно справить большую нужду. Невольно выругавшись от столь нежеланной встречи, Яров подумал, что неплохо было бы убрать этого нечаянного свидетеля его отхода, но времени уже не оставалось, и он, на ходу сунув сумку в мусорный контейнер, бросился к дому, через который можно было выйти на соседнюю улицу. И еще подумал о том, что видевший его бродяга, пожалуй, слишком пьян, чтобы в сгустившихся сумерках запомнить и распознать человека.

Прекрасно зная действия милиции после столь громкого убийства, тем более убийства человека, известного не только в городе, но и в государстве, Яров, заранее изучивший наиболее безопасный путь отхода, теперь смешался с людской толпой, терпеливо дожидаясь автобуса на остановке. Здесь, на другой улице, еще не знали об убийстве Баранчука, минчане жили своими заботами, и все-таки Яров немного занервничал, когда автобус не показался на остановке ни через пять минут, ни через десять. Опять невольно вспомнил мужичка, с которым столкнулся на заднем дворе ресторана. В какую-то секунду под ложечкой у него засосало противное чувство надвигающейся опасности, но Яров попытался успокоить себя тем, что сейчас на месте убийства, смешавшись с многочисленными зеваками, работает группа прикрытия, которая обеспечивает не только его безопасный отход, но и устранение возможных случайных свидетелей. Однако окончательно Яров успокоился лишь тогда, когда наконец-то подошел долгожданный автобус и он, смешавшись с толпой, нырнул в освещенный салон. Проехав несколько остановок, Яров вышел в центре, остановил свободное такси и, уже совершенно успокоенный, попросил отвезти его в аэропорт. До рейса на Москву оставалось чуть более двух часов.

Он взял свой кейс из автоматической камеры хранения, прошел регистрацию пассажиров и ждал объявления на посадку, как вдруг...

То, что минская милиция уже заметалась в поисках убийцы Баранчука, что у них объявлена какая-нибудь собственная «Сирена», наподобие московской, Яров понял из того, как увеличившиеся числом в зале ожидания менты начали вглядываться в лица людей, проверяя документы то у одного, то у другого. Яров невольно усмехнулся: уж он-то с его ксивой был чист перед стражами порядка. Он разглядывал купленный в киоске журнал, оставаясь почти безучастным к этой проверке, когда очередь дошла и до него. Патруль! Один в штатском и двое сержантов милиции в бронежилетах, с автоматами на груди. Тот, что был в штатском, каким-то острым, пронизывающим взглядом мазнул по его лицу и спросил документы. Затем билет. Яров протянул ему паспорт, в который был вложен посадочный талон. Оперативник раскрыл паспорт, долго, даже слишком долго разглядывал фотографию его владельца, посмотрел место прописки, а когда Яров уже протянул руку, чтобы забрать документ, проговорил негромко:

— Пройдите со мной.

— Зачем? — искренне удивился Яров.

— Маленькая формальность, — пояснил опер. Но когда Яров замешкался, не зная, как ему быть и что можно ожидать от этого приглашения, добавил, чуть повысив голос: — Пройдемте! Попрошу не задерживать.

Он говорил на хорошем русском языке, практически без акцента, как, впрочем, и все те служители закона, с которыми впоследствии пришлось общаться Ярову.

И опять где-то под ложечкой засосало противное чувство опасности. Однако Яров только недоуменно пожал плечами и, подхватив кейс, зашагал вслед за человеком в штатском. Замыкали это шествие два сержанта с автоматами на изготовку. Проходя мимо ничего не понимающих, но уже встревоженных пассажиров, Яров слышал осторожный шепот и какие-то реплики, брошенные то ли в его адрес, то ли в адрес милиции. Сам он был практически спокоен. От комбинезона и тряпичного намордника он освободился еще в городе, так что теперь был чист перед правосудием, как новорожденное дитя. Его провели в дежурную часть отделения милиции, и когда он перешагнул порог...

Господи, как же он пожалел тогда, что не скрутил голову полупьяному бродяжке, который был *единственным* свидетелем его отхода с крыши ресторана! Видимо, не так уж и пьян был этот козел, собиравший пустые бутылки на заднем дворе ресторана, если смог разглядеть и запомнить его лицо. И не просто разглядеть, а более-менее толково описать приметы неизвестно откуда появившегося на заднем дворе человека, который к тому же бежал в сторону проходного дома.

В небольшом помещении, тускло освещенном запыленной лампочкой, сгрудились несколько взволнованных мужчин, которых сторожко пасли вооруженные автоматами милиционеры. И все бы ничего, если бы каждый из этих задержанных не был отдаленно похож на Ярова. Слегка выпирающие скулы, чуть раздвоенный подбородок... Только вот в окрасе тот козел малость сплоховал. Яров был самым настоящим блондином, с хорошо сохранившимися волосами, а здесь же сбились в кучу и рыжие, и шатены, и даже один лысый, как бильярдный шар, господин, который давно уже отгулял свое пятидесятилетие.

Впрочем, тот полупьяный побирушка, когда его

зацапали на заднем дворе и он со страху раскололся насчет «убегающего мужика с сумкой в руках», мог дать и правильную ориентировку, а вот менты уже перестарались, когда была объявлена их «Сирена» и были под особый контроль взяты железнодорожный вокзал, аэропорт, автобусная станция междугородных перевозок — словом, все те места, откуда мог рвануть из города убийца Баранчука. Да, что и говорить, минская милиция сработала толково, а главное — оперативно, мгновенно заполучив словесный портрет киллера и разослав его по линейным отделениям милиции. Но вот почему проморгала столь опасного свидетеля его, Ярова, группа прикрытия — в этом еще предстояло разобраться. Хоть и не по себе было в эту минуту Ярову, он все же не сомневался, что «недоразумение» по его задержанию развеется, перед ним извинятся и он в ближайшие часы улетит в Москву.

Господи, если бы он мог тогда знать, что́ последует за этим задержанием! Да что ему стоило без особого напряга уйти от патруля в аэропорту, пересидеть несколько дней в городе, а когда улеглась бы первая волна поголовных проверок, спокойно убраться из Минска, но... Как говорится, все мы сильны задним умом.

Немного осмотревшись в компании скуластых «двойников», которые уже откровенно выражали свое недовольство столь непонятным задержанием, Яров подошел к стойке, за которой сидел дежурный лейтенант, и проговорил как можно спокойнее:

— Простите, у меня сейчас самолет на Москву, но вместо посадки на рейс меня приволокли сюда.

Это что... так принято у вас теперь обращаться с российскими гражданами?

Видимо привыкший ко всякого рода жалобам и угрозам, лейтенант поднял на него глаза, чуть дольше обычного рассматривал лицо, потом перевел взгляд на исписанный лист бумаги, который лежал на столе, быстро пробежал его глазами, затем вновь перевел взгляд на Ярова и только после этого произнес устало:

— Обычная проверка по ориентировке. Сейчас с вами побеседуют и отпустят. Так что вы еще успеете на свой рейс. — И тут же спросил: — Фамилия?

— Яров.

Лейтенант потянулся к телефонной трубке, но тут из-за спины Ярова выскочил какой-то скуластенький господинчик и почти завизжал фальцетом:

— Какая, к черту, ориентировка! Похватали ни в чем не повинных людей и потащили через весь зал, словно преступников. А у моей жены сердце больное! Я жаловаться буду! И не в ваш суд, а в международный.

«Эк хватил!» — невольно улыбнулся слегка успокоившийся Яров, но согласно покивал, что должно было выражать его солидарность с возмущением оскорбленного в лучших чувствах господинчика.

— Успокойтесь, гражданин, — устало пробормотал лейтенант и поднял телефонную трубку. — Товарищ майор? Здесь у меня москвич один на рейс опаздывает. Да, по ориентировке. Я его сейчас к вам направлю.

— Во, и здесь москалям халява, — пробормотал кто-то за спиной Ярова, но он даже не обернулся и только спросил, откашлявшись:

— Куда идти прикажете?

— Вас проведут, — ответил лейтенант и кивнул одному из милиционеров, чтобы тот сопровождал задержанного.

В кабинете, куда запустили Ярова, сидели два милиционера в форме и один в штатском. «Так, капитан, младший лейтенант... Ага, значит, тот, что в штатском, майор», — догадался Яров и сразу же обратился к нему:

— Товарищ майор, тут...

— Разберемся, — оборвал его капитан и протянул сидящему за облезлым столом майору паспорт Ярова.

Тот быстро пролистал его, скользнул взглядом по фотографии, поднял глаза на задержанного:

— Фамилия?

— Там же все написано, — решив сыграть дурочку, проговорил Яров.

— Я у вас спрашиваю.

Яров недоуменно пожал плечами:

— Яров Андрей Константинович.

— Место постоянного проживания?

— Москва.

— Что делали в Минске?

Здесь Яров решил возмутиться:

— Простите, а вам-то какое дело?! Или россиянам уже запрещено ездить в Белоруссию? Насколько я знаю, ваш Лукашенко...

— Отвечайте по существу! — вновь оборвал его майор.

— Командировка, — односложно ответил Яров.

— Цель?

— Чего «цель»? — вновь решил сыграть дурочку Яров.

— Это значит, с какой целью поимели командировку в государство Беларусь? — хмуро пояснил майор, и его взгляд стал тяжелым. То ли этот служака терпеть не мог россиян, тем более москвичей, то ли устал от дежурства.

— Так бы и спросили, — сразу почувствовав, что атмосфера, пожалуй, накаляется больше, чем надо, обиженно протянул Яров и тут же добавил: — Командирован в ваше туристическое агентство «Феникс». Для налаживания более тесного контакта.

Эта официальная версия, разработанная группой обеспечения на случай возможного задержания, была чистой правдой, и Яров позволил себе улыбнуться.

— Можете справиться у них сами. Это довольно известное агентство, и там подтвердят мою личность и полномочия.

— Хорошо, это мы обязательно сделаем, — пробормотал майор и задал новый вопрос: — У вас что, деловые отношения с «Фениксом»?

— Да. Поскольку я являюсь генеральным директором московского турагентства «Андрей и К°». Вот моя визитная карточка.

С этими словами Яров полез в карман, вытащил пухлый кожаный бумажник и положил свою визитную карточку на когда-то полированную поверхность стола.

— Кстати, товарищ майор, я, конечно, не знаю, чем вызван мой арест, но...

— Не арест, а задержание, — перебил его капитан.

— Пусть будет так, — согласился с ним Яров. — Но все-таки, если у вас есть хоть какие-то сомнения по поводу моей личности, можете справиться и по московскому телефону.

— Разберемся, — все так же хмуро откликнулся майор и задал вопрос, который менее всего хотелось бы слышать Ярову: — Где вы были сегодня между девятью и десятью вечера? А если точнее, то в двадцать один сорок?

— Где был? — как бы про себя переспросил Яров и уж в который раз недоуменно пожал плечами, стараясь скрыть от въедливого майора свое волнение. Этот час был самым слабым местом в его легенде прикрытия, и он невольно пожалел, что загодя не обеспечил себе надежное алиби. Впрочем, кто же мог предположить, что его увидит и запомнит какой-то случайный алкаш, что он сумеет правильно описать его приметное лицо, но главное — что менты смогут сработать столь оперативно? А вот его группа прикрытия... Впрочем, скулить и заниматься самобичеванием было уже поздно, и он решил гнуть версию командировки до конца: — Где был, спрашиваете? Где-то около девяти или чуть раньше рассчитался за проживание в гостинице и поехал в центр, чтобы посмотреть вечерний Минск.

— Чего? — впервые подал голос явно удивленный лейтенант, который за своей борьбой с преступностью, видимо, напрочь забыл, что живет в красивом городе. — Чего он буровит, товарищ майор?

— Помолчи! — осадил его майор, но Яров увидел, что и он сделал охотничью стойку. — Вечерний

Минск, говорите? Это хорошо. Кстати, в какой гостинице вы жили?

Яров назвал.

Майор молча подвинул телефонный аппарат в сторону капитана, и тот, пошелестев листочками городского справочника, набрал номер гостиницы. Спросил, во сколько был произведен полный расчет с господином Яровым. Дождавшись ответа, положил трубку на рычажки и смерил задержанного тяжелым взглядом.

— В девять, говорите? А может, раньше? Скажем, в начале девятого?

И вновь Яров пожал плечами, на этот раз обиженно, проговорил негромко:

— Может, и в начале. Потому что надо было еще постель с полотенцами коридорной сдать. Только я в этом особого криминала не вижу. И вообще... Если вы меня в чем-то подозреваете, так прямо и скажите. И нечего в прятки играть. Кстати, судя по времени, на мой рейс уже посадка идет. И я вам обещаю, если своим рейсом не улечу, большие неприятности и жалобу в прокуратуру.

Спокойно выслушав эту тираду, майор хмыкнул. Видать, он столько наслушался всяких угроз и обещаний в свой адрес, что уже не придавал им особого значения. А потому и сказал как о чем-то само собой разумеющемся:

— Ваше право, господин Яров. Но отпустить мы вас сейчас не можем до выяснения кое-каких нюансов. Так что уж не обессудьте.

В тот момент Яров еще не понял, что же за нюансы такие имел в виду майор, препровождая его в камеру, где уже томились в неизвестности еще трое задержанных, оказавшихся, как и он, без надежного алиби на этот криминальный час. Но уже утром следующего дня ему все стало ясно. Нюансы, вернее, нюанс заключался в опознании задержанных милицией проспавшимся хануриком с ресторанных задворок. Яров не знал, «опознал» ли этот вонючий гаденыш кого-нибудь еще, но в него лично он пальцем ткнул, прогнусавив при этом:

— Вроде как он... А может, и не он. Тот ведь с сумкой был. Но похож. Очень похож.

Опознаваемым сунули в руки по сумке, и этот хмырь вновь забегал по ним испуганными, заплывшими глазками. И опять показал грязным пальцем с обкусанными ногтями на затосковавшего от нехорошего предчувствия Ярова:

— Кажись, он самый и бежал тогда. Темно, правда, было. Но сумка похожа. Очень похожа. Да и галстук...

Едва не завыв от этих слов, Яров попробовал было возмущаться и требовать прокурора с адвокатом, упирая на то, что «этому алкоголику и не такие глюки могут привидеться», однако его сунули в следственный изолятор и подлюка следователь каждый день, а то и по два раза таскал его на допросы, стараясь выбить «чистосердечное признание» в убийстве белорусского бизнесмена. Господи, чего он только не предпринимал, однако Яров терпеливо переносил многочасовые издевательства, требуя при этом российского адвоката и упирая на то, что он и в армии никогда не служил, и обычную винтовку никогда в руках не держал, не то что карабин с оптическим прицелом, а что касается его обвинений в убийстве, так он слишком законопослушный гражданин, который только в кино видел, как все это делается. И вообще, он с криминальным миром никогда в жизни ничего общего не имел.

Господи, разве мог он тогда подумать, какой ждет его удар в спину!

Это случилось вчера, а может быть, позавчера или три дня тому назад — в кровавом месиве пресс-камеры, куда Ярова бросили по приказу следака, он уже потерял счет времени. После того как его вырубили первый раз и он очнулся с разбитой рожей у параши, ему казалось, что понятие времени потеряло для него всякий смысл, превратившись в бесконечную цепь побоев и нарастающей боли.

...Его, как обычно, вызвали из переполненной камеры СИЗО, где нечем было дышать от человеческой вони, и конвой препроводил его в знакомую комнату для допросов. За щербатым столом уже сидел следователь прокуратуры и копался в своих бумагах. Кивнув Ярову на привинченный к полу табурет, следователь долго, очень долго рассматривал его в упор, наконец улыбнулся какой-то иезуитской улыбочкой и его тонкие губы издали нечто похожее на шипение:

— Надо же! А ведь ты меня почти убедил, что чист как сокол и к вашему криминалу никакого отношения не имеешь. Вот же с-сучонок! — В голосе его звучало нечто похожее на восхищенное удивление.

Яров насторожился. Это было что-то новенькое в методике допросов. А значит, несло в себе потенциальную опасность. Он вскинул на следователя глаза:

— Простите, я просто не понимаю вас и вновь требую российского адвоката...

Следак неожиданно заржал каким-то детским, непорочным смехом и вытер белый налет в уголках глаз. Этот мужик или пил вечерами по-черному, или болел какой-то болезнью, но этот противный налет, который он пальцами вытаскивал из глаз, был неотъемлемой частью его грязного, засаленного «я».

— Будет, будет тебе адвокат, только малость попозжее, — успокоил он Ярова и вдруг резко оборвал свой смех, уставившись на задержанного пронзительным взглядом бесцветных глаз. — Значит, говоришь, что чист как сокол? — И резким движением выдернул из папки с делом какую-то справку: — А вот это что?

Насторожившийся Яров спросил тихо:

— Что?

Следователь без лишних слов сунул отксерокопированную справку чуть ли не под нос задержанному. По мере того как Яров вчитывался в расплывающиеся перед глазами строчки, его все сильнее и сильнее пробивал жаркий пот.

Этого просто не могло быть! Наконец он заставил себя встряхнуться и, переборов черт знает какие чувства, как можно спокойнее посмотрел на следователя. А тот торжествовал. Видимо, чувствовал, подлюка, что попал в яблочко и теперь выбить у этого москаля необходимые показания — дело техники.

— Чушь какая-то, — устало произнес Яров, возвращая справку, выданную следствию по итогам заключения экспертов.

Стараясь не переиграть, он тяжело вздохнул и устало прикрыл глаза, давая тем самым понять, что уже охренел от всех этих допросов, необоснованного обвинения в убийстве какого-то бизнесмена и что пора бы в этом следственном беспределе поставить точку. Ну а что касается справки, выданной на основании экспертизы... В общем, чушь какая-то, к которой он не имеет совершенно никакого отношения.

Яров продолжал гнуть линию ни в чем не повинного человека, на которого навесили черт знает какие обвинения, а сознание вновь и вновь возвращалось к строчкам проклятой справки, которая могла не только свести на нет выработанную им защиту, но и окончательно утопить его. Заключение дактилоскопической экспертизы гласило, что отпечатки пальцев, снятые с Ярова А. К., задержанного по подозрению в убийстве, полностью соответствуют отпечаткам пальцев Язова А. К., осужденного в восемьдесят четвертом году за умышленное убийство при отягчающих обстоятельствах сроком на десять лет и убитого при попытке к бегству из колонии строгого режима.

Прикрыв глаза, Яров безучастно сидел на стуле, уже практически не слыша, о чем гундосит следак, и никак не мог сосредоточиться. Перед глазами продолжали стоять эти проклятые строки, а сознание противилось им и вопило надрывно: «Нет! Этого не может быть!» Но что он может знать, эта сука следователь? И откуда вдруг у него эта информация? Ведь все отпечатки пальцев и его фотографии в профиль и анфас должны были быть уничтожены! Или и здесь проявились российская действительность и знаменитое раздолбайство, чтобы вновь прокатиться по нему тяжелым асфальтовым катком? Господи милосердный, помоги!

Пытаясь успокоиться, чтобы не выдать себя неосторожным словом или озабоченностью в глазах, Яров провел по лицу рукой, как бы снимая накопившуюся усталость, облизал пересохшие губы и посмотрел на следователя как на безнадежного больного. Проговорил едва слышно:

— Простите, но я не понимаю, о чем тут идет речь и какое отношение ко всему этому имею лично я.

Он вновь провел языком по спекшимся губам и сглотнул вдруг подступивший к горлу комок.

— Я еще раз вам повторяю, господин, товарищ или гражданин следователь, вы совершенно необоснованно арестовали...

— Задержали по подозрению в убийстве, — привычно поправил его следак.

— Пусть будет так, — согласился с ним Яров, — но мне от этого не легче. Мало того что я терплю в вашей тюрьме нечеловеческие унижения, но, ко всему прочему, страдает и моя фирма, неся от вынужденного простоя колоссальные убытки. И я вам еще раз повторяю, что вы совершенно необоснованно арестовали ни в чем не повинного человека, причем гражданина России, а не Беларуси, а теперь еще вешаете на меня какое-то убийство, колонию строгого режима, побег и... — В этом месте он усмехнулся уголками губ и добавил: — И мою собственную смерть. Чушь! Полнейшая чушь, гражданин следователь! Я вновь настаиваю на том, чтобы мне дали возможность встретиться с российским адвокатом.

Голосом уставшего актера Яров вел свой монолог, искоса наблюдая за следователем, но по его реакции, вернее, по отсутствию таковой видел, что все эти слова и его праведный гнев попросту падают в пустоту. Наконец следаку все это надоело, а может, и время его подпирало, но он вдруг хлопнул по столу папочкой с делом по убийству Баранчука и его лицо перекосила гримаса, которую сам следак, видимо, считал улыбкой.

— Ну что же, господин Яров! Или все-таки Язов, по кличке Киплинг? Кстати, откуда это у вас столь нетрадиционная кличка? — язвительно поинтересовался он. Однако, не дождавшись ответа, продолжил: — Если раньше вы могли отрицать свою причастность к убийству Баранчука, — он вдруг стал говорить Ярову «вы», и в его лексиконе впервые появилось такое слово, как «причастность», — то теперь, после установления вашей настоящей личности... Короче говоря, так. Слышали небось про пресс-камеры? По глазам вижу, что слышал. Так вот. Ты у меня, Киплинг обосранный, все равно во всем признаешься. И еще расскажешь, как это вдруг убитым оказался и почти пятнадцать годков от правосудия скрывался. Понял? И не потому чистосердечное признание напишешь, что раскаялся в содеянном и хочешь облегчить свою душу покаянием, а потому, что я отдаю тебя сейчас в руки капитана Брыля, а уж тот самолично проследит, чтобы кинули тебя, гаденыша, в пресс-камеру, где паханит самый гнусный человек на этом свете — рецидивист Сиська.

Яров молча слушал клокочущий голос следователя, чувствуя, что вновь покрывается жарким потом. Уж кто-кто, а он-то прекрасно знал, что такое пресс-камера, тем более такая, где свой собственный суд вершит поставленный на это дело камерный пахан. Причем поставленный с ведома администрации тюрьмы или того же СИЗО. Он попытался было припомнить лагерных авторитетов с такой кликухой, но так и не смог вспомнить никого. А следователь, словно угадав его мысли, продолжал издеваться:

— Поди, не знаешь Сиську-то? Но познакомишься, познакомишься еще. Он и не у таких козлов, как ты, «признанки» выбивал. — И заржал вдруг, видимо припомнив что-то. — А знаешь, почему у него кликуха такая? Сейчас расскажу.

Уже не в состоянии скрывать свои чувства, Яров с ненавистью смотрел на глумящегося над ним следователя. А тот продолжал заливаться, словно майский соловей:

— Сиська в ту пору еще Сиськой не был и только-только начал завоевывать свой авторитет. Ну и в один из арестов его бросили как-то в камеру, где такие отбросы своей участи дожидались, что не приведи господь. Причем трое особым садизмом отличались. Всех новеньких, что в камеру к ним попадали, они тут же насильничали, а потом уже отдавали другим. Сиська, конечно, был про это наслышан, но марку свою продолжал держать. И вот когда его кинули в камеру, он, вместо того чтобы сказать «Привет, братва!», вдруг выдал нечто непонятное: «Ну что, детишки, дождались свою мамку?»

Камера, естественно, онемела, а он продолжал

как ни в чем не бывало: «Вижу, что дождались. И молочка, поди, хотите. Но предупреждаю: у меня одна сиська, так что сосать ее вы будете по очереди». Ну, конечно, кто-то попытался прыгнуть на него, однако Сиська сумел увернуться, тут же выбил кому-то зубы, кому-то ручонку попутно сломал, в общем, камера от него отступилась и признала своим паханом. Но с тех пор эта кликуха к нему словно приклеилась. Сиська — и все тут. В общем, передаю тебя капитану Брылю, а тот и с Сиськой тебя познакомит. Не все же тебе мозги нам полоскать. Так что, когда надумаешь чистосердечно во всем признаться, стучи. Я имею в виду в дверь, — уже откровенно ржал следак. — Капитан Брыль откроет.

...Перебирая в памяти подробности этого допроса, Яров вдруг вспомнил, как при прощании сузились глаза следователя и он произнес жестко:

— Ну что, Киплинг, убедил я тебя? Колись, козел! Тебе же лучше будет, хоть от пыток себя освободишь. Ведь калекой же после пресс-камеры останешься... — Но, увидев его отрешенный взгляд, оборвал свои увещевания и молча нажал истертую кнопочку вызова конвоя.

Что было потом, Ярову и вспоминать не хотелось. Только пробивалась сама собой через кровавое марево злобная узколобая рожа капитана Брыля да его шипение, когда он совал в руку невменяемому Ярову листок бумаги: «Пиши, сука, «признанку»! Пиши, а то ведь еще хуже будет».

И опять нарастающая боль, когда ему заламывали пальцы, буцкали ногами в печень и почки, мочились на лицо, смывая кровавую маску, и вновь паскудная рожа капитана, его маленькие свинячьи глазки, зорко всматривающиеся в то, что можно еще было назвать человеком, и предупредительный окрик, обращенный, видимо, к Сиське: «Смотри, висельник, если до смерти забьете! Я тогда сам с тебя и твоих козлов не слезу. Этот гаденыш мне живой пока что нужен. — И добавлял чуть погодя: — А вот когда он чистосердечное подпишет...»

Что будет с ним потом, Яров мог только догадываться. Главное сейчас для следствия — это его признание в убийстве белорусского бизнесмена. И кто заказал. Ну а дальше... Дальше будет совсем просто. Как только прокуратуре станет известно имя человека, заказавшего Баранчука, а имя это довольно часто мелькает на страницах белорусских газет, вопрос с Яровым будет решен. В лучшем случае — пуля в спину, якобы при попытке к бегству, а в худшем... Удавка на шее в той же пресс-камере или разбитая голова на параше... Мавр сделал свое дело, мавр может уйти. Кому нужны разоблачения российского киллера, если эти разоблачения могут вынести на свет божий имена людей, которые не только делают деньги, но и политику творят.

От всего этого хотелось волком выть и биться дурной башкой о стену. Ну что, что мешало ему тогда попутно замочить и этого пропойцу-гаденыша на заднем дворе ресторана? Спешил? Не хотел брать на душу лишнюю жертву? Но сожалеть об этом было уже поздно. Однако о чем действительно жалел сейчас Яров больше всего, так это о том, что очень уж не вовремя вляпался он в это дерьмо. Надо же было засыпаться, когда ему наконец-то засветило фантастически прибыльное, сверхприбыльное дельце, причем практически безопасное в осуществлении. Дельце, после удачной прокрутки которого он в одночасье становился миллионером — в долларовом исчислении, естественно, — и мог бы свободно свалить на те же Канары или в Грецию, чтобы уже надежно осесть там, навсегда оставив заказной отстрел денежных мешков и криминальных авторитетов более молодым и наглым. Это был заказ на ядерные «чемоданчики». И что теперь будет с тем заказом — об этом действительно приходилось только гадать...

II

Иван Мартынович нервничал. И было отчего. К концу недели будут звонить из Москвы и он, подполковник Гринько, должен дать четкий и вразумительный ответ на сделанное ему предложение. Да или нет. Впрочем, хоть ему и оставляли право выбора, он отлично понимал, что ответ должен быть однозначный — да! А иначе... Он мог только догадываться о тех последствиях, которые возникнут для него лично и для его семьи в случае отказа. Даже мотивированного необычной сложностью задуманного и сопровождающим его осуществление огромным риском. Но это, как говорится, уже его проблемы. А кого волнует чужое горе?

Успевший заметно огрузнеть в свои неполные пятьдесят лет, Гринько тяжело поднялся из-за стола, прошел к окну, за которым тянулись склады с боеприпасами и где почти у самого края строго охраняемой территории разместился спецсклад, в котором хранились изделия МЧС-518, некогда повешенные на их шеи для спецхранения. Ему уже казалось даже, что все давным-давно забыли про них, так нет же... Понадобились кому-то. Вспомнили.

Подполковник Гринько невесело усмехнулся. Изделие МЧС-518... И кто бы мог подумать, что за этим ничего не значащим шифром скрываются взрывные устройства страшной разрушительной силы, искусно вмонтированные в чемоданчики-«дипломаты». Подобные «чемоданные» устройства находятся на вооружении диверсионных подразделений Российской армии, а также используются спецслужбами. Один из подобных «чемоданчиков» взорвался в руках московского журналиста Дмитрия Холодова в октябре девяносто четвертого года, когда ему вместо документов передали кейс с бомбой. Но тот злополучный чемоданчик по сравнению с теми «чемоданными» устройствами, что хранились на спецскладе ракетно-артиллерийского арсенала, был просто детской игрушкой, забавой, которой решили поиграть мужики в камуфляжной форме, дабы наказать слишком любопытного журналиста в назидание другим. Хоть и представлял собой холодовский чемоданчик профессионально сработанную мину, которыми пользуются спецслужбы, однако начинка в нем была простой, так сказать «повседневной», — такую применяет в своих разборках даже российская братва. А вот те «чемоданчики», что хранились в бетонном бункере, выбитом в скальном массиве...

Это были небольшие ядерные устройства, каждое из которых в руках опытного террориста могло уничтожить не только пару-тройку городских кварталов, но и навести такого шороха в столице любого государства, что воспоминаний об этом событии хватило бы не одному поколению. И вот вдруг эти «чемоданные» устройства срочно кому-то понадобились.

Гринько стоял у окна и в сотый, если не в тысячный раз оценивал степень риска — ежели он, конечно, решится на похищение трех кейсов, сопоставляя этот риск с той выгодой, которую ему сулила их реализация. Вынести эти взрывные устройства с территории арсенала ни особых хлопот, ни особой трудности не составляло. Но вот как скрыть пропажу? Были, конечно, годами наработанные приемы, но ведь речь шла не о простых гранатах или минах — речь как-никак шла о ядерных устройствах, и случись вдруг утечка информации или инспекционная проверка... О последствиях даже думать не хотелось.

И в то же время... И в то же время пора было позаботиться о своем будущем. Ведь что ни говори, а скоро полтинник придется праздновать, а там и отставка не за горами. Это он сейчас имеет возможность обеспечивать давным-давно не работающую жену и двух дочерей, которых удалось воткнуть в педагогический колледж. А что станется с ними, когда его отправят на пенсию? Эта страшная мысль грызла Ивана Мартыновича чуть ли не весь последний год, да и жена то и дело поскуливала, когда начинала рассказывать о сослуживцах-отставниках, которые, оставшись после армии не у дел, перебивались с хлеба на воду. Господи, да разве мог он, подполковник, дослужившийся до должности начальника штаба ракетно-артиллерийского арсенала, даже в шутку подумать о подобной перспективе в советские времена? А сейчас... Перспектива ох как реальна. Оттого и приходилось ему вновь и вновь возвращаться мыслями к сделанному предложению. Он должен дать ответ к концу этой недели. Причем ответ желательно положительный. Об этом довольно недвусмысленно намекнул беседовавший с Иваном Мартыновичем человек. А если точнее, заказчик, пообещавший заплатить за три комплекта МЧС-518 столько, чтобы хватило подполковнику на безбедную старость. Да не в поганых рублях, которые могут погореть в первую же инфляцию, а в американских долларах.

Вот уж действительно в народе говорят: и хочется, и колется, и мама не велит.

— Господи, вразуми раба твоего! — помимо своей воли шептал Гринько, и на его скулах играли желваки, что выдавало особую степень волнения.

Он с детства не верил в Бога, но в последнее время стал ловить себя на том, что все чаще и чаще обращается к Всевышнему, дабы тот наставил его на верный путь или отпустил грехи. А их, грешков-то человеческих, накапливалось все больше и больше, столько, что Иван Мартынович порой просыпался в горячечном поту, увидев во сне картины справедливого возмездия. Но по сравнению с тем, о чем он думал сейчас, мысленно проворачивая варианты хищения взрывных устройств с ядерной начинкой, все его прежние прегрешения казались обычными детскими шалостями. А потому он, еще ни на что не решившись, уже загодя просил Бога о снисхождении к его новому преступлению, умоляя видеть за ним лишь обыкновенную человеческую слабость, и ничего более. И еще принять во внимание, что сейчас воруют все. Ну, по крайней мере, многие из тех, кто имеет хоть мало-мальский доступ к материальным ценностям в армии, что само по себе уже ни для кого не является секретом...

Даже та информация, которой обладал Гринько, давала возможность четко увидеть контуры всеобъемлющей коррупции, словно раковая опухоль поразившей армию. Военные прокуроры совместно с органами контрразведки и отделами по борьбе с организованной преступностью заканчивали и передавали в суд сотни уголовных дел по хищениям, совершенным должностными лицами. Причем год от года количество этих дел росло, будто на дрожжах. И если в былые годы было принято говорить, что в армии воруют только прапорщики, то теперь... Теперь воровали все — от генералов и ниже. И это тоже ни для кого не являлось секретом. Правда, если генеральские многомиллионные дела прокуратура спускала на тормозах и жулики с лампасами отделывались легким испугом, то на тех, кто был помельче, блюстители закона порой отыгрывались по полной программе. Однако даже такой устрашающий фактор уже не мог остановить нарастающего вала хищений.

И в этом подполковник Гринько также искал для себя оправдание.

Ну чем он, спрашивается, хуже того же начальника базы хранения вещимущества подполковника Шахнова, его зама, и тех начальников отделов, в отношении которых по результатам прокурорской проверки возбуждено уголовное дело? Да ничем! Он, подполковник Гринько, может быть, даже лучше и чище того же начальника планово-экономического отдела базы, в гараже которого при обыске было обнаружено военно-вещевое имущество более девяноста наименований. Девяноста! Были там валенки, сукно, постельные принадлежности, нижняя и верхняя солдатская и офицерская одежда. Как говорят знающие люди, всего на сумму свыше пятидесяти миллионов старых рублей.

Что же касается самого Шахнова, то уже наложен арест на принадлежащий лично ему трехэтажный коттедж с пристройками и баней, на два гаража (все как из-под земли выросло в течение каких-то двух лет) и довольно крутой «мерседес». Причем этот Шахнов не только сам воровал, но и другим давал.

Или взять хотя бы начальника учетно-операционного отдела базы майора Клинкина. Тот за это время успел разжиться кроме трехэтажного особняка еще двумя иномарками и четырьмя гаражами. Видать, тоже на будущее запасался. Чтобы не только себе хватило, но и сыну с дочерью.

Но этих-то, рассуждал Гринько, хоть понять, а следовательно, и простить можно. К выходу на пенсию готовились мужики. Но вот как понять ту мелкоту в погонах, что заведовала хранилищами? Говорят, у них при обысках столько всего было обнаружено, что хватило бы...

Господи, да чего там говорить о людях, которые сидели на такой куче добра, причем в большом городе, если даже на местах, где все друг у друга на виду, творятся черт знает какие дела!

Иван Мартынович вспомнил, как всего лишь несколько месяцев назад «прогремели» их соседи —

склад горючего и смазочных материалов зенитно-ракетной бригады. И ведь с чего началось? Какая-то сука завидущая стукнула в прокуратуру, что там расхищается бензин. А в прокуратуре словно ждали этого сигнала и тут же организовали проверочку, по результатам которой в отношении начальника склада, старшего прапорщика Цыплякова, было возбуждено уголовное дело. Вот тогда-то в ходе следствия и выяснилось, что этот самый старший прапорщик совместно с начальником службы ГСМ бригады майором Зелениным, а также начальниками служб ГСМ еще нескольких частей из соседних гарнизонов похитили около трехсот тонн бензина и чуть меньше дизельного топлива на хрен знает какую сумму.

Так мало того чтобы скрыть хищение, эти орлы разбавляли бензин дизтопливом и керосином, приведя в некондицию более семидесяти процентов всего автобензина, хранившегося на складах. А потворствовал этому командир части, который тоже внакладе не оставался. И подобных примеров множество...

Думая обо всем этом, мысленно копаясь в грязном белье своих сослуживцев, вороша в памяти сплетни и слухи, Гринько с усмешкой подумал о суде офицерской чести, которого раньше боялись как черт ладана, испытания которым многие просто не выдерживали, предпочитая позору пулю из пистолета, — подумал и скептически хмыкнул. Все это было когда-то, в прошлом, а сейчас... Да на тебя твои же сослуживцы будут смотреть как на последнего дурака и штопаного идиота, если ты сидишь на мешке с добром и не можешь этим самым добром воспользоваться. Одним словом, белая ворона, и тьфу на тебя!

Взять хотя бы недавний шухер в бригаде специального назначения, которая дислоцируется неподалеку. Членами инспекционной комиссии Министерства обороны там было обнаружено более полусотни неучтенных ящиков сливочного масла и почти столько же водки. Естественно, стали раскапывать это дело, и вскоре было установлено, что продукты и кристалловская водка принадлежат супруге командира бригады, которая якобы приобрела все это добро в местном военторге. И все бы, казалось, ничего, но когда копнули глубже, то выяснилось, что подобного масла в военторге не было более года...

Прапорщики, майоры, полковники, генералы... Господи, да какая разница, сколько звездочек у тебя на погонах! Главное, что все мы люди, все человеки, единым миром мазаны, успокаивал себя Гринько. Однако легче от этого на душе все равно не становилось, все равно паскудно было — дальше некуда. Одно дело — солдатские валенки с бельем со склада, и совершенно другой расклад — хищение драгоценных металлов, освоенное Иваном Мартыновичем до мельчайших деталей, или, того пуще, «чемоданные» устройства с ядерной начинкой, заказанные не иначе как террористами, может, даже теми же чеченцами, злобу которых успокаивает только могила...

От мысли о чеченцах ему вдруг стало так тоскливо, так заскребли на душе коготки страха, что Гринько, лишь бы только не думать об этом и не давать хода разыгравшемуся воображению, бросился к небольшому потайному сейфу, вмонтированному в стену, где у него была припрятана початая бутылка плохонького коньяка. Налил полный стакан резко пахнущей жидкости, слегка сморщился и, покосившись на плотно прикрытую дверь, махнул коньяк залпом, тут же спрятав бутылку обратно в сейф. Порылся в верхнем ящике стола в поисках конфетки-сосалки, но, так ничего и не найдя, негромко выругался и завалился в свое рабочее полукресло.

Прикрыв глаза ладонью, Иван Мартынович попытался было поймать сладостный момент легкого опьянения, но перевозбужденное сознание оставалось по-прежнему трезвым, а проклятая память все возвращала и возвращала его в тот злополучный день, когда... Хотя, впрочем, почему злополучный? Ведь если согласиться на это предложение и толково все провернуть, то и старость его будет обеспечена, и вообще не надо будет беспокоиться о завтрашнем дне. Не желая признаваться себе, что он уже принял решение, но ясно ощущая, как оно, еще окончательно не сформировавшееся, довлеет над ним, Иван Мартынович снова и снова восстанавливал в памяти подробности той встречи, стараясь не упускать даже малейшего нюанса в разговоре между ним и заказчиком, разговоре, после которого навсегда кончилась его спокойная жизнь.

...Это был воскресный день, и подполковник Гринько отдыхал дома, когда вдруг раздался телефонный звонок. Звонил человек, никогда прежде не баловавший его таким вниманием, — Тимофей Капралов. Криминальный авторитет областного значения, бывший зек и рецидивист, при помощи которого он, подполковник Гринько, провернул несколько удачных сделок, используя его каналы для сбыта драгметаллов. Обычно, когда была нужда, Иван Мартынович выходил на него сам, а тут...

— Господин полковник? — дружески-снисходительным тоном прохрипел Тимофей, которого мало кто знал по имени-отчеству, а большей частью величали застарелой кликухой — Рядно, приклеившейся к авторитету за побитое оспой лицо. — Рад вас слышать, а еще лучше будет, если мы с вами увидимся сегодня вечером.

— Что так? — невольно вырвалось у Гринько — он чуть ли не шкурой мгновенно почувствовал: ни этот телефонный звонок, ни встреча ничего хорошего ему не принесут. Видать, не только ему нужен был старый рецидивист, понадобился и он этому ворюге, который, по его же собственным словам, поимел до отбытия на покой полные семь ходок. Хотя, впрочем, какой там, к черту, покой! Уж что-что, а тайны в том, что Рядно контролирует едва ли не всю область, для Гринько не было.

— Вечером узнаешь, — не терпящим пререканий тоном прохрипел Рядно, но, видимо вовремя сообразив, что на другом конце провода хоть и его подельник, однако все-таки подполковник, к тому же начальник штаба ракетно-артиллерийского арсенала, добавил негромко: — С тобой человек один из Москвы познакомиться желает. Разговор серьезный имеет. Кстати, это в твоих же интересах.

Будучи далеко не глупым человеком, Иван Мартынович прикинул, какой «интерес» он лично может представлять для серьезного человека из Москвы, и у него моментально взмокли от липкого пота ладони. Ракетно-артиллерийский арсенал, где он был, по существу, едва ли не полновластным хозяином, представлялся лакомым кусочком не только для российского криминалитета, но и для гостей из республик бывшего Союза. Видать, и этот протеже Капралова будет просить что-то или предлагать выгодную в его понятии сделку. Но одно дело сбывать кое-что по своим, местным каналам, и совсем другое — светиться чуть ли не на всю Европу. К этому Гринько был не готов, да и обстановка была не совсем подходящей для каких-либо операций.

— Слушай, Тимофей, я не могу сегодня, — попробовал было подполковник отказаться от навязываемой встречи.

На другом конце провода воцарилась гнетущая тишина, будто отказ прозвучал личным оскорблением для криминального авторитета, и наконец вновь прорезался хрип Рядно:

— Сможешь, Иван! Сможешь. Тем более, повторяю, это в твоих же интересах.

Они давно уже были на «ты», к тому же Рядно был годков на пять старше подполковника и поэтому, кроме как Иваном да «господином полковником», его не величал. Однако сейчас в этом «Сможешь, Иван!» Гринько почувствовал едва прикрытую угрозу. Вернее, приказ. И от этого у него вдруг тревожно заныло в груди. Помолчав, Гринько спросил угрюмо:

— Где и когда?

— В семь вечера. Ресторан «Заречье». Столик будет заказан. Ждем!

Вспоминая этот телефонный разговор, Иван

Мартынович непроизвольно поморщился. Две недели прошло с тех пор, а вот поди ж ты, словно сейчас в ушах стоит угрюмо-повелительный хрип этого уголовника, которого Гринько и презирал, и опасался одновременно. Хотя, чего греха таить, ведь именно благодаря криминальным связям Тимофея Капралова на той же таможне он, подполковник Гринько, смог вывезти из России и довольно удачно толкнуть налево столько драгоценного металла, что вырученных от этих сделок денег вполне хватило, чтобы и тот же коттедж из красного кирпича поставить в Подмосковье, откуда он сам был родом и куда хотел вернуться после ухода на пенсию, и вполне приличные иномарки приобрести, оформив их на дочерей. Как говорится, от завидущих глаз подальше и чтобы лишних сплетен не было. Все-таки как ни крути, а он — начальник штаба ракетно-артиллерийского арсенала. А это как волосок на лысине. Весь на виду, и всяк на тебя пальцем показывает. Так и смотрят, сволочи, не хапнул ли ты чего-нибудь лишнего.

От последней мысли ему стало совсем паскудно. Так же, как в тот воскресный день, заныло в груди, и он вновь открыл сейф, вновь плеснул в стакан темной жидкости, которая по вкусу лишь отдаленно напоминала коньяк, и тут же, сморщившись, выпил. Откинувшись на спинку кресла и закрыв глаза, посидел немного, ожидая, когда же наконец количество спиртного начнет переходить в качество и успокаивающая теплота заполнит его сознание, — только так, казалось ему, он сможет еще раз, теперь уже спокойно, проанализировать тот разговор в городском ресторане, проанализировать так, чтобы окончательное решение стало совсем ясным и убедительным.

...Предупредив надувшуюся жену, что ему надо встретиться в городе с нужным человеком (не вдаваясь, однако, в лишние подробности), Иван Мартынович, решив не светиться со служебной машиной, вызвал такси и в семь вечера, как было условлено, подкатил к ресторану «Заречье». Еще когда расплачивался с водителем, увидел в раскрытых дверях ресторана двух мордоворотов из личной охраны криминального авторитета — похоже было, эти явно поджидали «господина полковника». Это было хорошим знаком, и Гринько уже более спокойно переступил порог кабака, который еще в самом начале девяностых годов то ли выкупил, то ли приватизировал какой-то торгаш из Армении. Правда, кормили здесь хорошо да и вина с коньяком были вполне приличные, так что хоть и назывался этот ресторан «Заречье», но авторитетом пользовался таким, будто находился в центре города. Был здесь и общий зал, где гремела музыка и можно было присмотреть на вечер какую-нибудь телку, было и несколько уютных закутков в виде отдельных кабинетиков, сразу облюбованных деловыми людьми для ведения переговоров и заключения сделок. Тимофей Капралов со своим столичным гостем ждали Гринько именно в таком кабинете. Кивком отпустив своих висельников, Рядно широким жестом хлебосольного хозяина пригласил «господина полковника» к столу, обильно заставленному бутылками и сервированному на три персоны, и тут же представил ему еще довольно молодого симпатичного блондина, который поднялся навстречу гостю.

— Знакомься, Иван. Это тот самый человек, который имеет к тебе разговор. Зовут Андреем.

Видимо зная себе цену, блондин не торопясь поднялся навстречу Гринько и довольно крепко стиснул его руку.

— Рад познакомиться. Андрей. По отчеству — Константинович. Однако друзья действительно зовут меня просто Андреем. — И широко улыбнулся при этом, отчего задиристо вздернулся нос уточкой, а на широком подбородке проступила глубокая ямочка.

И то ли эта симпатичная ямочка так подействовала на Гринько, то ли простецкий нос уточкой, а может быть, какая-то ненавязчивая интеллигентность, от которой за версту несло Москвой, благополучием и полной уверенностью в себе, но Иван Мартынович вдруг почувствовал к этому человеку внутреннюю симпатию, какое-то расположение, моментально улетучилось свербящее чувство ожидания какой-то неприятности, и он непроизвольно улыбнулся гостю в ответ.

Припоминая этот момент знакомства, Гринько вдруг подумал, что да, московский гость умел располагать к себе незнакомых людей. Причем у него это происходило настолько естественно, что тоже знавший себе цену Гринько уже через полчаса считал Андрея чуть ли не закадычным другом и просил называть его только Иваном.

А потом...

Вот уж правду в народе говорят: кто мягко стелет, тот жестко спать кладет.

Продолжая исподволь присматриваться друг к другу, они уже почти допили первую бутылку настоящего армянского коньяка, в котором, насколько понял Гринько, его новый московский друг вполне разбирался, и Рядно потянулся было за новой, как вдруг что-то изменилось в поведении Андрея, его лицо заострилось, и он требовательно посмотрел на Тимофея. Почему-то Иван Мартынович более всего запомнил этот взгляд: именно требовательный, властный, взгляд, от которого всемогущий Рядно будто осекся на полуслове и согласно кивнул своей башкой с глубоко посаженными глазами:

— Понял. Оставляю вас одних.

«Господи, с чего бы это? — вдруг забеспокоился Гринько, наблюдая, как поспешно криминальный авторитет поднимается из-за стола. И еще одна мысль пронзила его сознание: — Уж если всесильный Рядно лебезит перед этим блондином, то какими же возможностями и авторитетом обладает он сам? Вот тебе и нос уточкой!»

Когда наконец Рядно выбрался из-за стола и потопал в сторону зала, откуда грохотала музыка, Андрей достал из серебряного ведерка со льдом бутылку шампанского, молча и легко открыл ее и только после этого произнес, подняв свой фужер:

— Ну что, товарищ подполковник, выпьем за наше с вами общее дело?

Насторожившийся Гринько сразу обратил внимание, что москвич впервые обратился к нему по званию и что на его лице уже не блуждает приветливая улыбка рубахи-парня.

— Не понял! — слегка поколебавшись, но в то же время с некоторым вызовом сказал Гринько.

Видимо поняв его состояние, Андрей улыбнулся:

— Давайте сначала выпьем, а потом я вам все объясню.

И, не дожидаясь, когда подполковник последует его примеру, но, видимо совершенно уверенный в этом, медленно, глоток за глотком выцедил свое шампанское. После чего какое-то время молчал, словно раздумывая, как лучше всего начать этот конфиденциальный разговор, и, уже когда Гринько зажевывал шампанское кусочком шоколада, проговорил негромко:

— Иван Мартынович, предупреждаю, предложение мое поначалу может показаться вам не совсем обычным и, вполне возможно, не очень-то корректным, но это только на первый взгляд. И еще прошу об одном: внимательно меня выслушать, затем, когда вы вернетесь домой, подумать как следует и завтра к вечеру дать предварительный ответ. Вернее, ваше принципиальное согласие. Если вы скажете «да», то мы обговариваем конкретные детали, вы определяетесь, насколько в ваших условиях безопасно провести предлагаемую операцию, на что я вам даю две недели, и уже потом, стало быть, примерно через полмесяца, вы подтверждаете свое окончательное согласие или говорите мне «нет».

Гринько уже давно понял, что за этой встречей лежат хорошие деньги, которые могут перекочевать и в его карман, но сейчас он с какой-то особой остротой вдруг понял, что речь идет не просто о хороших деньгах, а о деньгах больших, и теперь ему важно было правильно оценить ситуацию, чтобы и своего не упустить, и по возможности задницей своей не рисковать. Не следовало ни на минуту забывать также и о том, что главным наводчиком здесь явился Рядно, который, видимо, давным-давно знаком с этим блондином. Ну что ж, он готов выслушать предложение московского гостя.

А Андрей между тем продолжал:

— Иван Мартынович, я не хочу, чтобы между нами оставались какие-то неясности, и поэтому предупреждаю сразу: прежде чем встретиться с вами, я выяснил о вас все, что мог, — и про первоклассный коттедж в ближнем Подмосковье, строительство которого вы только что закончили, и про новенькие иномарки, оформленные на дочерей, в общем, про все, что, как вы думаете, является тайной за семью печатями.

Этот проклятый блондин говорил еще и еще, заставляя Гринько наливаться чувством справедливого гнева.

— Это что, — неожиданно вскинулся он, — шантаж?!

— Упаси меня бог! — поднял руки Андрей. — Иван Мартынович! Дорогой! Да как вы могли подумать такое? Просто я вам рассказываю то, что мы знаем о вас. И объясняю, почему я позволил себе обратиться с этой просьбой именно к вам. Вы меня, надеюсь, понимаете?

Гринько кивнул угрюмо.

— Вот и прекрасно! — почти обрадовался блондин. — Но должен вам сказать, Иван Мартынович, что все эти коттеджи и машины — сплошная чепуха по сравнению с тем, что рассказал мне наш общий друг по кличке Рядно. А рассказал он мне то, дорогой товарищ подполковник, что на вашем арсенале уже несколько лет как организовалась преступная группа, которая занимается систематическим хищением деталей, содержащих драгоценные металлы. Причем эту преступную группу возглавляет не кто иной, как начальник штаба арсенала, то есть вы, и через вас же, вернее, через вашу связь с Капраловым, идет перекачка этих самых металлов за границу.

Андрей замолчал, словно оценивая произведенный эффект от сказанного, а Гринько процедил глухо:

— Чего вы хотите?

— Сотрудничества, — спокойно ответил блондин и повторил задумчиво: — Сотрудничества.

— Конкретнее! — потребовал Гринько.

— Конкретнее, говорите? Ну что ж. — Гость вновь замолчал на какое-то время, цепко всматриваясь в глаза подполковника, наконец произнес негромко: — Вы доставляете мне десять комплектов изделия МЧС-518, а я обеспечиваю вам безбедную старость после выхода в отставку. И все! Больше никаких совместных дел.

За столиком наступила могильная тишина, и вдруг Иван Мартынович рассмеялся. Громко и раскатисто, как не смеялся уже долгие годы. Потом смахнул ладонью выступившие на глазах слезы и поднял голову на московского чудика.

— Изделие пятьсот восемнадцать... Да ты хоть знаешь, что это такое?

Навалившееся было напряжение отпустило, и он вновь перешел на «ты», как бы подчеркивая тем самым всю никчемность этого предложения.

— Знаю, — кивнул Андрей и спокойно добавил: — Взрывное устройство, заделанное под «дипломат». Однако, в отличие от обычных «чемоданных» устройств, эти изделия — ядерные.

Он говорил, словно студент-отличник на проходном экзамене, и от этого его спокойствия у Гринько снова заныло в груди — так, что стало трудно дышать.

— Да ты хоть понимаешь... — почти задохнулся он в каком-то беззвучном крике.

— Я все прекрасно понимаю, — с тем же олимпийским спокойствием остановил его Андрей. — А потому и обращаюсь именно к вам, а не к прапорщику Петренко. Я прекрасно знаю ваши возможности, знаю, что это изделие хранится именно на складах вашего арсенала, и поэтому предлагаю вам обоюдовыгодную сделку.

С этими словами он в упор поднял глаза на Ивана Мартыновича, словно заглянул внутрь сидящего перед ним человека, и, как о чем-то решенном, добавил:

— Я понимаю всю щекотливость вашего положения, сразу же могу пообещать: если вы боитесь засветиться с той валютой, что получите за «чемоданчики», то я помогу вам положить их на счет в любой приличный зарубежный банк.

Иван Мартынович слушал блондина и не верил своим ушам. Тот не спрашивал, согласен ли подполковник Гринько пойти на преступление. Нет! Он говорил об этом как о давно решенном факте, говорил так, будто он, Гринько, уже дал свое согласие и теперь мозговал только, где и как выгоднее положить валюту, чтобы не засветиться с ней и в то же время поиметь процентный навар.

Затем они опять пили все вместе, Андрей весело

смеялся, рассказывал новые столичные анекдоты и произносил кавказские тосты, употевший от забористого коньяка Рядно ржал, как бельгийская лошадь на водопое, однако ему, подполковнику Гринько, начальнику штаба ракетно-артиллерийского арсенала, было не до веселья. Да и спиртное что-то не брало, хотя блондин и подливал ему услужливо то коньячку в пузатый фужер, то шампанского в бокал на высоченной ножке, а то «ерша» заделывал, предлагая выпить то за будущую полковничью папаху Ивана Мартыновича, то за его семью и за каждую дочь в отдельности. Этот человек, понимающий толк в винах и закусках, к тому же умеющий и вилку с ножом правильно держать, знал о самом Гринько и его семье почти все, что можно было знать, и это более всего настораживало Ивана Мартыновича. Настораживало и пугало. Видать, хорошо подготовились москвичи к этой встрече. Ничего не упустили, что могло бы повлиять на окончательное решение, вернее, на согласие начальника штаба арсенала.

Из-за столика они поднялись далеко за полночь, блондин с приметным носом уточкой что-то шепнул обслуживающим их армянам, те согласно кивнули, и, когда нагрузившегося-таки Ивана Мартыновича подсаживали в поданный к дверям ресторана «мерседес», эти же армяне поставили на заднее сиденье вместительную корзину, доверху набитую бутылками, какими-то экзотическими фруктами и упаковками с изысканными закусками, при виде которых его жена чуть слюной не подавилась, забыв при этом дать мужу втык за позднее возвращение.

Что и говорить, этот москвич был не только

великим шантажистом, но и прекрасным психологом!

Весь следующий день Гринько промучился в каком-то непонятном состоянии и, сославшись на головную боль, чуть ли не все восемь часов просидел у себя в кабинете, лихорадочно пытаясь найти наиболее приемлемый выход из той ситуации, в которую он попал. Впрочем, Иван Мартынович уже понял: скажи он «нет» — и его так просто в покое не оставят. А методы воздействия таких авторитетов, как Рядно, и его столичного кореша ему были известны. Недаром же вчера за столиком этот проклятый блондин то и дело возвращался к его семье, как бы показывая тем самым, что знает, через кого достать подполковника, вздумай тот отказаться от его предложения. Так что у него оставалось два выхода. Первый — срочно, сейчас же обратиться в контрразведку, и второй — дать предварительное согласие, а там уж — куда кривая выведет. Но о контрразведке не могло быть и речи, потому что те ребята так копнут, что никому мало не покажется. А стало быть, оставалось единственное...

В тот же вечер ему позвонил Андрей и подполковник Гринько дал согласие «подумать над предложением и проработать возможные варианты».

— Хорошо, — удовлетворенно произнес москвич и тут же спросил: — Пару недель, как обговаривали, хватит вам для проработки?

— Лучше три, — моментально ответил Гринько, стараясь хоть на неделю оттянуть момент окончательного согласия, после которого возврата уже не будет.

— Хорошо, пусть будет так, — чуть подумав,

произнес москвич и добавил: — Только не больше! Конец третьей недели — контрольный срок. Постарайтесь к этому времени проработать наиболее приемлемый и безопасный вариант. Я вам буду звонить лично. И учтите: наш общий друг в детали нашего с вами разговора не посвящен.

После этого они поговорили еще о чем-то, не имеющем прямого отношения к делу, и уж было попрощались, как вдруг Иван Мартынович выдавил из себя:

— Оплата до или после?

— Как прикажете! — с каким-то безудержным весельем произнес Андрей, и в этом его ответе Иван Мартынович уловил едва заметный вздох облегчения. Будто гора с плеч у блондина упала. Видно, только сейчас, именно после этого вопроса он уверился окончательно, что через начальника штаба ракетно-артиллерийского арсенала можно не только драгоценный металл доставать, но и делать более серьезные дела. И от этой нескрываемой радости блондина Гринько вдруг стал противен самому себе...

Впрочем, это поганое чувство он быстренько убрал бутылкой дареного коньяка, который не шел ни в какое сравнение с той дрянью, которую он пил сейчас, а уже через день-другой, причем помимо своей воли, Иван Мартынович стал мысленно возвращаться к спецскладу, где хранились «чемоданные» устройства, и пока что предварительно и тоже помимо своей воли думать о возможных вариантах хищения, прикидывая в то же время, кого конкретно из подчиненных можно без особого риска привлечь к этой операции. Такие люди, причем имевшие прямое отношение к спецскладу и не обремененные особым чувством долга или совести, были, и он уже задолго до контрольного звонка стал успокаивать себя тем, что, мол, кому служить-то правдой и совестью, если Россия разваливается на части, если государство бросило военных на произвол судьбы. Офицеры по три месяца не получают зарплаты, а что касается всяких прочих выплат, так уж о них все давным-давно и думать забыли. И вообще, чему быть, того не миновать. Однако, чем ближе подкатывало время контрольного звонка, тем больше и больше подполковник метался, обуреваемый противоречивыми чувствами. Метался, хотя в глубине души уже знал, что готов пойти на это хищение. А перед не желающей смириться совестью оправдывался тем, что не столько хочет выгоды для себя, сколько боится за жизнь дочерей и жены...

III

И опять его калечили, втаптывая в залитый кровью бетонный пол, били сапогами и резали каким-то перочинным ножом, обещая выколоть глаза, пока в конце концов не выдохлись, оставив Ярова на полу. Он изредка мычал, корчась от боли в луже собственной крови, но — странное дело — на этот раз сознание не оставляло его, и это тоже была пытка. Дикая, непосильная пытка, когда он понимал все, что происходит вокруг, слышал разговоры ублюдков сокамерников, которые «совещались» по его поводу, заварив кружку пахучего чифиря и пуская ее по кругу; они отдыхали, а его измочаленное тело содрогалось каждой своей клеточкой, ожидая новых пыток. И этому, казалось, не будет конца. Но в один из таких перерывов он придумал...

Яров оторвал окровавленную голову от холодного бетона, чуть приподнялся, опираясь на руки, тупо и бессмысленно уставился на своих мучителей, сидящих за грубо сколоченным столом. То, что он хотел сейчас сделать, пришло к нему как наитие и виделось ему сейчас единственным шансом на спасение; он боялся только, что у него не хватит сил выдавить из себя хоть одно слово. Вспоминая уроки далекой молодости, он сконцентрировался, собрав в единый кулак всю свою волю, и вдруг понял, что в камере наступила гробовая тишина. Эти отморозки, руками и ногами которых менты выбивали у своих «подопечных» признания, смотрели на него как на ожившее привидение, место которому на тюремном кладбище. Нет, они не боялись крови и распухших от побоев рож. Они боялись живых и непокорных, вернее, их мести, и именно на этом Яров и решил сыграть.

Вдруг могильную тишину камеры прорезал взвинченный, истерический крик какого-то молодого баклана:

— Живой, с-сука! Бля буду, живой! — И тут же: — Дозволь, пахан, замочить, а? Москаль паскудный... Бля буду, рука чешется!

Боясь, что не успеет и рта раскрыть, Яров заторопился, шевельнул разбитыми, непослушными губами, но, как он ни спешил, его опередил Сиська.

— Заткнись, щенок! — не поворачивая головы, бросил он своему отморозку и уставился на Ярова, будто видел его впервые. А может, удивление нашло, а то и зауважал невольно, что не поддается, бедолага, побоям и пыткам. А ведь какие дубы он ломал!

Молодой отморозок замолчал обиженно, и Яров наконец-то смог разлепить непослушные, заклеенные кровавыми струпьями губы. Выдавил с каким-то глухим бульканьем:

— С...сиська... р...ра...разговор имею.

И вновь, словно его оставили последние силы, завалился лицом в собственную кровь. Хотел было сказать еще что-то очень нужное, но сознание стало медленно уплывать, и он даже не понял, а скорее почувствовал, как его поднимают с пола и укладывают на шконку[1]. Причем именно укладывают, а не бросают, как мешок с говном.

Яров не мог сказать точно, сколько времени пробыл он в таком состоянии, но когда открыл глаза, то вдруг с радостью осознал, что еще жив, руки-ноги целы, а это значит, что он еще сможет побороться за себя, а повезет — так и осуществить задуманное. Аккуратно, словно боясь причинить себе лишнюю боль, он перевернулся на бок, позвал тихо:

— Братва, смотрящего позовите...

Он специально возвеличил тупорылого отморозка Сиську до почетного звания смотрящего по камере, чтобы только потрафить ему. Настоящий смотрящий — это авторитетный вор, поставленный братвой, чтобы следил за порядком в той же камере, а этот ссучившийся гаденыш работал на тюремных оперов, выколачивая нужные показания из непокорных, так что называть его смотрящим было со-

---

[1] Ш к о н к а — нары *(здесь и далее: тюремный жаргон).*

всем не по чину. Но именно на лести и решил сыграть Яров. Причем план его в деталях дозрел вроде бы как сам по себе, когда избитое тело Ярова валялось на шконке, а мозг продолжал работать, просеивая, отбрасывая один за другим возможные и совсем уж невозможные планы побега.

В камере мгновенно наступила тишина, и вдруг опять раздался тот же истеричный голос молодого баклана:

— Во, бля, оклемался! Ну щас я его, с-суку...

— Заткнись, пидормот поганый! — оборвал не в меру разошедшегося баклана властный голос Сиськи, а Ярова уже обступили человек пять сокамерников. На этот раз не били. То ли устали, то ли Сиська приказал — понятие жалости эти ублюдки позабыли еще в далеком детстве. А может, какое распоряжение поступило от самого капитана Брыля, в ведении которого находилась эта пресс-камера...

— Ну? — вновь раздался глухой голос камерного пахана, который, видимо, считал ниже своего достоинства подходить к этому окровавленному мешку человеческого мяса. Но потом все-таки добавил: — Если есть что сказать — говори. Здесь все свои.

Яров помолчал какое-то время, словно обдумывая, стоит ли посвящать в свои дела насторожившихся сокамерников, и вдруг застонал страшным стоном, схватившись руками за живот и корчась на шконке от боли. С тех самых пор, как его бросили в пресс-камеру, такого с ним еще не было, что, видимо, и произвело впечатление.

— Ты чего, москаль? — свистящим шепотом спросил кто-то.

Закрыв глаза, словно приступ страшенной боли отобрал у него все силы, Яров чуть шевельнул окровавленной головой и едва слышно прошептал:

— С-смо...смотрящего...

Сокамерники, как один, повернулись в сторону своего пахана, но тот уже поднимался из-за стола, с явной тревогой всматриваясь в корчащегося на шконке мужика.

— Ну? — пробасил он, подойдя к нарам.

Яров с трудом приоткрыл глаза, и столько боли плескалось в них, что непробиваемый Сиська даже сморщился, отведя взгляд в сторону.

В камере наступила гнетущая, выжидательная тишина.

— Ну-у? — на этот раз уже чуть мягче протянул Сиська и нетерпеливо добавил: — Говори.

С трудом шевеля разбитыми, похожими на огромные синюшные вареники губами, Яров скривился в мучительно-болезненной гримасе и едва слышно произнес:

— К-кажется, я у-уми-раю...

— Ты чего, с-сука?! — угрожающе громыхнул Сиська.

— Умираю! — выдохнул Яров, и это страшное слово будто растворилось в могильной тишине.

— Т-ты чего это? — заикаясь, спросил кто-то.

Яров вновь закрыл глаза, шевельнул губами:

— Аппендицит... аппендицит у... у меня. Операцию должны были д-делать. И видать... Видать, лопнул. Г-гной в кровь п-пошел. А это...

Теперь он выдавливал слова хоть и тягуче-медленно, но четко, и каждый издаваемый им звук тяжелым гнетом давил на камеру.

— Врет, сука! — неожиданно завопил неуемный баклан, но его истеричный вопль так и завис в спертом воздухе узилища.

— Да заткните ему пасть! — не оборачиваясь, проревел Сиська и склонился над Яровым: — Ты это брось, мужик! Какой, на хер, аппендицит?!

Но Яров уже словно не слышал его, продолжая как бы бессознательно бормотать:

— Передай на волю маляву... Зубру... отпишешь Зубру, что Киплинг отошел от дел, но никого не завалил. — Потом замолчал, будто сил набирался, с трудом облизал разбитые губы. — Отпиши обязательно. Зубр давно весточку ждет. Братва видела, как меня менты вязали...

Он замолчал, словно совсем обессиленный длинной речью, и голова его сползла с рваного, измызганного и почерневшего от запекшейся крови матраса.

В камере зависла напряженная тишина. Все смотрели на Сиську. И вдруг снова завизжал баклан:

— Все! Чего же он раньше-то, с-сука такая, про Зубра-то... — И вдруг заскулил, получив хлесткий удар по морде: — За что? Падла!

Но на размазывающего кровь по лицу баклана никто не обращал внимания. Почти все знали, что такое аппендицит, тем более лопнувший, когда гной пошел в кровь, — от этой гадости окочурился не один зек, как знали и то, кто такой Зубр и что с ними со всеми станется, если он узнает, что его подельника замочили в пресс-камере у Сиськи. И это было пострашнее любой самой неприятной новости. Вор в законе по кличке Зубр координировал работу славянских группировок — «бригад» в Белоруссии, и то, что он дознается правды о смерти этого москаля в минском СИЗО, сомнений не оставалось. Передавай Сиська маляву на волю или воздержись от таковой. Сами же сокамерники заложат, когда кто-нибудь на воле окажется. А это... Ссучившихся блатных, которые ради спасения своих поганых шкур шли на поводу у тех же ментов или красноперых, соглашаясь ломать кости непокорной братве, ненавидел весь воровской мир, и когда удавалось прищучить какого-нибудь козла наподобие Сиськи... Приговор был короткий и, как говорится, обжалованию не подлежал. Заточку в печень или удавку на шею. Дабы другим неповадно было. А тут...

И опять заскулил оклемавшийся баклан:

— Пахан, с-сука! Из-за него же нас всех...

— Это уж точно, — промычал кто-то в заволновавшейся камере.

— Зубр — это тебе не Брыль-блядина. Это ж надо так подставить! У-у-у, падла...

И тут камера словно взорвалась. Кто-то застонал, кто-то длинно выматерился. Кто-то схватил струхнувшего Сиську за грудки.

— Слухай сюда, пахан! Надо что-то делать. Иначе нам всем действительно...

Резким ударом снизу отбросив руки вцепившегося в него сокамерника, Сиська выпрямился и тихо, но угрожающе-внятно процедил:

— Тихо, козлы! Щас разберемся.

Он вдруг рванулся к двери, громыхнул по железу тяжелыми, налившимися кровью кулаками. А позади него уже вопили:

— Откройте, суки! Человек умирает.

По бетонному полу гулкого коридора загрохали тяжелые ботинки контролеров, металлическим звоном стукнула щеколда, и в зарешеченном окошечке нарисовалась встревоженная морда дежурного офицера.

— Тихо-о-о! — заорал он. И уже на тон ниже: — Ну, чего случилось?

— Брыля позови! Капитана Брыля, — прохрипел Сиська. — Человек умирает! Киплинг! Он знает.

Какое-то время тугодум дежурный молчал, с напряжением всматриваясь в полутемное пространство и, видимо соображая, с чего бы это умирать арестованному в пресс-камере, спросил на всякий случай:

— Что, замочили?

— Ты что, козел поганый! — завопил кто-то. — Да за такие слова...

Страх, дикий нечеловеческий страх мгновенно завладел этими отморозками, и теперь они готовы были даже этого офицера сожрать с говном, лишь бы не оказаться под тяжелым прессом Зубра. Здесь-то охрана отметелит да отпустит, а Зубр, узнай он вдруг о гибели своего подельника... Голова в кустах, а яйца на телеграфном проводе.

— Ша, козлы! — вдруг заорал на своих шестерок Сиська и, когда те немного успокоились, повернулся к дежурному: — Аппендицит у мужика! Понимаешь, лопнул?! Видать, гной в кровь пошел... Уже ногами сучит. А капитан приказал, что он живой нужен. Соображаешь? И я не хочу, шоб меня, как петуха последнего, раком поставили... — Он замолчал и вдруг вцепился своими лапами в пр[illegible]заренную к двери решетку. — Да сделай хоть что-нибудь, сделай! Врача, сука, вызови! В санчасть отправь.

Дежурный офицер, видимо, сообразил в конце концов, что дела действительно хреновые, и, уже не обращая внимания на «суку» и другие оскорбления, которые неслись из пресс-камеры, крикнул кому-то, чтобы позвонили в спецсанчасть и тащили носилки и звали врача.

Будто сквозь ватный туман, заложивший уши, до Ярова доносился топот ног по бетонному полу, встревоженные голоса, чьи-то резко отдаваемые команды и тоскливое вяканье дежурного офицера:

— Вот же падла! Нашел когда болеть. Сегодня же суббота!

Ни врачей в санчасти, ни капитана. Только в понедельник все будут.

И это тоже входило в план Ярова.

Хоть для него время и превратилось в материально-осязаемую величину, пронизанную болью и кровью, он все же сумел высчитать, что сегодня то ли суббота, то ли воскресенье. Выходит, что суббота.

...Догола раздетый, со спущенными до колен трусами, которые фельдшер то ли забыл, то ли побрезговал натянуть обратно, Яров лежал на жесткой кушетке в спецсанчасти и, закрыв глаза, слушал приговор тюремного фельдшера, жесткие пальцы которого он все еще ощущал на своем животе. Этот садист в давно не стиранном халате, от которого за версту несло застарелым перегаром, заправленным свежачком, пожалуй, не менее получаса мял и крутил его живот, пах и ребра, будто не человек лежал на кушетке, а слепок из глины. И стонущий, порою вскрикивающий Яров с ужасом думал, что бы с ним сейчас сталось от боли, если бы у него действительно случился приступ аппендицита. Этот сорокалетний сучонок с рыжими патлами, видимо, боялся симуляции, боялся ошибиться в своем диагнозе, и, когда он распрямился наконец-то, на носу у него висела капелька пота. Сам же Яров был просто мокрым от боли и того напряжения, в котором находился все это время.

А фельдшер между тем бубнил напористо:

— Повторяю еще раз! У арестованного острейший приступ аппендицита, и я, как врач, обязан принять соответствующие меры.

Похоже, этот алкаш в белом халате менее всего хотел, чтобы его уличили в пьянстве на рабочем месте, и от этого его речь была хоть и напористой, но витиевато-напыщенной.

— Так принимай! — огрызнулся дежурный офицер — корпусной.

Яров невольно сжался. Именно сейчас, именно в эти минуты решалась его дальнейшая судьба.

— «Принимай»... — уже в свою очередь огрызнулся фельдшер. — Я-то приму, но сегодня суббота, к тому же вечер. В санчасти, кроме меня, ни одной собаки нет. Хирург в понедельник только будет, а этому, — и он кивнул на обнаженного Ярова, — срочно нужна операция.

На какое-то время в приемной воцарилась тишина, наконец дежурный офицер спросил хрипло:

— А это... Ты, случаем, того... ошибиться не мог?

Яров почувствовал, как все его тело начинает бить дрожь. То ли от холода, то ли от нервов.

— Нет, не мог, — глухо огрызнулся фельдшер.

— Почему? — продолжал допытываться дежурный.

— Очень просто! — с неприкрытой злобой, вызванной, видимо, столь откровенным недоверием к его профессиональным знаниям, бросил фельдшер. — Потому что *так* просимулировать приступ аппендицита просто не-воз-мо-жно. Понимаешь, сапог, невозможно?!

Он сделал ударение на слове «так», по слогам произнес «невозможно», и Яров уже в который раз невольно сжался, прося милости у Бога и вспоминая уроки пятнадцатилетней давности, когда опытнейшие врачи-специалисты натаскивали его на профессиональную симуляцию аппендицита и еще нескольких заболеваний, что могло пригодиться ему в дальнейшей работе. Многое, конечно, и позабылось с тех пор, но все-таки...

— Ну и?.. — обозленно протянул дежурный офицер, видимо обидевшись за «сапога».

— Операция нужна, — уже более спокойно повторил фельдшер и вновь склонился над Яровым, раздвигая пальцами его плотно закрытые веки. — Причем срочная. Не позже завтрашнего утра. А у нас...

— Короче, лепила! — оборвал фельдшера корпусной. — Чего предлагаешь?

Обдавая Ярова парами застарелого винно-водочного амбре и продолжая всматриваться в его зрачки, фельдшер наконец-то произнес свой приговор:

— Госпитализировать нужно. Срочно!

— Ты что... хочешь сказать, что...

— Да, именно это и хочу сказать, — не терпящим возражений голосом проговорил гордый своей медицинской значимостью фельдшер. — Надо вызывать вооруженный конвой и везти этого чудика, который уже завтра может оказаться жмуриком, в горбольницу. А иначе...

На какое-то время в приемном кабинете наступила мертвая тишина, и Яров обратился в слух.

— Да куда же его везти такого? — видимо смирившись с решением фельдшера, который теперь отвечал за жизнь попавшего в санчасть человека, уныло произнес корпусной, и Яров вполне понимал его состояние. Привези сейчас в городскую больницу измордованного человека, на котором нет живого места от побоев в следственном изоляторе... Да об этом завтра же будет знать весь город, а пресса поднимет такой вой, что... Для этого козла корпусного чувство собственного самосохранения было важнее жизни любого из подследственных заключенных, и вновь закаменевший в тревожном ожидании Яров молил Бога, чтобы тюремный лепила настоял на своем. Ведь случись смерть подследственного во время его дежурства, тем более не от «сердечного приступа», как это принято писать в протоколах судебно-медицинского вскрытия, а от приступа аппендицита, который уже, возможно, перешел в перитонит, и начни вдруг раскручивать кто-нибудь это дело...

Так что, как говорится, своя рубашка ближе к телу. И еще: кого волнует чужое горе?

— Раньше надо было думать, — хмуро пробубнил фельдшер, накрывая дрожащего от озноба Ярова какой-то простынкой. — А сейчас вызывай своих контролеров, ребята помогут мне обмыть этого жмурика да в божеский вид привести, а я пока что с больницей созвонюсь.

Назвав Ярова жмуриком, то есть покойником, тюремный лепила уже явно шутил, видимо довольный тем, что сбросил с себя ответственность за человеческую жизнь. И случись какая-нибудь неприятность с этим заключенным, если, конечно, смерть можно назвать неприятностью, то его хата с краю.

...Теперь Ярова мяли и мусолили пальцы дежурного врача хирургического отделения горбольницы, где согласились принять тюремного больного. Этот мужик был на удивление трезвым, но и он после длительного осмотра, простукивания и прощупывания брюшной полости пришел к заключению, что больной находится в тяжелом состоянии, что его необходимо госпитализировать и готовить к операции.

— Когда? — хмуро спросил старший конвоя, доставившего Ярова в горбольницу.

— Что «когда»? — не понял врач, ополаскивая руки под краном.

— Операция когда?

— Завтра, естественно, — пожал плечами хирург, и Яров увидел, с какой неприязнью он покосился на прапорщика. Потом спросил, кивнув на синюшного от побоев пациента, на котором, казалось, не осталось живого места, а ведь старался, даже очень старался тюремный лепила, прибирая своего клиента в горбольницу, даже кровяные подтеки ваткой со спиртом протер и голову от спекшейся крови отмыл, причесав собственной расческой непокорные вихры Ярова: — Что, клиент-то, поди, с нар ненароком свалился?

— Не, — ощерился в понимающей улыбке старший конвоя. — Это его опера приложили, когда на месте преступления брали. Опасен, с-сука!

— Убийца, поди? — хмыкнул хирург.

— Угу, — подтвердил прапорщик и, видимо считая вечер вопросов и ответов законченным, перешел на повелительный тон представителя власти: — И поэтому мне велено определить этапируемого в отдельную палату.

— Да, я знаю, — согласился с ним врач и тут же поинтересовался: — А если вдруг... ну-у, убийца этот сбежать из больницы надумает?

Прапорщик хмыкнул, снисходительно покосившись на хирурга, который, похоже, имел дело с арестантом впервые в жизни. А ведь до седых волос мужик дожил.

— Куда он, на хер, денется? Я же с ним охрану оставлю.

И опять Ярова везли на каталке, но теперь по чистенькому больничному коридору, где пахло йодом, лекарствами и еще чем-то необыкновенно знакомым и хорошим, что осталось там, на воле, за толстенными стенами тюрьмы, превращенной в следственный изолятор. Потом каталка въехала в небольшую одиночную палату, санитары перегрузили Ярова на белую простыню панцирной кровати и его избитое, ноющее от побоев тело словно растворилось в этом больничном комфорте.

«Господи, не уснуть бы!» — с невольной тревогой подумал Яров, из-под опущенных ресниц наблюдая, как устраивается подле окна мордатый белобрысый конвоир. Второй охранник расположился у плотно прикрытых дверей, лишая тем самым арестанта даже малейшего шанса на отчаянный побег, решись вдруг на таковой этот обессиленный побоями и аппендицитом москаль. Если тот конвоир, который отвечал за окно, был просто здоровым деревенским малым, то тот, что устроил свою задницу на стуле у двери... Почти двухметрового роста, с огромными ручищами, которые могли поломать всякого, он казался гигантом в этой крохотной палате, и непонятно было, зачем вообще он здесь нужен.

И все-таки этот «вологодский конвой», зорко следивший за каждым движением подопечного, был просто ничем по сравнению с той опасностью, которая сейчас необоримо наваливалась на Ярова. Врач, добрая душа, чтобы облегчить страдания больного, вкатил ему какой-то укол, после которого не только стала отступать разлившаяся по телу боль, но и сами собой начали закрываться глаза, а мозги все сильнее заволакивала дремота. Порой Яров словно проваливался в какое-то состояние, похожее на невесомость, и каждый раз, когда воспаленное сознание возвращало его в действительность, он вздрагивал. Все это было похоже на очередную, особо изуверскую пытку, и Яров упорно ломал себя, стараясь не поддаться этому уходу в сладостное небытие.

Однако в какую-то секунду он все-таки словно провалился в бездонную яму, заполненную вязким, плотным туманом, а когда очнулся, с тревогой открыв глаза и не зная, сколько времени он находился в этом полуобморочном состоянии, то увидел, что оба его конвоира тоже кемарят, свесив головы на грудь. У парня, что пас окно, из уголка полуоткрытого рта сползала тоненькая струйка слюны.

Первым желанием Ярова было выбраться из-под одеяла и бесшумной кошкой проскользнуть в пустой в этот поздний час ночи коридор, но, вспомнив, что дверь закрыта на ключ, он медленно досчитал до десяти и, когда в мозгах немного просветлело, позвал негромко:

— Ребята!

Первым очнулся гигант у двери. Его подбородок оторвался от груди, голова приняла устойчивое положение, и он тяжелым взглядом уперся в Ярова.

— Ну?

— В уборную бы мне, — пробормотал Яров, и лицо его скривилось в просительной гримасе. — Подпирает так, что сил нету. Боюсь...

Он не договорил, но и так было ясно, чего боится этот недоношенный арестант.

Гигант сморщился так, будто это ему приспичило в столь неурочный час, и повел носом, внюхиваясь в спертый воздух палаты. Видимо, для порядка спросил:

— А потерпеть не можешь?

Яров отрицательно качнул головой.

Гигант вздохнул, покосился на своего товарища, который продолжал все так же сладко спать, свесив голову и пуская слюни, и проговорил беззлобно:

— Навешать бы тебе плюх хороших вместо параши. — Однако все-таки оторвал задницу от стула, достал из чехла наручники и только после этого, приковав свою кисть к правой руке Ярова и открыв дверь, гаркнул разухабисто: — Микола, падла, зек сиганул!

Спящий охранник дернулся, будто сквозь него пропустили электрический заряд, спрыгнул со стула, зашарил сонными, ничего не соображающими глазами по палате. Наконец, видно, понял, что спал беспробудно и его разыграли, раззявил свою пасть в виноватой улыбке и пробасил глухо:

— Ладноть. С кем не бывает-то? — Потом спросил, кивнув на державшегося за живот арестанта: — Чего это он?

— Обосрался, сучонок!

— Ну! А мы-то при чем? — задал конвоир вполне естественный вопрос.

— Ну ты даешь, Микола! — изумился гигант. — Я ж тебе по-людски говорю: обосрался человек и его в уборную вести надо. Так что следуй за нами.

Туалет, куда доставили Ярова, отличался чистотой и, видимо, был предназначен для медицинского персонала. Гигант отстегнул стальные браслеты, и Яров смог зайти в кабинку. Никакого окна на улицу здесь, конечно, не было, но теперь он уже знал, как осуществит свой дальнейший план. Первые два акта разыгранного им спектакля вроде бы прошли нормально, теперь оставался третий. Заключительный. Он сидел на чистеньком пластиковом кружке и невольно думал, как же все в жизни относительно. На московской квартире у него была шикарная американская сантехника, после которой он долго не мог привыкнуть к тюремной параше, а вот сидит сейчас на этом простеньком, но зато таком уютном толчке, и кажется, что нет в жизни большего счастья. Однако его философские рассуждения оборвал настойчивый стук в дверь и требовательный голос гиганта, которого, оказывается, звали Петром.

— Эй! Хватит отсиживаться. Побереги жопу-то.

Это тоже была тюремная шутка, которой одинаково пользовались как зеки, так и вконец отупевшая охрана.

— Щас, ребята, иду, — отозвался Яров, спуская воду и натягивая штаны.

Уже выходя из туалета, он попросил разрешения умыться и теперь возвращался в отведенную для него палату взбодренный холодной водой из-под крана. План побега после этой вылазки созрел окончательно, но главное — ему уже совершенно не хотелось спать, к тому же, спасибо врачу, прошла боль, которая еще несколько часов назад терзала все его тело.

Полузакрыв глаза, Яров неподвижно лежал на больничной койке, наблюдая из-под опущенных ресниц, как умащиваются на своих стульях Микола с Петром, и с какой-то отчаянной злостью думал о том, что он теперь не только сделает ноги от этих двух деревенских придурков, но и выполнит заказ, после которого станет миллионером. Фортуна вновь поворачивалась к нему лицом, и он знал, что теперь это надолго.

Отчетливо припомнились события месячной давности, когда ему позвонил бывший клиент из Министерства иностранных дел, которому он в свое время оказал небольшую услугу, убрав двух конкурентов за смехотворно малый гонорар десять тысяч баксов. Клиент сказал, что неплохо бы встретиться — мол, есть серьезный разговор.

— Что, опять кто-то дорогу перешел? — засмеялся Яров. Этот мидовец порой консультировал его турфирму, давал полезные советы, которые приносили определенный навар, поэтому Яров был готов выполнить любой его заказ и за более смехотворную сумму. Однако то, что предложил ему работник МИДа...

Они сидели за столиком небольшого кафе на Тверской, и, когда до Ярова наконец-то дошел смысл заказа, с которым к нему обратился мидовец, он даже отодвинул свой фужер, намереваясь встать и послать этого чудика куда-нибудь подальше.

— Слушай, милок, да ты хоть понимаешь...

— Обожди! — остановил его заволновавшийся мидовец и потянул за рукав, усаживая на место. — Заказ не от меня исходит. Здесь серьезные люди замешаны. И деньги платят такие, что... Меня же попросили исполнителей найти. Ну-у... В общем, я сразу же порекомендовал тебя.

Яров даже рот открыл от такой беспардонной наглости.

— Выходит, сдал меня с потрохами?! — едва не задохнувшись, спросил он. — И, значит, попробуй я отказаться...

— Да брось ты кидаться словами! — прервал его мидовец. — Сдал... Попробуй отказаться... Понимаешь, здесь совершенно другое дело, иной уровень. И никто тебя принуждать не будет...

— Это ты мне говоришь? — скептически ухмыльнулся Яров и уже спокойнее спросил: — Кто заказчик?

Мидовец замялся, потом выдавил нехотя:

— Какая-то серьезная организация мусульманских фанатиков. Работают на международном уровне.

— Из наших, эсэсэровских?

— О чем ты говоришь? — скривился в гримасе мидовец. — Стал бы с ними кто-нибудь возиться. Здесь гораздо серьезнее. И база то ли в Судане, то ли в Афганистане.

— Ясно, — словно подытоживая услышанное, хмуро произнес Яров. — А мне ты, значит, уготовил роль исполнителя, который должен вычислить склады, где хранятся эти самые «чемоданные» устройства, каким-то образом вывезти или вынести их оттуда, а потом еще и перебросить через российскую границу. Не много ли? Тем более учитывая, что я не супершпион, на которого работает свора помощников.

Мидовец пожал плечами. Видимо, он уже освоился с непривычной для него ролью посредника да и денежный куш, вероятно, поимел за этот разговор немалый, потому что вдруг довольно резко поменял интонации просителя на тон уверенного в себе человека и даже позволил себе мимолетную ухмылку.

— Ну зачем же так много? Вычислить, вывезти, перебросить и прочее... Меня просили передать, что если ты согласишься, то немедленно получаешь четвертую часть обозначенной договором суммы и координаты склада, где вся эта хреновина хранится.

— Ага, — поддакнул Яров и чуть ли не прошипел в лицо бывшему клиенту: — Так что за мной остается самое малое — выкрасть номерные изделия и вывезти их из России! Да ты хоть знаешь, козел, *как* это охраняется?!

Мидовец невразумительно пожал плечами, словно говоря тем самым: «Я-то что? Всего лишь колесико в этой цепочке. Не хочешь, других поищем».

Потом отхлебнул из своего бокала, ковырнул ложечкой в стаканчике с мороженым и поднял глаза на собеседника.

— Сегодня я должен ответ твой передать. Что сказать?

Яров закрыл глаза, прокручивая в лихорадочно работающем мозгу сделанное ему предложение и взвешивая все «за» и «против», а прокрутив, словно бросился головой в омут:

— Я хотел бы переговорить обо всем этом с кем-нибудь посерьезнее. — Он специально унизил мидовца, чтобы этот козел знал свое место.

Тот, видимо, проглотил эту грубость и согласно кивнул:

— Хорошо. Мы учли это твое желание.

Затем он поднялся из-за столика, прошел к телефонному аппарату, что висел около дверей, довольно быстро переговорил с кем-то и вернулся к поджидающему его Ярову.

— Сейчас подъедет человек, от имени которого я разговаривал, и если ты в принципе согласен...

— А где гарантия, что этот твой человек не является такой же пешкой, как и ты? — вновь не удержался Яров, чтобы не унизить этого лысеющего сорокалетнего павиана с замашками английского лорда.

В ответ — довольно презрительное молчание, которое можно было истолковать по-разному. Однако на сей раз Яров решил осадить свое самолюбие, тем более что цифра, которую обозначил в качестве гонорара мидовец, могла укоротить любые чувства.

Человек, которому звонил мидовец, оказался довольно крупным седеющим шатеном, от которого за версту несло замашками бывшего полковника-штабиста, а может, и крупного советского или партийного работника, который сумел быстренько «перестроиться» в девяностые годы и теперь тоже жил неплохо, о чем свидетельствовал и прекрасно сшитый костюм, сидевший на нем как на манекене, и умело завязанный галстук, стоивший не менее ста баксов. Портрет дополняли прекрасные итальянские туфли из натуральной кожи необыкновенной выделки.

Моментально оценив социальную значимость уверенного в себе шатена, который рокочущим баском представился как Петр Максимович, Яров вмиг словно забыл о сидящем напротив него мидовце и теперь обращался только к Хозяину, как мысленно окрестил он заказчика. А мидовцу словно скипидару в прямую кишку налили — он суетился, не зная, куда усадить и чем угостить шатена. Насколько понял Яров, видимо, крепко зависел от него его бывший клиент.

А Петр Максимович сразу же попытался взять быка за рога. Вкратце повторив Ярову все то, что уже говорил мидовец и еще раз обозначив цифру гонорара и процент аванса, он откинулся на мягкую спинку полукресла и уставился требовательным взглядом на Ярова:

— Итак, ваш ответ!

Яров невольно хмыкнул. Этот человек, видать, сразу же после окончания института попал на «руководящую» работу — сначала в комсомоле, затем по партийной линии, сейчас, поди, возглавляет какую-нибудь совместную фирму на Ближнем Востоке, а потому и не терпит возможных отказов. Как говорится, пережитки социализма. Но Ярову нравились такие мужики, тем более — такие клиенты. Они были уверены в себе, при деньгах и не ведали сомнений и угрызений совести в своих затеях по достижению цели. И с ними можно было иметь дела. Правда, до определенного момента. Это Яров тоже усвоил на собственной шкуре. Если потребуется, то такой Хозяин и сдаст тебя со всеми потрохами.

— Слушаю! — с ноткой нетерпения повторил Петр Максимович, ощупывая собеседника теперь уже изучающим взглядом.

Явно не торопясь давать окончательный ответ, Яров сдвинул свой бокал в сторону, побарабанил пальцами по краю стола. Поднял глаза на Хозяина, проговорил негромко:

— Надеюсь, вы осознаете всю сложность этой операции и степень риска?

— Я плачу за это крупные деньги! — отрезал Хозяин, говоря как о чем-то само собой разумеющемся.

— Я не о том, — брезгливо поведя носом, сказал Яров. — Тем более что покойникам деньги не нужны.

— Не понимаю! — явно стушевался Петр Максимович.

— Сейчас поясню, — спокойно ответил Яров. — Этот человек, — и он кивнул на притихшего мидовца, — вероятно, наговорил обо мне кучу глупостей. И, в частности, что я лучший киллер в столице, а значит, и все могу.

Он покосился на мидовца, который заерзал от этих слов, и продолжил, чуть повысив голос:

— То есть этот придурок, можно сказать, сдал меня. Но я не об этом. С этим я чуть позже разберусь. Я сейчас о другом.

Заметив, как заволновался мидовец да и у невозмутимого Петра Максимовича по лицу пошли красные пятна, Яров поднял руку, как бы призывая обоих к спокойствию, и с каким-то злым удовлетворением отметил, что теперь он является хозяином разговора. А следовательно, и положения.

— Я сейчас о другом, — повторил он. — Я хочу, чтобы вы знали, что я не всемогущ и есть регионы в России, где я могу провернуть серьезное дело, а где... — И он безнадежно опустил ладонь на стол.

— То есть, чтобы дать окончательный ответ, вам необходимо знать районы, где хранятся эти изделия? — уточнил Петр Максимович.

— Так точно, — кивнул Яров.

Хозяин задумался на какой-то момент, видимо просчитывая, чем он рискует, если вдруг этот нахальный киллер откажется от предложения, но будет знать, где хранятся ядерные «чемоданные» устройства, и, вероятно решив, что риска особого в этом нет, назвал координаты ракетно-артиллерийского арсенала.

Яров вспомнил, как у него екнуло сердце. Радостно екнуло. Это был регион, который контролировал старый вор по кличке Рядно. Криминальный авторитет, с которым Яров познакомился еще пятнадцать лет назад в колонии строгого режима и с которым не забывал поддерживать определенную связь.

Наблюдательный Хозяин, видимо, уловил эту его реакцию, спросил быстро:

— Ну что, в яблочко попал?

— Почти, — согласился с ним Яров, но тут же добавил: — И все-таки мне нужно время, чтобы смотаться туда, поговорить с людьми — и уж тогда...

...Стараясь освободиться от вязкой сонливости, Яров будоражил в памяти события месячной давности, продолжая в то же время зорко следить за охраной. Ребята были еще молодые, в переделках не бывали, верили в свою силушку и даже понятия не имели, кого они охраняют. Теперь Ярову оставалось только отрежиссировать задуманное.

То и дело роняя голову на грудь, начал похрапывать Микола. Гигант у двери все еще держался молодцом, но и у него уже начали слипаться глаза. И когда он в очередной раз вскинулся, пытаясь сбросить с себя сон, Яров вдруг опять схватился руками за живот и скорчился в мучительной гримасе.

— Старшой! — позвал он, едва шевеля губами. — В туалет бы! Терпения нету.

— Шо, опять? — то ли удивился, то ли возмутился Петро.

Промычав что-то непонятное и продолжая держаться за живот, Яров стащил с себя одеяло, спустил ноги на пол. Дрожа всем телом, проговорил уже более внятно:

— Не могу больше. Выведи, старшой!

Видимо вспомнив, как он в детстве обжирался свежими огурцами с огорода, запивая их парным молоком, отчего потом едва успевал сбрасывать штаны при каждом позыве и часами просиживал в ближайших кустах, гигант беззлобно ухмыльнулся, позвал негромко:

— Микола, в ружье! Бандюга опять обосрался.

Он явно шутил, и это тоже было хорошо.

Второй охранник резко вскинул голову, привычно вытер рукавом подбородок, проморгался и только после этого сполз со своего стула.

И опять Ярова вели в наручниках по гулкому полутемному коридору, опять он сидел на уютном пластиковом кружке, с которого не хотелось подниматься, потом опять наручники, обратная дорога к палате, панцирная койка и какой-то безразлично-вязкий голос Миколы:

— Петро, ты скажи этому москалю, шо если он еще хоть раз обсерится...

— Ладно, покемарь малость, — остудил своего напарника, видимо, более спокойный гигант и вновь взгромоздился на свой стул у закрытой двери.

Яров затаил дыхание. Пока что все шло как надо.

Наблюдая из-под полуопущенных век за мордастым Миколой, которому бы следовало идти служить не в конвойную роту, а в пожарники, Яров ждал, когда же тот угомонится наконец, поудобнее усевшись на своем стуле, а его лопоухая белобрысая башка окончательно упадет на грудь и больничная тишина нарушится сладким негромким храпом.

И вновь он стал будоражить себя мыслями о предстоящей операции, вспоминая про тот капкан, в который он загнал начальника штаба ракетно-артиллерийского арсенала, когда его вывел на него старый лагерный кореш Рядно. Оказывается, этот рецидивист давным-давно адаптировался к новой жизни, прибрав к своим рукам едва ли не целую российскую губернию. Его знали и боялись, а он, естественно, пользовался этим, беря свою долю с каждой удачно проведенной операции, безопасность которых обеспечивала его «крыша». И когда Яров сказал ему, что имеет определенный интерес к арсеналу, правда не вдаваясь в нюансы и подробности своего интереса, изрядно подвыпивший Рядно только хмыкнул покровительственно и сообщил, что он имеет не только выход на строго охраняемые хранилища, но и вход туда. И если Киплингу сгодится начальник штаба этого «говенного арсенала»...

О подобном повороте событий Яров и мечтать не мог и поэтому сразу же созвонился с Хозяином, дав свое окончательное согласие на проведение операции, которая должна была принести ему миллионное состояние. О том, что он дожмет подполковника Гринько, Яров даже не сомневался. Имеющий на руках нигде не работающую, однако с огромными запросами бабу и таких же дочерей-студенток, этот вояка уже готовился к выходу в отставку, и того, что он успел наворовать, обратив живые деньги в иномарки и недвижимость, явно не хватит на обеспеченную жизнь, к которой привыкла его жена. Да и ручонки у защитника отечества были замараны так, что, узнай об этом в прокуратуре...

М-да, не хотел бы Яров оказаться в шкуре этого подвижника. С одной стороны — его подельники по бизнесу с ракетными деталями, содержащими драгоценные металлы, с другой — нахрапистый уголовник, который без зазрения совести заложит его при первой же неудаче со всеми потрохами. Так что выход у «господина полковника» был один: дать согласие на предложение Ярова. К тому же деньги ему были обещаны такие, о которых он раньше и помыслить не мог.

Этот обнадеживающий вывод невольно взбодрил Ярова, и он чуть приоткрыл глаза, прислушиваясь к сопению Миколы, изредка переходившему в легкий храп. Что же касается гиганта, то тот продолжал сидеть на своем стуле и, откинувшись на его спинку, глазеть в потолок, видимо вспоминая родную деревню, а может быть, и такую же ядреную девицу, с которой можно было побаловаться на пахучем сеновале. На его коленях, обтянутых пятнистыми штанами, лежали наручники, предназначенные для арестованного. И это тоже было хорошо. Петро, видимо, полностью уверился в поганой болезни конвоируемого, от которой у мужика крутит живот и то и дело тянет в уборную. Конечно, дело это хлопотное — каждый раз водить на толчок, но кто же откажет в этом человеку? Не дать же ему обосраться прямо в кровати! Врачи потом такой хай подымут, что...

— Старшо-ой... — едва слышно опять заскулил Яров и сморщился в мучительной гримасе, в которой были и боль, и невозможность дольше терпеть эти муки, и его вина перед охранником, которому он не дает сидеть спокойно.

— Ну? — покосился на него Петро.

Яров облизал разбитые губы.

— Опять.

— Ну, ты даешь! — удивленно пробубнил охранник и покосился на своего товарища, который уже сладко похрапывал, забывшись во сне. Потом нехотя поднялся со стула, разогнул занемевшую спину и произнес снисходительно: — Ладно уж, обосрался так обосрался. Пошли!

Боясь ненароком разбудить спящего Миколу,

Яров аккуратно сполз с кровати, накинул на себя больничный застиранный халат и, держась одной рукой за живот, подал вторую охраннику. Тот защелкнул стальной браслет, повернул ключ в замке, и они уже в который раз вышли в полутемный коридор, который освещала одна-единственная лампа дневного света. Пустынно и тихо было в коридоре. И даже дежурная медсестра, которой положено сидеть на своем месте, видно, досматривала свой второй сон, закрывшись в подсобке, где хранились простынки, одеяла и подушки, числившиеся за хирургическим отделением.

Тишина, смирение и покой царили в этот полуночный час в больнице.

Охранник подвел Ярова к туалету, приказал развернуться лицом к стене и, когда тот застыл неподвижно, довольно умело и быстро отомкнул наручники. Потом отступил на шаг назад и пролаял почти приказным тоном:

— Вперед! На оправление пять минут.

Теперь он стоял чуть позади от Ярова и угрюмо ждал, когда же этот засранец скроется за дверью кабинки.

— Да, конечно, — вяло пробормотал Яров, теперь уже двумя руками держась за живот, и вдруг...

Пожалуй, даже дикий зверь не смог бы среагировать на этот молниеносный взмах правой рукой, который шел от живота, и резкий, страшной силы удар ребром напружинившейся кисти по горлу. Гигант охнул, из нутра его вырвался горловой клекот, и, выпучив в немом удивлении глаза, он стал медленно оседать на пол. Видимо посчитав, что одного удара будет для этого громилы недостаточно, Яров сложил руки в замок и, когда охранник почти завалился у его ног, изо всех сил ударил его в основание черепа. Петро хрюкнул, из его носа хлынула кровь, и он, словно набитый опилками мешок, распластался подле двери.

— Вот так-то, щенок! — беззлобно произнес Яров и, ухватив парня под мышки, втащил его в кабинку. Потом усадил, прислонив почти безжизненное тело к толчку, прощупал пульс, убедился, что охранник жив, сноровисто стащил с него камуфляжную форму, забрал наручники и, плотно прикрыв дверь туалета, вышел в коридор.

Здесь было так же тихо и спокойно. Хирургическое отделение больницы мирно жило своей обособленной жизнью. Яров почти пробежал коридор, остановился у дверей палаты. Прислушался, прислонившись к дверному косяку. Затем медленно, стараясь не скрипнуть, приоткрыл дверь и мгновенно шмыгнул внутрь.

Микола продолжал посапывать. Яров сжал рукоять тяжеленной дубинки, которую он вместе с наручниками забрал у своей первой жертвы, и с силой опустил ее на склонившиеся перед ним шейные позвонки, державшие дурную голову второго охранника. Микола издал хрюкающий звук и начал, сползая со стула, заваливаться на бок. Поприддержав парня, Яров стащил с него сначала рубашку, затем армейские шнурованные ботинки, брюки, потом втащил его на панцирную койку, не забыв приковать наручниками к изголовью кровати, забил в рот огромный кляп из скомканной простыни, почти мгновенно переоделся в камуфляжную форму охранника, в которой, правда, чуть не утонул, и раскрыл окно.

В палату ворвался легкий весенний ветерок, Яров улыбнулся чему-то своему, пристально всмотрелся в глубину едва освещенного двора, после чего взобрался на подоконник и, легко оттолкнувшись, словно это были тренировочные прыжки на Тушинском аэродроме, прыгнул в недавно вскопанную цветочную клумбу. Мгновенно поднялся на ноги и, отряхивая землю с камуфляжа, заспешил к темному провалу, что зиял в бетонном заборе.

Теперь его уже не могла достать ни одна милиция...

IV

— Ох, мать вашу!.. — почти простонал подполковник Панков, опуская телефонную трубку на рычажки так медленно, словно она весила пуда два, не меньше. Та оперативная информация, которую он по своим каналам получил из Белоруссии, говорила о многом и давала возможность начинать оперативную разработку, в которой, скорее всего, опять придется задействовать Антона Крымова — другой кандидатуры у него просто не было. Но, конечно, не от этого застонал Игорь Панков. Содержалось в оперативной информации из Белоруссии нечто такое...

Подполковник ФСБ Панков давно привык к тому, что и в его родной конторе вовсе не редкость перевертыши и различного рода ублюдки, которые за кусок хлеба с маслом, но чаще всего за американские доллары преступают границы дозволенного и сами становятся преступниками, однако на этот раз речь шла о человеке, которого он хорошо знал, а самое обидное — о его ровеснике. В это ему уж совсем не хотелось верить, но реальность то и дело заставляла совершенно по-новому смотреть на поколение комитетчиков, пришедших в КГБ в конце семидесятых — начале восьмидесятых годов. Это было его, Игоря Панкова, поколение, и уже от одного этого ненависть к перевертышам становилась в его душе во много крат сильнее. Конечно, предателей в погонах было предостаточно во все времена — что при Сталине с Лениным, что при Хрущеве с Брежневым, что при Андропове с Горбачевым, но такого...

Панков подтянул к себе черный аппарат внутренней связи и, когда в трубке послышался слегка хрипловатый голос начальника управления, произнес устало:

— Товарищ генерал, только что получена дополнительная информация по Киплингу. Разрешите зайти?

И, получив утвердительный ответ, поднялся из-за стола.

Крымов, с недавних пор переведенный на режим засекреченного сотрудника ФСБ, был дома, когда ему позвонил Панков и сообщил, что будет у него через час. Добавив при этом, что у него с утра крошки во рту не было и потому неплохо бы выпить чего-нибудь.

— Лады, — бодро ответил Антон, выслушав начальника и давнего друга, хотя лицо его выражало крайнее удивление услышанным. А повесив трубку и посмотрев на часы, Антон совсем уж недоуменно пожал плечами.

Стрелки показывали три часа пополудни, за окном плескался солнечный майский день — вроде бы раненько было думать о выпивке. Однако, как говорится, хозяин — барин, и Антон засобирался в магазин, чтобы забить харчами холодильник, а заодно и бар пополнить.

Панков был, как всегда, пунктуален, и ровно через час — едва Крымов успел поджарить шпикачки и расставить на кухонном столе тарелочки с немудреной закуской в виде колбасы и сыра — в прихожей раздался мелодичный перезвон электрического «соловья». По пути на кухню подполковник сполоснул руки и удобно устроился на мягком кожаном «уголке», плотоядно осматривая накрытый стол и принюхиваясь к запаху шкварчащих на сковороде шпикачек. Потом уставился вопросительно на хозяина квартиры:

— А выпивон? Где выпивон?

Антон повернулся было к холодильнику, где дожидались своего часа бутылка водки и несколько баночек немецкого пива, но тут же развернулся к своему гостю, спросил, нахмурившись:

— Слушай, Игорь! Давай не тяни кота за хвост. Выкладывай сразу: в чем дело?

Уж кто-кто, а он-то лучше, чем кто-нибудь другой, знал, какой почти непьющий Панков охотник до застолий. А уж чтобы он сам предложил выпить, да не просто выпить, а в рабочее время, — для этого должно было случиться нечто чрезвычайнейшей важности. К тому же это напускное оживление, совершенно чужое в его устах словечко «выпивон»...

Дома случилось что? Не похоже. В конторе? Это, пожалуй, ближе, вполне возможно. С приходом нового руководства вполне могла закрутиться мясорубка очередной реорганизации, с непременной чисткой старых кадров. И вполне возможно, что уже идут разговоры о ликвидации спецгруппы, которую возглавляет Панков. Далее развивать эту мысль совсем не хотелось...

Видимо догадавшись, о чем думает Крымов, подполковник усмехнулся какой-то кривой ухмылкой и хмуро пробормотал:

— Что, безработным остаться боишься? Не боись! Дел на наш с тобой век хватит. — И добавил: — Чего стоишь-то? Доставай давай пиво, что ли...

Пока Панков поглощал шпикачки, запивая их баварским пивом, он успел ввести Крымова в курс очередного дела, которое нежданно-негаданно свалилось на ФСБ и которое могло перерасти в крупнейший международный скандал. Суть дела была такова. Служба внешней разведки сообщила, что ей из достоверных источников стало известно, будто некая международная террористическая исламская организация вышла на кого-то из бывших или даже ныне действующих крупных российских чиновников с предложением вывезти из России и продать исламским террористам «чемоданные» устройства с ядерной начинкой. Добро от этого чиновника получено, и он, в свою очередь, уже вышел на какого-то криминального аса, который согласился провернуть эту архисложную операцию. Тот же источник сообщил, что кличка этого аса Киплинг.

— Ну и что тебя так взволновало? — недоуменно пожал плечами Антон, доставая из морозилки запотевшую бутылку водки. — Насколько мне известно, эти орлы из террористических организаций давненько уже к нашим складам с вооружениями приглядываются. Так что нехай наша военная контрразведка этим и занимается. Как говорят в Париже, это их головная боль. А у нас с тобой и своей хватит.

Панков хмуро посмотрел на Антона, решительно отодвинул открытую бутылку в сторону.

— Что-то шибко грамотным вы стали, господин майор, — пробурчал он. — Впрочем, кое в чем ты прав. Этого заказа — насчет «чемоданчиков» — давно следовало ожидать. И тут уж действительно главная забота и головная боль — за умельцами из ГРУ. Но в данном конкретном случае у нас с тобой она появится тоже.

— Кто? — не понял Антон.

— Боль головная! — рявкнул Панков. И уже совершенно спокойно добавил: — Потому что разматывать этот узелок придется не только ребятам из ГРУ, но и нашему управлению. А в частности, нам с тобой. — Он замолчал, покосился на запотевшую бутылку, словно прикидывая, поможет ли водка снять напряжение последних суток, и, видимо решив, что от этой хреновины легче не станет, перевел глаза на Крымова и кивнул на свой кейс: — Будь любезен, подай.

Антон невольно хмыкнул. В этом «будь любезен» был весь Панков. Тот самый Игорь Панков, внутренней интеллигентности которого он, Антон Крымов, не уставал удивляться, а порой даже и поражаться. Все-таки их работа как в бывшем КГБ, так и в нынешнем ФСБ накладывала на человека свой отпечаток, причем далеко не самый лучший, но

Игорь всегда оставался самим собой и всегда мог взять себя в руки. Зачастую даже в самой тяжелой, экстремальной ситуации. Впрочем, Антон и представить его другим не мог. Высокий, всегда со вкусом одетый и подтянутый, Панков был похож на какого-нибудь моложавого английского аристократа, джентльмена, который в свои сорок сумел не только сохранить юношескую спортивную фигуру, но и шевелюру уберечь. Да, волосы у Игоря были что надо — только на висках слегка подбило их платиной... Так что на фоне Крымова, который из-за совершенно белой головы поимел в криминальном мире кличку Седой, Игорь выглядел просто красавцем.

Панков положил перед собой поданный Крымовым кейс, но, прежде чем открыть его, вновь посмотрел на хозяина квартиры, проговорил негромко:

— Теперь об этом самом Киплинге. Скажи, ты никогда не слышал эту кличку?

Антон отрицательно покачал головой:

— Впервые слышу. Уж очень необычная. Киплинг... Всемирно известный английский писатель... Понимаешь, что-то здесь не то. Если брать только блатных, то у них клички более примитивные, устоявшиеся, что ли. Если же взять молодую поросль... — Он задумался на какое-то время и снова отрицательно покачал головой: — Нет, ничего не могу сказать.

— А если представить, что это человек авантюрного склада характера, начитан и не только любит творчество Киплинга, но и сам уже успел побывать кое-где? — спросил Панков.

— Возможно, — согласился Крымов и тут же

спросил: — Так что, ты говоришь, натворил этот Киплинг?

Однако Панков будто не слышал его вопроса.

— Киплинг, Киплинг... — задумчиво повторил он. — Знаешь, а ведь ты близок к истине... Ну насчет молодой поросли... Киплинг... — Он снова произнес эту кличку — так, будто речь шла о какой-то занозе, какой-то помехе, что не дает ни думать, ни работать, ни спокойно спать. — М-да... Киплинг! — Панков усмехнулся каким-то своим мыслям и уже чуть беззаботней проговорил: — В общем, когда стало известно, что фигурант-исполнитель носит столь странную кличку, я подключил к этому делу спецов из МУРа. Однако, представь, никаких киплингов в России не оказалось. Тогда дал запросы в страны СНГ и бывшие советские республики.

— Ну и?.. — заинтересовался Крымов.

Явно не торопясь с ответом, Панков открыл свой кейс и выложил на стол ксерокопию какой-то справки и пришпиленные к ней фотографии.

— Что, неужто вышли на этого самого Киплинга? — не удержался Антон и кивнул на фотографии.

— Похоже, да, — подтвердил Панков. — По крайней мере, белорусские коллеги сообщили, что совсем недавно в Минске был задержан некий гражданин России Яров Андрей Константинович, который подозревался в убийстве очень крупного бизнесмена. Задержанный свою причастность к убийству категорически отвергал... Кстати, тебе ни о чем не говорит эта фамилия — Яров?

Антон нахмурил лоб, припоминая круг своих знакомых, и отрицательно покачал головой.

— Неудивительно, — усмехнулся Панков. —

Впрочем, я и не ожидал другого ответа. Ну да ладно. Об этом потом. В общем, когда следователь копнул этого Ярова по отпечаткам пальцев, то выяснилась одна интересная вещь. Этот самый Андрей Константинович еще в начале восьмидесятых годов был известен в криминальном мире под кличкой Киплинг. Правда, фамилию в ту пору он носил другую — Язов. В восьмидесятые годы проходил сразу по нескольким серьезным статьям, был осужден к длительному сроку заключения. При попытке побега из колонии строгого режима был убит.

— Неужто воскрес? — невольно усмехнулся Антон.

— И не только. — Панков сделал жест, призывающий Антона слушать внимательно. — Он вернулся к своей настоящей фамилии, то есть стал Яровым, долгие годы о нем не было ничего слышно, но уже в начале девяностых этот самый Киплинг проявился вновь, создав в Москве довольно крупную туристическую фирму.

— Лихо! — то ли восхитился, то ли удивился Крымов.

— Но и это еще не все, — усмехнулся Панков. — Киплинг, пожалуй, не был бы Киплингом, если бы не сумел бежать из минского СИЗО. Кстати, и на этот раз удачно.

Антон попытался было вставить что-то, но Панков жестом остановил его:

— Обожди! Дай закончить. Я, конечно, понимаю, что при такой информации прокуратура Белоруссии могла бы без особых проблем наложить свою лапу на Киплинга и в России, но вся хреновина в том, что дело по нему у наших соседей закрыто. Они признают, что задержание российского гражданина было ошибочным, их прокуратура приносит свои извинения. Как мне пояснили, минские следаки вышли на настоящего киллера, который якобы действительно замочил несчастного бизнесмена, но при аресте тот оказал вооруженное сопротивление и был, естественно, убит. Так что...

Панков замолчал и развел руками. Молчал и Крымов, переваривая услышанное. Наконец спросил негромко:

— Так что же в действительности произошло в Минске?

Панков задумался на минуту, по привычке побарабанил пальцами по столу.

— Точно не знаю. Но могу предположить, что на белорусских сыскарей стало давить нетерпеливое общественное мнение в связи с громким убийством видного бизнесмена, а может быть, и не только общественное, и они поторопились закрыть дело, подыскав для этой цели какого-нибудь отморозка, которого тут же замочили, объявив его киллером. А чтобы все было шито-крыто, спустили на тормозах и побег Киплинга из СИЗО, несмотря на то что Киплинг при этом покалечил двоих охранников.

— Ясно, — подытожил Антон. — Все ясно, кроме одного. Почему, собственно, ты думаешь, что это *тот самый* Киплинг? И почему заниматься им должны именно мы?

— Сейчас узнаешь, — хмуро произнес Панков и пододвинул к Антону несколько фотографий. Снимки одного и того же человека, но сделанные в разных ракурсах. Причем человек явно не знал, что его снимают. — Посмотри-ка лучше сюда.

Крымов взял в руки фотографии, чуть пристальнее всмотрелся в них, напрягая память, потом закрыл глаза и вдруг насторожился — тот же нос уточкой, слегка раздвоенный подбородок...

Елки зеленые, этого просто не могло быть!

Он опять всмотрелся в фотографии, провел языком по враз пересохшим губам и поднял глаза на Панкова.

— Неужто Андрей? — выдохнул он. И вдруг скривился, словно от зубной боли. — Ну да, Андрей! И фамилия у него тогда была... Нет, не может такого быть! — замотал он головой, продолжая вглядываться в снимки.

— Я тоже поначалу не хотел верить, — хмуро произнес Панков, забирая из рук Антона фотографии. — Но это действительно *тот самый* Андрей Яров! Я на всякий случай запросил также спецархив бывшего КГБ, и там мне сообщили, что секретный агент Яров поимел среди блатных кличку Киплинг, когда его внедрили в колонию строгого режима. Так что, как видишь, все сходится.

Проговорив это, словно произнеся приговор, Панков таки потянулся к бутылке, наполнил водкой пузатый стопарь, морщась выпил и тут же принялся заедать, стараясь заглушить вкус алкоголя. И посмотрел на Антона так тоскливо, словно именно он, подполковник ФСБ Панков, был виноват во всей этой чертовщине. Международные террористы, заказ на взрывные ядерные устройства и чертов Киплинг — бывший коллега, бывший секретный агент КГБ Андрей Яров, превратившийся теперь то ли в киллера, то ли во владельца туристического агентства...

Крымов, ошарашенный новостью, долго смотрел на начальника. Наконец спросил хрипло:

— Ты точно уверен, что это наш Андрей? Ну что именно он принял заказ от террористов? Сам понимаешь, такое подозрение... Время-то нынче совсем не то, что в начале восьмидесятых. Ну и что, что он был Киплингом? Это в те годы такая кличка была редкостью, а теперь...

Панков только махнул рукой:

— Брось ты... Конечно, до конца и я не уверен. Но, понимаешь, не может быть таких совпадений. К тому же интуиция... — И замолчал, зажав голову в ладонях.

— Руководство уже знает об этом? — спросил Антон.

— Естественно.

— И что?

Панков поднял на Крымова глаза, проговорил с откровенным раздражением:

— Ты, случаем, не забыл о заказанных «чемоданчиках»? Надеюсь, соображаешь, чем это может грозить стране? Так что наша задача — отработать каждого Киплинга в России. Тем более что на сегодня мы смогли в ней выявить всего одного.

— Только не надо политзанятий! — оборвал его Антон. — Моя-то роль какова?

— Есть предложение вывести тебя на Ярова и как следует прощупать его.

— Ясно, — буркнул Антон. — Выходит, без меня меня женили, но все-таки согласие мое требуется.

— Естественно, — кивнул Панков. — Дело-то, сам понимаешь, щекотливое. Но ты — единственный кандидат. И еще одно. Времени на раздумья ни у меня, ни у тебя уже нет!

Панков уехал под вечер, а оставшийся один Антон метался по пустой квартире и невольно думал о том, сколько же за последние годы исковеркано, поломано и просто изуродовано российских судеб! Словно какая-то черная карма висела над несчастной страной. Взять хотя бы того же Андрея Ярова, с которым он, майор ФСБ Антон Крымов, вместе заканчивал спецшколу КГБ СССР. Народ в их группе был немногословный, нелюбопытный, да и политикой особо никто не увлекался. Случайно так получилось или их специально подбирали, только в группе Антона почти все были либо сироты, прошедшие детдом или интернат, либо безотцовщина, которую мать с трудом вытаскивала на медные гроши. Сам Антон отца с детства не помнил, а насчет воспитания и образования... Интернат со спортивным уклоном, затем ПТУ. Так что еще в детстве и юности успел хлебнуть обид и унижений, зато научился давать отпор обидчикам, как, впрочем, и все парни в их группе. Это уже позже Антон понял, что расчет тут был простой, его еще Гитлер практиковал. Ты в этом мире никто, никому до тебя нет дела, и надеяться ты можешь только на себя. А здесь, в спецшколе, из тебя сделают человека и как бы приподнимут над толпой. Тебе оказано доверие, ты будешь выполнять секретные задания, вести интересную жизнь, совершенно отличную от жизни других. Да и деньги тебе будут платить немалые, что тоже было немаловажно для тех, у кого ни кола, ни двора, ни штанов приличных нету.

Частенько вспоминая время, проведенное в

специколе, Антон пришел к мысли, что обыкновенному человеку она бы показалась адом. Многие, не выдержав физической и моральной нагрузки, уходили. Молча. Никому ни на что не жалуясь. Ну а после окончания учебы — звание лейтенанта и совсем иная жизнь. Началась для него после спецшколы служба, за время которой перебывал он почти во всех «горячих точках» планеты, где только требовалось присутствие специалистов по антитеррористическому и антипартизанскому движениям, какими были и он, и его нынешний шеф Игорь Панков. Служить-то они начинали практически вместе. Но если Антон был выходцем из московских низов, то Игорь закончил престижный в ту пору Институт иностранных языков, да и родители у него из-за бугра не вылазили.

А вот Яров... Яров попал совсем под другие жернова.

Именно в те годы в КГБ были созданы подразделения В и С, основная цель которых — организация целенаправленной и планомерной ликвидации главарей организованной преступности чисто силовыми методами. Секретные сотрудники проходили обучение в Седьмом управлении КГБ, которое еще называли антитеррористическим, по особой программе. Кроме традиционных боевых искусств, включающих навыки виртуозного владения холодным и стрелковым оружием, здесь учили, как изготавливать, устанавливать и приводить в действие самодельные взрывные устройства. Кроме того, учили проводить максимально эффективные допросы и еще много чему любопытному. Ну а дальше секретным сотрудникам давали путевку в жизнь.

Составляли мобильные группы и внедряли в преступную среду. Как позднее узнал Антон, оказывалась им поддержка и со стороны криминальных авторитетов, которых еще раньше удавалось завербовать на зоне.

Думая о том, что рассказал Панков, Антон пришел к довольно горькому выводу, что с распадом СССР и КГБ, когда эти внедренные группы лишились своих хозяев, кое-кто из них свою деятельность не прекратил. Что, впрочем, вполне объяснимо. Человеку, для которого основная профессия — убийство, довольно трудно найти себе другую работу. А жить-то хочется. И не просто существовать, а жить по-человечески и хотя бы изредка кушать хлеб с маслом. Оттого, видимо, и Яров свернул на эту дорожку.

Убийца? Профессиональный киллер? Преступник? Возможно. Хотя это еще не доказано, лежит в области догадок и предположений. Но вот то, что они с Яровым когда-то тянули одну тяжелую лямку — это был факт, который давил на психику, заставлял ворошить прошлое, отчего, словно дерьмо на дрожжах, наверх лезли старые обиды. А проклятая память подбрасывала то события августа девяносто первого года, то девяносто второго, а то и двухлетней давности, когда он сам...

...Господи, это был даже не запой. Это были поминки по неудавшейся жизни, когда вдруг для него, Антона Крымова, закончилось буквально все, чем он жил раньше, и он оказался выброшенным на улицу, как собака. Как собака, которая верой и правдой служила своему хозяину, но в какой-то момент не угодила ему. Вернее, даже не ему самому, а его новой жене, пришедшей в дом на место прежней. А если еще точнее, то даже не ей самой, а ее полуфокстерьеру, ублюдку, возомнившему, что он сможет занять достойное место подле нового хозяина. Взамен и его, конечно.

Выброшен без ошейника и куска хлеба, с суровым напутствием после увесистого пинка: раз и навсегда забыть дорогу в свой дом, в свою конуру. Впрочем, многие его коллеги по бывшему КГБ устроились в новой жизни довольно неплохо, а вот он не смог. И не потому, что профессиональные данные не позволяли (это у него-то, выпускника спецшколы КГБ!), — просто в тех местах, куда его приглашали, надо было не служить, а прислуживать, чему он так и не смог научиться.

И как страшный итог всего этого кошмара — водка, медленное опускание на самое дно московской жизни, и запои, запои, во время которых он старался хоть как-то забыться, уйти в себя, а главное — не видеть тех, на страже кого ему приходилось стоять, работая в охранном бюро. Он даже сейчас помнил, как не ворочается не умещающийся во рту, шершавый от сухости язык, с каким трудом приходится разлеплять набрякшие веки. Как от этих непомерных для его истощенного организма усилий перед глазами плыли черные волнообразные круги, что-то с хряском сдвигалось в черепной коробке и он, с трудом удерживая себя в вертикальном положении, чтобы вновь не провалиться в замшелую, липкую от пота темноту, заставлял себя натянуть джинсы, дрожащей рукой поскоблить лицо лезвием и выйти из неуютной пустоты квартиры на улицу. К тому времени от него уже ушла жена, разменяв когда-то полученную им квартиру на две однокомнатных, забрав дочку, и бог знает чем бы все это для него кончилось, если бы не давний друг Игорь Панков, каким-то чудом удержавшийся в новой структуре государственной безопасности и поимевший к тому же звание подполковника, Игорь Панков, которому его новое руководство поручило подобрать в штат надежных людей из бывших профессионалов.

Господи милосердный, да где бы он сейчас был — бывший кагебешник Антон Крымов, которому в девяносто втором году дали, что называется, под зад, когда судьба Комитета уже была практически решена и таких, как он, пачками выгоняли за ворота — без пенсии, без специальности, которая могла бы прокормить не только его самого, но и семью.

Антон даже улыбнулся, вспоминая тот вечер двухгодичной давности, когда к нему домой приехал Игорь, вывалил на грязную клеенку огромный пакетище с закусью, от которой Антон уже давным-давно отвык, и выставил на стол бутылки с красивыми наклейками.

Чуть разомлевшие от выпитой водки, они потягивали темное немецкое пиво и вспоминали то Никарагуа, то Мозамбик с Камбоджей, то Анголу. Об Афгане говорить не хотелось. И все это время Антон пытался угадать, зачем он понадобился Панкову, который пахал теперь на ФСБ и был там далеко не последним человеком. Наконец спросил:

— Слушай, Игорь, не трави душу. Зачем приехал? Ведь не ради того, чтобы этими самыми разносолами меня накормить?

Он вспомнил, как усмехнулся тогда Панков.

— Это ты точно сказал — не ради разносолов, — усмехнулся он. — Ты уж прости, старик, но такая скотская жизнь пошла, что теперь уже никто друг к другу просто так не ходит. Только по делу. Да и то по телефону стараются общаться. Зачем, говоришь, пришел?.. Понимаешь, хочу, чтобы ты опять вернулся на оперативную работу...

И замолчал, уставившись на Антона серо-зелеными глазами. Будто боялся, что тот ему сразу же и откажет. Не менее ошалело смотрел на него и сам Антон, давным-давно поставивший крест на погонах, которые вместе с бывшим КГБ растворились в далеком теперь прошлом. Потом почти выдохнул:

— Я?

— Да, ты.

И опять Антон растянул в улыбке губы, вспоминая те минуты гробового молчания, в течение которых они ели друг друга глазами. Наконец он произнес:

— Слушай, Игорь. Если бы это был не ты, а кто-то другой — я бы давно уже выбросил этого хохмача из дома.

— Я догадывался об этом, — сказал Панков. — И все-таки я хочу, чтобы ты вернулся на оперативную работу. Такие профи, как ты, на дороге не валяются, и мое руководство поддержало твою кандидатуру.

— Да, но Комитета-то уже нет! — взвился Антон. — Обосрали и сожрали вместе с говном!

Панков пожал плечами:

— Ну и что? Зато появились новые структуры. В частности, ФСБ. А твое личное дело и «объективка» уже давно лежат в кадрах. Так что осталось лишь получить твое согласие.

Панков говорил что-то еще, но, чем больше он говорил, тем больше заводился Антон, словно сам Игорь был повинен в нынешнем его состоянии, и, когда друг закончил свой монолог, спросил хмуро:

— Ты хоть отдавал себе отчет, что делаешь, предлагая мою кандидатуру в свою контору?

— Естественно.

— Не-е, — покачал головой Антон, — ни хрена ты не отдавал. Ты посмотри на меня. Ведь я алкоголиком стал! Понимаешь? Ал-ка-шом, — по слогам произнес он. — У меня мозги совсем уже не те, что были раньше. И руки дрожат. Как у пьяной проститутки. А по утрам колотун такой бьет, что без опохмела я и жизни себе не представляю.

И прекрасно он запомнил, как усмехнулся на этот довод Игорь. Усмехнулся кривой, вымученной улыбкой, больше похожей на оскал мертвеца.

— Знаешь, кого ты мне сейчас напоминаешь? — спросил он. — Китайца времен культурной революции, когда они бичевали себя, прилюдно каясь во всех смертных грехах...

— Да пошел ты! — чуть ли не всерьез обиделся от такого сравнения Антон.

— Нет, я серьезно, — уже без тени улыбки произнес Панков. — Если бы я не знал тебя раньше и не сожрал с тобой пуд соли, то и впрямь принял бы все это твое юродство за чистую монету. Нет, ты давай дослушай меня до конца! Кто из нас в какой-то момент не ломался? Кто-то запивал, а кое-кто и на иглу сел. Многих уже и в живых нет. Но ты-то жив! Правда, ударила тебя жизнь по сопатке — вот ты сопли и распустил. Я — алка-а-аш... — презрительно протянул он. — Чушь собачья! И уверяю тебя: потребуется — даже и запах водяры забудешь!

А потом вновь были длиннющие коридоры знаменитого здания на Лубянке, короткий разговор с будущим начальством и тем не менее въедливые многократные собеседования в управлении кадров, где старые чиновники все еще пытались блюсти прежнюю чистоту КГБ, и наконец...

Оперативная разработка, о которой сегодня говорил Панков, была девятым по счету заданием майора Федеральной службы безопасности, секретного сотрудника Антона Крымова. Правда, он еще не дал своему непосредственному начальнику окончательного согласия на участие в операции, но об этой «мелочи» у него и спрашивать завтра не будут. Уж слишком серьезная складывалась ситуация. И раз надо, значит, надо.

Эх, Андрей, Андрей! Ведь и тебя, и меня когда-то учили бороться с врагами родины, с международным терроризмом, учили противостоять бандитам всех мастей и национальностей, и вдруг... Андрей Яров!

В это не хотелось верить, но вся информация, полученная Панковым из Белоруссии, говорила о том, что не так уж и прост директор процветающего московского туристического агентства «Андрей и К°». И как бы ни хотелось верить в это ему, Антону Крымову, — Андрей Яров мог вполне оказаться тем самым Киплингом, который получил заказ на «чемоданчики».

Киплинг... Киплинг!

Антон поднялся из-за стола, на котором все еще

стояла не убранная после их застолья посуда, и включил электрический чайник, собираясь заварить чайку покрепче. Бессонницы он не боялся, а вот мозгами пораскинуть следовало, чтобы уже завтра с утра дать свои предложения и дополнения в ту оперативную разработку, которую выдвинул Панков и где должен быть задействован он, Антон Крымов.

Конечно, белорусская информация была скудноватой, но и она позволяла сделать кое-какие выводы.

Залив крутым кипятком пригоршню крупнолистового цейлонского чая, Антон дождался, когда он запарится в фарфоровом чайничке, и наполнил кружку. Теперь можно было подумать о деле по-настоящему.

Итак, Андрей Яров. На запрос Панкова о Киплинге, который он по своим каналам направил в бывшие братские республики, белорусы ответили, что да, у них промелькнул такой «гость», однако он смог бежать из минского СИЗО, что само по себе говорило о небывалых способностях этого человека. Впрочем, напомнил себе Андрей, к нему прокуратура Белоруссии никаких претензий не имеет, так как настоящий киллер, замочивший того бизнесмена, был якобы убит при задержании. Впрочем, этот нюанс Крымова волновал менее всего, и он оставлял его на совести белорусских следственных органов. Его сейчас волновало другое.

Если поначалу белорусы задержали настоящего киллера, но умудрились его прошляпить, то как, каким образом получилось, что потом этим самым киллером оказался именно Яров? Человек, который возглавлял столичное туристическое агентство. Все-таки что это — ошибка белорусской милиции или... Или после ухода из спецподразделения бывшего КГБ, когда оказались невостребованными его способности и криминальные связи, когда от таких профи новое начальство избавлялось как от врагов народа, Яров и впрямь создал свое собственное туристическое агентство и уже под его «крышей» занялся побочным промыслом, то есть стал профессиональным киллером? Благо именно этому делу его учили и натаскивали в бывшем Седьмом управлении. Конечно, не факт, но что мешало ему организовать вполне устоявшуюся впоследствии преступную группу, которая работает по заказам на выезде?

Возможно такое? В принципе вполне, хотя в это и не хочется верить.

И если принять это допущение за исходное, а также за факт из биографии бывшего спецагента КГБ, то вполне возможно допустить, что, восстанавливая старые криминальные связи с уголовными авторитетами, с которыми он сблизился на зоне, Яров вновь проявился как Киплинг, и уже под этой кличкой его знал тот узкий круг посредников, через которых к нему поступали заказы. И тогда становилось вполне возможным, что Андрей Яров и Киплинг, на которого вышли террористы, — одно и то же лицо. Но все это было пока на стадии совершенно голых, ничем не подкрепленных умозаключений, которые требовалось доказать или опровергнуть. Но и в том, и в другом случае надо было срочно включаться в ту оперативную разработку, которую предложил Панков.

Часть вторая

I

С самого утра у Ярова было прекрасное настроение. Еще вчера он отправил трех боевиков, один из которых был к тому же профессиональным взрывником, на арсенал — кажется, приближалась к завершению его афера с «чемоданчиками». Если все в порядке, то этой ночью Гринько передаст их в надежные руки, и дело, как говорится, останется за малым. Приехав к десяти утра в свое агентство, Яров занимался текущими делами, которых скопилось более чем достаточно за время его вынужденной отлучки, когда вдруг позвонил Петр Максимович и пророкотал в трубку, что, мол, необходимо срочно встретиться.

— Где? — спросил Яров.

— В том же кафе на Тверской.

Если поначалу этот вельможный чиновник, которого Яров с долей сарказма стал величать Хозяином, обращался к нему то на «ты», то на «вы», то теперь стал только «тыкать». Яров не обижался, понимая, что хотя мужик и «перестроился», однако хамство, привычки и замашки бывшей партийносоветской номенклатуры так просто из себя не выдавишь. Это на всю оставшуюся жизнь. Он хотел было спросить, чем вызвана столь экстренная встреча, но удержался и, уточнив время, положил трубку. Потом подошел к зеркалу и долго рассматривал себя, придирчиво вглядываясь в еще не зажившие рубцы, нажитые в пресс-камере у Сиськи. Однако цвета радуги под глазами уже сошли, и он хмыкнул удовлетворенно: компрессы и косметика сделали свое дело — теперь он мог спокойно появляться на людях. И не только в каком-нибудь кафе на Тверской — его клиентура тоже ведь не должна была видеть следы кровоподтеков на морде. Для клиентов он должен был всегда оставаться тем самым Киплингом, который может выполнить любой архисложный «заказ» и для которого нигде и ни в чем не существует преград. Это был годами создаваемый имидж, которому вполне соответствовали и те гонорары, что он запрашивал. Что же касается его прокола в Минске — о нем не надо было знать никому.

Так же придирчиво осмотрев свой безупречный летний костюм и поправив свободный узел голубого шелкового галстука, Яров предупредил ярко-рыжую голенастую секретаршу, что вернется к четырем, и вышел на улицу. Спустился с высоких каменных ступеней старинного московского особняка, где его фирма арендовала помещение под офис, открыл дверцу «опеля». Перед тем как нырнуть в салон машины, вдохнул полной грудью. В Москве уже вовсю резвилось лето, а воздух был наполнен запахом свободы, которым он все никак не мог надышаться с тех самых пор, как пробрался из враждебного ему Минска в Россию. Но теперь все уже было позади и, как сообщили верные люди из Белоруссии, его дело замято, а ментам, которые по горячим следам нашумевшего убийства хватали, кого ни попадя, вообще дали по мягкому месту.

И все-таки...

Хотя и было все позади, а группе прикрытия, которая не справилась со своими святыми обязанностями, оставив в живых полупьяного свидетеля на заднем дворе ресторана, он устроил такой прочухон, что этим придуркам еще долго будет икаться от одного слова «Белоруссия», Яров порой просыпался в холодном горячечном поту, вспоминая то дебилов-отморозков из пресс-камеры, то задержание в аэропорту. Глупейшее задержание, однако же закончиться оно могло для него весьма печально... Впрочем, об этом ему даже думать не хотелось.

Дом, в котором разместился офис его турагентства, находился почти что в центре города, отсюда до Тверской было рукой подать, но в переполненной машинами столице было столько автомобильных пробок, что, пока Яров пробился к условленному месту встречи, он волей-неволей успел как следует подумать об этом столь же непонятном, сколь и неожиданном телефонном звонке. До сих пор связь с Хозяином была у них только по телефону. Что же касается личных контактов, то все время с момента их знакомства они встречались всего лишь один раз — когда потребовались деньги для окончательной расплаты с арсеналом. За три дня до этого на Ярова вышел подполковник Гринько и сообщил о полной готовности к вывозу взрывных устройств с охраняемой территории. Так что вроде бы все было на мази, и вот на тебе... Будучи человеком решительным, Яров не выносил неопределенности, тем более в делах, завязанных на риске, и оттого злился сам на себя, решив, что ничего хорошего эта встреча с Хозяином ему не принесет.

В кафе он появился на пятнадцать минут позже назначенного времени и только руками развел, когда увидел Петра Максимовича за небольшим столиком в дальнем углу. Мол, виноват, ваше благородие! Хоть казните, хоть милуйте. Но сами понимаете — дороги. Извечная боль России, о которой еще великие предки писали.

— Ладно уж, — хмыкнул Хозяин, и на его лице отобразилось нечто вроде улыбки. — Садись.

Устроившись за столом, Яров выжидательно уставился на своего визави. Этот непонятный звонок и постно-скорбное выражение лица, с которым поджидал его этот уверенный в себе деятель, начинали откровенно не нравиться ему — все это предполагало какую-то его вину, а стало быть, и его оправдание, и Яров решил взять инициативу в разговоре в свои руки.

— В чем дело? — негромко спросил он. — Мы же договаривались...

— Сейчас расскажу, — неожиданно властно осадил его Петр Максимович, и Яров вновь почувствовал дискомфорт: этот господин хотел остаться хозяином положения. — Пока давай закажем что-нибудь. Выпьешь? — спросил Петр Максимович, поднимая на Ярова лицо, на котором не оставалось уже и тени того замешательства и постной скорби, что пять минут назад.

Яров отрицательно качнул головой.

— За рулем! — коротко пояснил он свой отказ и отвел глаза от буравящего взгляда Петра Максимовича. Да, эти мужики, прошедшие советско-партийную школу и неплохо вошедшие в новую жизнь, всегда умели постоять за себя, оставаясь хозяевами положения, что не могло не вызывать почтительного уважения к ним...

— Ну и молодец! — коротко резюмировал Петр Максимович и добавил, усмехнувшись: — А у меня водитель за баранкой, так что я себе немного позволю.

Он сделал знак официанту, который уже принял стойку, мгновенно отличив настоящих клиентов от прочей безбаксовой шушеры, и вновь повернулся к Ярову:

— Ну а перекусить-то, надеюсь...

— Полностью доверяю вашему вкусу, — не удержался, чтобы не подсластить пилюлю, Яров и добавил: — Только «Боржоми» не забудьте.

Заказанные двести граммов коньяка с минеральной водой почти мгновенно оказались на столе, и, пока на кухне готовили грибной жюльен и мясное ассорти, Петр Максимович нацедил из небольшого хрустального графинчика едва ли не полный коньячный бокал и почти вогнал его в себя, плеснув вдогонку глоток исходящего пузырьками «Боржоми».

М-да, хоть Хозяин и продолжал держать марку, все же он явно волновался. И это было хреново. Хреново потому, что могло касаться только одного-единственного дела, которое связывало их: изделия МЧС-518. Но что именно произошло? Отказ от обозначенного заказа? Изменилась международная обстановка, да так, что фанатичные «борцы за правое дело» начали целоваться на улицах с американцами и евреями из Израиля? Оставалось только гадать, но Яров решил все же не торопить события, выдавая тем самым свою чрезвычайную заинтересованность в сделке. Наконец Петр Максимович отодвинул от себя бокал, в котором еще пузырились остатки минеральной воды, поднял на своего визави глаза.

— Как дела с изделием? — тихо и вроде бы очень спокойно спросил он.

Яров неопределенно пожал плечами, как бы давая понять, что раз ничего чрезвычайного не происходит, то возложенные на себя обязательства он выполнит в установленный срок и на все сто процентов. Однако вслух все-таки пояснил:

— Работенку вы мне, конечно, задали аховую. Но все, кажется, на мази, и скоро я смогу получить изделия.

Он замолчал, пытаясь уловить реакцию Хозяина на эту информацию, потом пригубил «Боржоми», аккуратно поставил фужер на стол, стрельнул взглядом по непроницаемому лицу Хозяина.

— Так что теперь, господин хороший, очередь за вами. Как говорится, готовьте бабки. И еще — пора бы уже более конкретно обговорить место и условия передачи товара. Я имею в виду там, за бугром, — уточнил Яров.

— Да, конечно, — видимо думая о чем-то своем и оттого как-то отрешенно проговорил Петр Максимович и вдруг вскинул на Ярова свои проницательные глаза: — Слушай, Андрей! Прокол маленький получился... — И замолчал, вновь потянувшись за графинчиком с коньяком.

— Не понял! — с ходу отреагировал Яров, наконец-то понявший, что его вальяжный заказчик явно нервничает. Все это мельтешение, откровенная тревога в голосе... да и по имени он его назвал впервые, будто вину какую за собой почувствовал. М-да, видимо, не зря Яров волновался, когда раздался этот телефонный звонок...

— Сейчас поясню, — буркнул Петр Максимович, снова наполняя свой бокал.

Яров ждал, стараясь казаться спокойным, хотя рука зудела от дикого желания выбить бокал, к чертовой матери, и тряхнуть этого напыщенного мудака за грудки.

«Прокол... маленький». Какой, к черту, может быть прокол, когда проведена такая подготовительная работа, когда эти проклятые «чемоданчики» вот-вот окажутся у него в руках и он сможет наконец почувствовать себя миллионером!

Выцедив коньяк, Петр Максимович слегка поморщился и, забыв запить его минералкой, снова поднял на Ярова глаза. Было понятно, что заказчик явно тянет с неприятным для него разговором.

— Сейчас поясню, — снова повторил он и сцепил на столе свои большие холеные руки. Вздохнул. — В общем, ситуация такая. Как стало известно из надежных источников, контрразведчики пронюхали о заказе наших друзей на изделие и теперь проводят работу по блокированию этой сделки.

Это был основательный удар под дых.

Какое-то время Яров изучающе разглядывал своего собеседника, будто хотел понять — не он ли виновен в утечке информации, потом спросил глухо:

— Это точно? Или, как говорится, у страха глаза велики?

— Источник надежный, — хмуро подтвердил Хозяин.

Господи, вот уж не везет так не везет. Получить такой заказ, бежать из СИЗО, проделать столько работы и уже почти держать в руках обещанные баксы, и вдруг...

Старательно скрывая отчаяние, он снова поднял глаза на притихшего заказчика — тоже, видать, не за идейные соображения стал посредником в этой сделке. И прекрасно, видать, понимает, чем грозит ему провал всего дела.

— Ну-ка, расскажите поподробнее о своей информации, — приказал Яров. — Вернее, о том, что точно известно контрразведке, если верить вашему источнику.

Петр Максимович замялся, откашлялся, словно нерадивый ученик, которого вызвали отвечать трудный урок.

— Информация, конечно, скупая, однако доподлинно известно, что контрразведка в курсе готовящейся сделки о продаже нескольких взрывных устройств с ядерной начинкой.

— Именно *нашего* изделия? — уточнил Яров.

— Вот этого я не знаю, — признался Хозяин и вытер обильно потеющий лоб.

Как отметил про себя Яров, теперь этот бывший представитель партийной номенклатуры менее всего напоминал того властного хозяина, каким он казался раньше. Хотя и его понять можно. Если сделка провалится и, не дай-то бог, начнет ее разматывать ФСБ... М-да, не хотел бы он оказаться на месте этого барина. К тому же и деньги псу под хвост, да еще какие немалые.

— Выходит, информации у них точной нет, информация расплывчатая. А следовательно... — Он на минуту задумался, потом холодно и спокойно посмотрел на сникшего Петра Максимовича. — Не понимаю, отчего весь этот кипеш. Они что, заказчики наши, отказываются?

— Упаси бог! — замахал руками Петр Максимович. — Ни в коем случае.

— Ну так в чем же тогда дело?

— А в том, — с неожиданной злобой произнес Хозяин, — что умные теперь все стали, стараются свои проблемы на чужие плечи переложить.

— Конкретнее! — потребовал Яров.

Видимо пытаясь взять себя в руки, Петр Максимович какое-то время молчал, потом начал вяло объяснять.

— Эти люди, — он кивнул куда-то за окно, — узнав про утечку информации о покупке изделия, сразу выставили новые условия.

— Ну? — не удержался, подхлестнул его Яров.

— В общем, они опасаются, что тому же Интерполу и службам безопасности стало известно не только о готовящейся сделке, но и о схеме окончательной передачи изделий в руки заказчика...

— Резонно, — кивнул Яров. — Ну и что?

— Ничего! — взорвался Петр Максимович, но как-то совсем тихо. — Если раньше были вполне реальные условия переброски изделий за границу, то теперь началась научная фантастика. Короче, они настаивают, чтобы передача изделий произошла по предложенной ими схеме в нейтральных водах.

— Где, где?! — переспросил слегка опешивший Яров.

— В нейтральных водах! — все с той же откровенной злобой повторил Петр Максимович и потянулся к графинчику, жестом показав официанту, чтобы тот повторил заказ.

— А кто их туда доставит?

— Мы! Вернее, вы!

Яров молчал, переваривая услышанное. Наконец спросил, не сводя с Хозяина тяжелого взгляда:

— Они хоть понимают (и вы, кстати говоря, тоже), с каким это риском будет связано для меня и сколько денег потребуется, чтобы вывезти такой товар в нейтральные воды?

— Естественно, — кивнул Петр Максимович все с той же злобой в глазах. — Они, то есть заказчик, готовы даже приплатить за это. В частности, меня уверили, что будут возмещены все затраты. — Он замолчал и уставился на Ярова откровенно просящим взглядом: — Вы... Вы готовы принять эти условия?

Яров тяжело вздохнул. Он прекрасно понимал, насколько вырос риск в этой сделке, но и отказаться от этой затеи был уже не в силах. Во-первых, деньги! Не просто тысяча-другая баксов, а деньги, которые не могли присниться ему даже в самом счастливом сне. И во-вторых, что тоже было немаловажно: он полностью раскрутил маховик этой акции, его люди уже выехали для завершения сделки с Гринько. И до того момента, когда в его руках окажутся эти взрывные устройства, остались считанные дни. И вот теперь, когда уже сделано практически самое главное, отказаться от всего, чем он жил последнее время... Нет, это было выше его сил.

— Так что, берешься за это? — услышал он голос Хозяина.

— Пожалуй, да. Надо будет все обдумать как следует... Да, еще одно! — спохватился Яров. — Нейтральные воды — понятие растяжимое. Балтика их устроит?

Было видно, как мгновенно загорелась в глазах Хозяина надежда.

— А что, у тебя действительно есть возможность?

Яров усмехнулся невольно:

— Я еще ничего толком не знаю. Сказал ведь, надо будет все обдумать.

— Да, конечно, — кивнул Петр Максимович и зачастил с облегчением: — Меня просили передать, что мы можем выбирать любую точку Мирового океана. Кроме Северного полюса, конечно.

— Мы... — не удержался, чтобы не съязвить Яров. — Как говорится, мы пахали.

И встал из-за столика, давая понять, что разговор закончен. Теперь хозяином положения был он.

...Возвратившись в офис, Яров приказал секретарше никого к нему не пускать и заперся у себя в кабинете, буквально утонув в глубоком удобном кресле. Он ни в коем случае не хотел упускать те деньги, которые сулил ему этот заказ на «чемоданные» устройства. Теперь надо было лишь как следует обмозговать тот план, что родился у него в голове, пока он пробивал себе обратную дорогу через автомобильные пробки. Правда, для осуществления этого плана требовался толковый человек, на которого он смог бы полностью положиться, но, к счастью, теперь, кажется, у него такой человек был на примете.

Антон... Антон Крымов! Господи, вот уж действительно пути твои неисповедимы! А Москва — что большая деревня, в которой нет-нет да и пересекаются пути-дорожки людей, о которых, казалось бы, ты и думать давно забыл.

Вот так же встретился ему и Крымов. И надо сказать, как нельзя более вовремя!

Яров упруго поднялся с кресла, достал из небольшого бара початую бутылку джина, открыл баночку с тоником и наполнил высокий резной стакан тяжелого хрусталя. Отпив глоток, вновь опустился в кресло, уже в который раз прокручивая в памяти столь неожиданную встречу с Антоном. Господи, ведь больше пятнадцати лет прошло с тех пор, как они виделись последний раз. И было это... Да, то ли в восемьдесят втором, то ли в восемьдесят третьем году, когда его, еще не оперившегося, желторотого романтика Андрея Ярова, волею судеб превратившегося в секретного агента КГБ, направили для дальнейшего обучения в легендарное Седьмое управление. Там он и познакомился с Антоном — он был одних лет с Яровым, но в его послужном списке значилось уже несколько серьезных операций за бугром.

Господи, какие-то несчастные пятнадцать лет, а что сделали с человеком! Крымов оставался в памяти Ярова крепким, спортивного сложения парнем, которого, казалось, не могли взять ни годы, ни напасти, ни чередующиеся экстремальные ситуации, из которых прежде тот всегда выходил живым и невредимым, а вот поди ж ты... Потрепанный жизнью, правда, так и не сломленный мужик, в котором единственно что осталось от прежнего Крымова — это та же подтянутая стать и развернутые широкие плечи. Да еще имя — Антон. Что же касается остального... Но что более всего поразило Ярова, так это седина бывшего лейтенанта КГБ. Отсюда, видать, и кличка, которую он получил среди уголовников, — Седой.

Господи, что же эти годы проклятые с человеком сделали!

Яров никогда не отличался ни философским складом характера, ни тем более сентиментальностью, но сейчас он почему-то подумал, что, наверно, недаром судьба-индейка распорядилась так, что они с Антоном были и в ту пору по одну сторону баррикад, и сейчас вместе. И это казалось хорошим знаком.

Зажав в ладонях стакан с джином, Яров продолжал перебирать в памяти ту неожиданную встречу, которая могла перевести работу его фирмы на новый качественный виток.

В тот день — а это было в понедельник — он уже почти полностью оклемался после белорусской «командировки» и сидел за своим столом, разбираясь в текущих делах агентства, как вдруг раздался телефонный звонок и довольно приятный мужской баритон попросил проконсультировать его по поводу возможной поездки за границу, причем по маршруту, который хотел бы заказать сам.

Туристическое агентство Ярова предоставляло подобные услуги своим клиентам, но это было довольно дорогое удовольствие, и Андрей, естественно, поинтересовался, какой суммой располагает звонивший.

— Пусть этот вопрос вас не волнует, — спокойно ответил баритон и тут же спросил напористо: — Так я могу рассчитывать на вас?

В тот момент Яров подумал даже, что это какой-нибудь богатенький индюк из тех «новых русских», что сумели набить себе мошну, проворачивая рисковые операции. Упускать такого клиента было просто грешно.

— Фирма к вашим услугам! — бодренько ответил он и тут же спросил в свою очередь: — Когда вы сможете подъехать, чтобы обговорить маршрут и условия поездки?

— Через час. Вас это устроит?

— Вполне, — ответил Яров. — Вы знаете наш адрес?

— Вроде бы. По крайней мере, тот, что обозначен в вашем рекламном буклете, знаю.

— Тогда жду вас. Я предупрежу секретаршу, чтобы немедленно провела ко мне. Простите, ваше...

— Храмов, — представился обладатель баритона. — Через час буду у вас.

Яров поставил на стол стакан с джином и с невольным удовольствием усмехнулся, вспомнив, как ровно через час в его кабинет заглянул сотрудник агентства и сказал, что его желает видеть господин Храмов.

— Проси, — кивнул Яров.

И на пороге нарисовался импозантный молодец, на котором безупречно сидели дорогие фирменные джинсы и столь же фирменная рубашка с широким открытым воротом, из-под которого выглядывала золотая цепочка с крестиком. Движением уверенного в себе человека он снял массивные роговые очки, сделал шаг навстречу поднявшемуся Ярову, и вдруг...

Они одновременно остановились на полпути

друг к другу, Антон как-то удивленно сморгнул, а ошарашенный Яров расплылся в невольной улыбке:

— Господи, неужто Крымов?!

Он вспомнил, как замешкался Антон, как выражение удивления сменилось на его лице какой-то растерянностью. Он вдруг закашлялся в кулак и, когда откашлялся, поднял на Ярова откровенно встревоженный взгляд, сделав виноватую мину.

— Вроде бы я... — И тут же спросил: — А ты-то что здесь делаешь?

— Да вот, — засмеялся Яров, разводя руками, — руковожу. А сейчас вроде как... — Он замолчал, внимательно ощупывая Антона глазами, потом произнес негромко: — Постой-ка! Храмов... Так, значит...

Видимо успев уже прийти в себя, Антон усмехнулся кривой, вымученной улыбкой:

— Угадал. Так что можешь забыть про *того* Крымова и познакомиться с господином Храмовым.

— Ясно-о, — процедил Яров, хотя ему еще ничего не было ясно. — Ну а звать-то тебя теперь как?

Крымов хмыкнул:

— Все так же. Антоном! А ты, выходит...

— Как видишь! — с каким-то непонятным облегчением сказал Яров и обнял Антона за плечи. — Храмов так Храмов. Какая разница? Главное, что это ты!

Потом они поехали в ресторан, попросили уютный столик на двоих и долго, очень долго вспоминали далекие восьмидесятые годы, когда оба начинали свою работу в бывшем КГБ молоденькими лейтенантами, вспоминали общих знакомых и все время исподволь прощупывали друг друга, боясь ошибиться. Наконец, когда уже была выпита бутылка марочного армянского коньяка, Яров, не выдержав, спросил:

— Слушай, Антон, а с чего это ты вдруг Храмовым стал?

Он хорошо помнил, как полоснул по нему острым взглядом Антон, как проговорил, усмехнувшись:

— Видишь ли... В общем, случилось так, что мне сейчас надо когти отсюда рвать.

— Из России? — насторожился Яров.

— Из нее, родимой. Причем чем дальше, тем лучше.

— И туристическая поездка...

— Считай, опять угадал, — кивнул Антон. — Хотел было присмотреться к Греции и еще парочке стран. Ну а там на месте уж и решить, где кости бросить...

Они заказали еще одну бутылку коньяка, потом кофе, и вдруг Антон тронул Ярова за плечо и попросил:

— Слушай, Андрей. То, что было раньше, ну-у Комитет и прочее — все уже в прошлом и травой поросло. Да и мы с тобой давно уже не те молокососы, на которых наше начальство ордена да медали себе зарабатывало. Я сейчас мало того что в полном говне, так еще и нахожусь в федеральном розыске.

— За что? — мгновенно отреагировал Яров.

— Да как тебе сказать, — замялся Антон. — Короче говоря, прошлые делишки. И вдобавок ко всему, мокруху следак шьет.

Яров невольно обратил внимание, что Антон после выпитого коньяка стал сбиваться на тюремный жаргон.

— Но и это еще не все, — уныло продолжил

он. — На мне групповой побег висит. Из СИЗО. А за это... — И он обреченно махнул рукой, не договорив.

— Чего, чего? — насторожился Яров. Сверхдерзкий групповой побег из следственного изолятора, весть о котором докатилась и до криминальной Москвы, произошел в прошлом году, и, рассказывая о нем, блатные вспоминали какого-то Седого.

Господи, Седой! И у Антона башка как у семидесятилетнего старца! Это уже не просто любопытно, а очень даже интересно и заставляло совершенно по-новому смотреть на бывшего коллегу.

— В общем-то ничего, — пожал плечами Антон и вдруг ощерился злобно: — Если, конечно, не считать того, что в девяносто втором меня погнали из Комитета и остался я на бобах. Какая-то сраная работа в охранном бюро... И должен я был не столько охранять, сколько открывать своему хозяину дверцу машины. Короче говоря, запил я от всей этой демократии. А потом и жена ушла. Дочку с собой забрала, курва, и квартиру разменяла. С работы за пьянство погнали... Чуть было в петлю не залез, да вовремя одумался. Лег в больницу наркологическую, оклемался малость, ну а потом... — Он потянулся за бутылкой, наполнил пустые рюмки, все так же молча выцедил свою и только после этого продолжил: — А потом делом занялся. И опять неудачно. Зацапали, суки! Большой срок мне светил. Однако бежал и опять делом занялся. Короче говоря, монета у меня сейчас есть, и думаю я, что самое время мне когти рвать с матушки-России...

Яров молча слушал Антона и только хмыкал удивленно. Почти такой же расклад после развала

КГБ получился и у него. Правда, он не запил с горя, как это было с Крымовым, и руки на себя не пытался наложить. А при помощи криминальных авторитетов, с которыми сошелся еще на зоне, организовал свою собственную небольшую группировку и стал выполнять хорошо оплачиваемые заказы по устранению чужих врагов и конкурентов. А когда на ноги поднялся, то смог и свое туристическое агентство открыть, которое не только служило надежной «крышей» киллерским делам, но и доход приносило... Да, это была удача, что он встретил Крымова. Конечно, хорошо, если ему удастся хапнуть обещанный за взрывные устройства миллион баксов и свалить в какую-нибудь теплую тихую страну, открыть там свой чистенький бизнес. А если не получится? Значит, надо будет активизироваться в родной России, а стало быть, придется расширять поле деятельности. А для этого нужны надежные профессионалы. А уж такой профи, каким помнил Антона Яров, — это просто мечта.

Надо было срочно переводить разговор в нужное русло.

— И сколько у тебя этой самой монеты? — снисходительно ухмыльнувшись, спросил Яров. Но, заметив, как насторожился Антон, поспешил поправиться: — Я не потому спрашиваю, что шибко любопытным стал, а потому, что в отличие от тебя столько за рубеж со своим агентством наездился... В общем, житуху ихнюю не понаслышке знаю. Как знаю и то, сколько у них там нормальная жизнь стоит.

— Ну и что? — покосился на него Антон.

— А то, что за бугор сейчас из России только дураки сваливают, ученые, которым здесь годами денег не платят, да зарвавшиеся нувориши и политики-взяточники, которым уголовка хвост прищемила и статьей грозится.

— Что-то не пойму я тебя, — нахмурился Антон.

— А хрен ли здесь понимать! — вскинулся было Яров, но тут же перешел на доверительный шепот: — Слушай, Антон, ты видишь, как я живу?

— Ну!

— И надеюсь, понимаешь, что я сумел крутануться в жизни, когда и мне в бывшей конторе от ворот поворот дали?

— Ну?

— Значит, веришь мне?

— Вполне, — пожал плечами Антон.

— И значит, веришь, что я помогу тебе настолько плотно обосноваться в моей конторе, что тебя никакая уголовка во веки веков не сыщет?

Яров хорошо запомнил тот вопросительно-настороженный взгляд, каким уставился на него Антон.

— Не понимаю, — наконец произнес он.

— Чего не понимаешь?

— Тебе-то зачем искать приключений на свою шею?

Яров на это только пожал плечами:

— Выходит, есть и у меня свой интерес.

— Та-ак, понятно, — протянул Андрей и задал новый вопрос: — И что я делать буду в твоем агентстве? Я ведь даже английский забыл, не говоря об испанском.

Однако Яров остановил его движением руки.

— С твоими-то способностями, Антон! Ты же в

«семерке» таким асом был, что... А мастерство, говорят, не пропьешь...

Они проговорили тогда почти до закрытия ресторана, и Яров уже чуть ли не предложил Антону прямо с ходу хлопотную должность начальника отдела разведки в своем агентстве. Он уже тогда начинал понимать, что в России и ему самому, видимо, осесть на дно не удастся. И если он даже приобретет где-нибудь на Кипре или в Греции собственную виллу, ему все равно придется рано или поздно переходить на совершенно новый, более качественный виток теневой деятельности своей фирмы. А для этого будут нужны надежные и умные помощники. И тут главной его опорой мог стать именно Антон.

Правда, сейчас ситуация менялась. И далеко не в лучшую сторону. Но, видимо, первое время придется использовать Крымова совершенно в другом качестве. Причем использовать втемную, чтобы он сам не испугался той ответственности и тех задач, которые скоро лягут на его плечи. Впрочем, надо было еще и еще раз проиграть создавшуюся ситуацию.

Яров поднялся из кресла и подошел к огромной карте, что висела над его столом. Уперся глазами в Чудское озеро, прошелся взглядом по границе Псковской области с Эстонией и остановился на аппендиксе Финского залива. Он не зря спросил Петра Максимовича про возможность передачи взрывных устройств заказчикам в нейтральных водах Балтики. Если контрразведчикам, пограничникам и таможне отдан приказ выловить смертельный контрабандный товар, то они, естественно, раскинут мелкоячеистые сети по всей границе, задействовав на этой операции все свои силы и возможности. В первую очередь самому тщательному досмотру подвергнутся поезда международного следования и суда, уходящие в загранку. Однако это Ярова не волновало. Свой прорыв он сделает именно здесь, на границе Псковской области с Эстонией. Неподалеку от нее вытянулись не показанные на карте взлетные полосы небольшого аэродрома, который в советские времена обслуживал несколько сельских районов Псковской области, но два года назад обанкротился, и местные власти быстренько пустили его с молотка. Тут-то фирма Ярова и отхватила свой кусок пирога, заполучив контрольный пакет акций аэродрома. Уже в ту пору у Ярова появились мысли расширить поле деятельности своего туристического агентства за границы бывших Прибалтийских республик, и особенно Эстонии. Правда, до сих пор у него все не доходили до этой программы руки, но теперь, видимо, придется по-серьезному взяться и за акционерное общество «Чудь». Хотя на это потребуется и дополнительное время, которого у Ярова практически не было, и кое-какие усилия.

— Усилия... — Он даже хмыкнул невольно, пробормотав это слово.

Он давно уже привык к крови и трупам, которые оставлял за собой, его перестали мучить ночные кошмары и робкие угрызения взбрыкивающей совести, которая все-таки изредка напоминала о себе. Теперь он каждый новый заказ оценивал только с двух позиций: прибыли и тех усилий, что пошли на очередную разработку. В данном же случае надо будет просто убрать одного человека, так что «усилия» будут минимальными. Дело в том, что, когда он и еще две туристические фирмы в складчину купили этот аэродром, на основе которого и образовалось акционерное общество «Чудь», местные власти, летный состав и обслуживающий персонал настояли на том, чтобы управляющим остался бывший начальник этого аэродрома — Николай Костиков. Этот профессиональный летчик был довольно честным и порядочным человеком, что вполне устраивало и акционеров, надеявшихся с его помощью не только восстановить работоспособность аэродрома, но со временем даже увеличить его возможности. Однако сейчас именно эти его черты — честность и порядочность — более всего мешали Ярову в задуманном. В «Чуди» должен быть *свой* управляющий, и этим человеком будет Седой, то есть Антон Крымов!

— М-да, только так, — вновь пробормотал Яров и решительно потянулся к телефонной трубке. Набрал нужный номер и, когда в трубке послышался знакомый голос, сказал властно: — Максим? Слушай сюда! Срочно запрягай свою тачку — и быстро ко мне. Надо обсосать кое-что.

— Слушаюсь, командир! — бодро ответила трубка и тут же, но уже осторожно уточнила: — Что, командировка?

— Да. Завтра.

— Далеко?

— Псков, — не вдаваясь в подробности, ответил Яров.

Максим возглавлял на его фирме службу безопасности, и, собственно говоря, это из-за его оплошности он провалился в Минске. Так что теперь парень задницу будет рвать, чтобы лишний раз доказать своему шефу полнейшую преданность и лишний раз продемонстрировать свое мастерство. И это было хорошо.

II

Городок, в котором проживали летчики и технари небольшого аэродрома, ставшего основным достоянием акционерного общества «Чудь», находился в двадцати километрах от летного поля, так что замочить управляющего особого труда не составляло — дорога-то вон какая длинная. Но задача, поставленная Яровым, несла в себе несколько довольно сложных вводных, что значительно затрудняло ее решение. Требовалось не просто убить пятидесятилетнего мужика, а заделать эту мокруху настолько виртуозно, чтобы у следствия даже мысли не зародилось о заказном убийстве. Оттого и сидел сейчас Максим в своей «девятке», приткнувшись к торцу пятиэтажной хрущевки, выстроенной в былые советские времена для персонала того самого аэродрома. Приписанные к нему самолеты не только служили для местных перевозок, но и обрабатывали колхозные поля, а в летнюю засуху аэродром служил базой для лесных пожарных и десантных бригад. Правда, и все эти полевые работы, и тушение псковских лесов ушло в далекое прошлое, так как ни фермерам с колхозниками, ни лесовикам просто нечем было платить за ту же горючку для «аннушек» и вертолетов, и на первый план перед хозяйством была выдвинута задача развития туризма и воздушного сервисного обслуживания в Псковской области. Однако все эти проблемы акционерного общества менее всего волновали Максима. Он ни есть, ни спать не мог, помня, что из-за его, начальника службы безопасности, промашки минские менты повязали шефа. И теперь он, чтобы реабилитировать себя, готов был даже жизнью своей пожертвовать, лишь бы отработать ту глупейшую ошибку.

Летуны, механики и аэродромная обслуга «Чуди», видимо, тоже хотели реабилитироваться в глазах акционеров, старательно приводя запущенное хозяйство аэродрома в надлежащий порядок. Оттого и задерживался каждый день допоздна управляющий, что вполне устраивало Максима. Одно дело — размытые вечерние сумерки, и совершенно иное — солнечный день, когда ты весь на виду и даже пистолет или тот же нож вытаскивать неловко.

Дневная духота сменилась ласковой вечерней прохладой, а Максим продолжал все так же сидеть в своей «девятке» и, словно кот на завалинке, разморенный этой псковской вечерней негой, лениво и в то же время пристально следил за двумя своими подручными, которые то куражились во дворе дома, то выкатывались с кем-нибудь на дорогу, желая по пьяни «выяснить отношения», а то вдруг опять рулили к коммерческой палатке, что пристроилась около автобусной остановки, и возвращались обратно, затоваренные бутылочным пивом. Главное — не переиграть, создавая видимость гуляющей алкашни, у которой неизвестно откуда появились деньги и которая теперь ищет приключений на свою задницу, приставая к каждому встречному. Однако парни были словно созданы для этой роли, и, когда к ним подошла какая-то бабка с клюкой, чтобы сделать замечание, ребята, дыхнув на нее пиво-водочным перегаром, сообщили, что сами они псковские, а здесь ждут ихнего дружбана Витьку, который почему-то задерживается, сука. И вообще они всех в гробу видали, а если что... Старуха, окончательно передумав связываться с этими пьяными придурками, у которых неизвестно что на уме, поковыляла к своему подъезду. Все это вполне устраивало Максима. Уж теперь-то он наверняка знал, что все внимание жильцов многоквартирного дома сфокусировано на двух его боевиках, которые в то же время не имели каких-либо особых примет, так что их будет довольно трудно описать впоследствии. А у него полностью развязаны руки, и он сможет выполнить задуманное без особого напряга.

— Уж скорей бы! — непроизвольно пробормотал он и откинулся поудобнее на спинку сиденья. Затяжка по времени, конечно, была ему на руку, но уж очень хотелось поскорее закончить это дело и к утру вернуться в Москву, чтобы доложить шефу о выполненном задании.

Максим посмотрел на часы — одиннадцать. Уже и солнышко село, уже в вечерних сумерках растворился закатный багрянец, а этот козел управляющий все еще торчал на аэродроме, отрабатывая «доверие коллектива».

— Во дурачок-то! — продолжая разговаривать сам с собой, пробормотал Максим и усмехнулся кривой, вымученной улыбкой.

За те несколько лет, что он возглавлял службу безопасности на фирме Ярова, он привык к человеческой смерти в мирной жизни. И само убийство, и смерть человека было здесь совершенно иным, чем в бытность его в Афгане. Порой он даже пытался поставить себя на место того, кому вскоре предстояло быть убитым; невольно Максим задумывался о том, *что бы* делал он сам, узнай он о надвигающейся смерти и зная также, что она неизбежна. Кричал бы и выл от собственного бессилия? Или пытался бы бежать куда глаза глядят? Пожалуй, ни то и ни другое. Но обязательно достал бы литр водки, пару бутылок приличного пива и огурец на закуску. А уж потом... Как говорится, двум смертям не бывать, а одной не миновать. И ту, единственную, надо встретить или очень достойно, или же в полном отрубе, когда тебе все трын-трава и море по колено...

Максим усмехнулся своим собственным мыслям, вздохнул. Отчего-то припомнились последние месяцы его службы в разоренном войной Афганистане. Ранение, после которого он полгода провалялся в госпитале сначала в Душанбе, а затем в Москве. Костыли, с которыми не расставался еще целый год и из-за которых его не хотели брать на работу. Наступили девяностые годы, новоиспеченные демократы принялись крушить все и вся, словно большевики в семнадцатом году, бывших афганцев просто смешали с говном, а то государство, которое отправляло их выполнять «интернациональный долг», просто отказалось от них, бросив калек и раненых на произвол судьбы.

Это были страшные времена — два года собственного бессилия, когда он сидел на шее у матери и в доме порой даже не было тех грошей, которые нужны были тогда, чтобы внести квартплату. Хотя... Хотя он не жалел и не раскаивался, что стал мужчиной, пройдя кровавое месиво той войны. Когда его призвали в армию, он сам попросился в Афганистан, прошел «учебку» в лагере, надежно запрятанном в горах Таджикистана, получил звание сержанта и уже более-менее подготовленным попал в разведроту, где и познал все «прелести» той войны. До призыва в армию он был неплохим спортсменом и даже имел первый разряд по боксу, здесь же стал профессиональным убийцей и почти разучился сострадать. Смерть для него стала настолько обыденной, что он порой даже не замечал ее, равнодушно проходя мимо трупов убитых афганцев. Впрочем, и своих ребят тоже гибло немало, и к их смерти он привык точно так же, порой думая, что на этом месте мог бы оказаться он сам, просто на этот раз Бог его миловал. И он мстил, мстил много и жестоко, кромсая врагов автоматными очередями.

А потом... Что же было потом?

То ли от постоянной анестезии, то ли от непомерного количества выпитой водки, которой он пытался заглушить физическую и душевную боль, Максим порой забывал, что же с ним случилось в тот день, когда во время одной из вылазок они напоролись на ночную засаду... Очнулся он уже в гудящем вертолете, а рядом лежал его окровавленный ротный и еще несколько ребят из их группы. Потом усталый хирург в забрызганном кровью халате, нестерпимая боль, провал в памяти, заскорузлые от крови бинты, опять самолет и опять операционный стол, боль и госпитальная палата... Кабул, потом Душанбе, потом был еще и московский госпиталь, после которого он вернулся домой — хоть и на костылях, но все-таки живой и ходячий.

А потом?

Пенсионное удостоверение, мытарства и бесконечные хождения по различным комиссиям, просьбы и унижения. Унижение, унижение и унижение! Это паскудное состояние преследовало его чуть ли не все то время после госпиталей, пока он совершенно случайно не познакомился с Андреем Яровым, вытащившим его из этой беспросветной тьмы и вновь сделавшим из него человека.

Господи, с чего же все началось-то?

...В тот день он, получив свою военную пенсию, впервые вышел из дома без костылей и, опираясь на палочку, побрел в магазин, чтобы взять чего-нибудь выпить. Купил сверхдешевую чекушку какого-то пойла, напоминающего смесь живого ацетона со свекольной самогонкой, и зашел в кафе-стекляшку, чтобы хоть побыть на людях. Купил стакан какого-то сока на запивку, бутерброд и, осмотревшись, нет ли в зале милиции, пристроился к стойке, за которой дожевывал свои сосиски совсем еще молодой приметный мужик, чем-то похожий на модного тогда певца Серова. Спросил мужика, не помешает ли трапезе, и вытащил чекушку из кармана. После чего выцедил из стакана сок, а вместо него налил водку.

— Может, угоститесь? — еще раз спросил на всякий случай, на что сосед по столику только улыбнулся:

— Пей уж! Чего там делить-то...

— Тогда будь! — кивнул Максим и ополовинил стакан. Зажевал водяру кусочком хлеба, оставив колбасу для следующего захода, и передернул плечами — как бы извинившись перед соседом за содеянное и в то же время словно бы говоря: как только можно пить эту гадость!

Сосед между тем дожевывал последнюю сосиску, и тут Максим увидел, что мужик явно присматривается к нему.

«С чего бы это вдруг?» — подумал он, но сосед, похожий на певца Серова, да и возрастом почти такой же, вдруг отставил свою тарелку, спросил участливо, кивнув на палочку:

— Афган?

Максим хорошо помнил, как он тогда усмехнулся невесело. В те годы (начало девяностых) молодые парни — кто без ноги или без ног, а те, кому повезло, на костылях и с палочками — были страшной приметой времени, и не требовалось долго гадать, где они стали калеками.

— Он самый, — хмуро подтвердил Максим и вновь потянулся за стаканом.

— Серьезное ранение? — продолжал допытываться незнакомец.

Выцедив остатки вонючей водяры, Максим уже хотел было послать слишком любопытного любителя сосисок куда-нибудь подальше, но отчего-то раздумал и хмуро кивнул.

— В ногу. Сначала хотели ампутировать, но потом обошлось как-то. — И он вновь усмехнулся невесело: — Сначала на двух костылях передвигался, потом одним обходиться стал, а сегодня вот на палочку решил перейти. — Он замолчал, съел кругляшок колбасы и вдруг произнес с какой-то злостью: — Мы еще и палочку выбросим! И на гробе спляшем!

— На чужом, надеюсь? — оскалился в улыбке сосед по столику.

— Естественно.

— А в каких частях служил, если не секрет, конечно?

— Разведка!

Любитель сосисок, похожий на певца Серова, уважительно хмыкнул и вдруг предложил:

— А что, если мы на пару отпразднуем твое возрождение? Ты, кстати, работаешь где-нибудь?

— Кому я, на хер, нужен! — угрюмо ответил Максим и вопросительно уставился на соседа. — Ты что это... насчет работы-то... Серьезно?

Тот только пожал плечами.

— Считай, что я тебя угощаю. А заодно и о работе твоей поговорим.

— А ты кто? Форд или Рокфеллер?

— Нет, — на полном серьезе ответил сосед. — Яров моя фамилия. Андрей Яров. Но свое дело тоже имею. Как Форд. В общем, имею туристический бизнес и нуждаюсь в надежных людях.

Это был тот самый подарок судьбы, о котором Максим и мечтать не мог.

Для начала Андрей предложил ему работу охранника, в обязанности которого входили только ночные дежурства в закрытом офисе, за что фирма платила вполне приличные по тем временам деньги. А год спустя, когда почти оклемавшийся от раны Максим вошел в курс настоящих дел Ярова, тот предложил ему создать и возглавить службу безопасности агентства, в обязанности которой входила также и «подчистка» ненужных свидетелей после завершения очередного заказа. А заказов к тому времени у Ярова было более чем достаточно...

Что же касается двух парней, что все еще продолжали мельтешить и куражиться в небольшом палисадничке около припаркованных машин, Максим завербовал их еще год назад, познакомившись в московском парке имени Горького, когда разудалые подвыпившие ухари отмечали там День ВДВ. И выбор оказался удачным. Оба бывших десантника довольно органично влились в группу боевиков, работали порой просто виртуозно, и теперь Максим без опаски подключал их к самым ответственным операциям. Что же касается спиртного, то закон на фирме был один и обсуждению не подлежал. Выпить можно, но только в нерабочее время, причем в самых малых количествах. Наказание... В лучшем случае можно было остаться без работы, в худшем... Болтуны и пьяницы никому не нужны.

Впрочем, за все время еще никто не нарушил этого неписаного закона фирмы, так что теперь эти два его боевика куражились перед окнами дома практически всухую, время от времени поглощая за счет фирмы темное эстонское пиво и артистично корча из себя в дрезину пьяных придурков.

Устав в безделье ожидать управляющего, Максим тяжело вздохнул и покосился на рацию, которая мирно покоилась в открытом бардачке. «Господи, хоть уж скорей бы!» — подумал он с тоской, и в это время негромко заверещал зуммер.

Схватив рацию, Максим, автоматически прикрыв на всякий случай дверцу «Жигулей», проговорил глухо:

— Я — База. Слушаю.

В мембране послышались какие-то посторонние шумы и наконец голос второго наблюдателя:

— База, объект выезжает.

— Что так долго? — недовольно спросил Максим, будто рабочее время управляющего «Чудью» зависело еще от одного боевика, который сидел сейчас в своем «Москвиче» и следил за передвижением управляющего по территории аэродрома.

— Что?.. Я, что ли, его здесь держал? — с явной обидой огрызнулся наблюдатель и добавил: — Я тоже тут как привязанный. Ни погадить отойти, ни...

— Ладно, не гундось! — оборвал его Максим и тут же спросил: — Он один в машине?

— Пока что один. Вроде как все разъехались давно.

— Хорошо, — пробормотал Максим и распорядился: — Когда выедет на трассу, следуй за ним в зоне видимости. Все ясно?

— Да.

— Тогда до встречи.

— К черту!

— Ни пуха, — пробормотал Максим и убрал рацию в бардачок. Потом всмотрелся в сумеречный двор и два раза мигнул дальним светом.

Это был условный сигнал для отхода, и на открытом пространстве тут же появились оба боевика, держащие в руках по бутылке пива. Это означало, что они все поняли и через минуту-другую сделают отсюда ноги. Максим удовлетворенно хмыкнул и посмотрел на часы. Управляющий появится здесь минут через тридцать, когда примелькавшиеся во дворе боевики уже будут далеко отсюда, оставив поле деятельности своему командиру. И это было основной частью той разработки, которую задумал Максим.

Теперь оставалось спокойно ждать, когда со стороны дороги появится старенькая колымага управляющего и свернет к дому, подле которого уже припарковалась на ночь вереница личных «Москвичей» с «Жигулями». К этому времени сумерки сгустятся еще больше, и это тоже работало на Максима. А то, что он заделает мокруху по высшему пилотажу, в этом начальник службы безопасности туристического агентства «Андрей и К°» даже не сомневался. Потому что, во-первых, мокруха была для него делом привычным, как бы продолжением той войны, из которой он вышел по локти в крови, а во-вторых... Во-вторых, он просто обязан был показать сегодня настоящий класс, чтобы раз и навсегда оправдаться перед шефом за тот промах, что Максим допустил со своей группой в проклятом Минске. Господи, и как ребята не заметили того пьянчужку, копавшегося в помойных отбросах на заднем дворе ресторана? Ведь, кажется, прочистили тогда все закоулки, где бы мог оказаться случайный свидетель, а тут на тебе — полупьяный бомж с пустыми бутылками. И ведь сумел, паскуда, разглядеть в темноте и запомнить лицо спускающегося с пожарной лестницы человека! Но не о нем речь. Речь о том, как Максим, преопытнейший начальник службы безопасности, смог упустить тогда этого немытого гаденыша, в то время как менты вышли на него почти моментально...

Шеф простил ему тогда этот промах, но сразу сказал: это первый и последний раз. И Максим знал — допусти он еще хоть одну серьезную ошибку, Яров припомнит ему все. И будет прав...

Глубоко вздохнув и отбросив от себя проклятые воспоминания, которые только мешали работать, Максим посмотрел на часы. С того момента, как он закончил говорить по рации, прошло двадцать три минуты. Так что скоро должен появиться клиент. Профессиональным, прощупывающим взглядом он пробежался по фасадной части вытянутой пятиэтажки. Время было довольно позднее, жильцы укладывались на покой, и в доброй половине окон свет уже погас. Не светились окна и четвертого этажа шестого подъезда, где жил со своей семьей управляющий «Чудью». И это тоже было на руку Максиму. По крайней мере, родственники не сразу спохватятся, что отца и мужа нет так долго. Все складывалось как нельзя лучше.

И все-таки он немного нервничал. Чуть-чуть, самую малость, но сосущее чувство волнения все же присутствовало, и от этого Максим начал злиться сам на себя. Невольно покосился на бардачок, где лежала рация. Если все идет по плану, то через минуту-другую в эфир вновь должен выйти наблюдатель. И не успел он это подумать, как снова заверещал зуммер.

— База, объект на подходе. Встречай.

— Хорошо! Все понял. Страхуй меня на повороте.

— Хоп! — понял приказ наблюдатель.

Максим спрятал рацию под сиденье и чуть пристальнее всмотрелся в размытые летние сумерки, в которых уже и не понять: то ли это все еще вечер, то ли уже ранняя ночь...

Прошло еще несколько минут, и на повороте от дороги к пятиэтажке высветились фары какой-то машины. Максим напрягся. Кажется, он! Чисто автоматически повернул ключ зажигания и проводил глазами подъезжающие к дому «Жигули». Да, это был управляющий. Дождавшись, когда он поставит своего «жигуленка» на привычное место с фасадной стороны дома, Максим на самой малой скорости подкатил к «Жигулям» и, загородив своей «девяткой» окна пятиэтажки, распахнул дверцу.

— Слушай, друг, сигареткой не угостишь?

Он бы мог задать любой вопрос, но в данном случае самым уместным был именно этот.

Видно уставший за день как собака, мужчина в «Жигулях» пожал плечами, что, наверно, означало согласие, после чего вытащил из кармашка форменной рубахи пачку сигарет, отработанным щелчком выбил одну и, распахнув дверцу, протянул ее водителю «девятки»:

— Держи.

— Вот спасибочки, — засуетился Максим, вылезая из машины. — А то уж я...

Он подошел к водителю «жигуленка», который готовился выбираться из салона, аккуратно взял из протянутой руки сигарету и в ту же секунду всадил длиннющее лезвие ножа тому в открытое горло. Управляющий издал хлюпающий звук и медленно завалился на окрасившееся кровью сиденье.

— Вот так-то, голуба! — пробормотал Максим, вытирая лезвие о форменный, с нашивками китель управляющего. После чего захлопнул дверцу чужого «жигуленка», спокойно сел в свою «девятку» и, бросив последний взгляд на окна засыпающего дома, с места рванул к повороту, где его должна была страховать еще одна машина.

Подъезжая к повороту, он дважды мигнул фарами, что означало: «Все в порядке, следуй за мной», и вырулил на безлюдное в этот поздний час шоссе. О возможной погоне и проверках на дороге он даже не беспокоился. Все было продумано с самого начала. Как только найдут убитого и менты начнут поквартирный опрос жильцов, те сразу же припомнят двух пьяных парней, которые тусовались весь вечер у дома, приставая ко всем встречным-поперечным. И естественно, окажется, что это только они могли ни за что ни про что зарезать ни в чем не повинного человека. Где-нибудь к обеду, в лучшем случае — утром будут размножены фотороботы, основанные на словесном описании «двух псковских бандюг-придурков», и начнется их безрезультатный поиск, так как сами «бандюги» будут уже во всю прыть мчаться к Москве. А чуть позже туда вернется и сам Максим, чтобы отрапортовать о выполненном задании.

В эти минуты он был чрезвычайно доволен собой и своими боевиками.

Сергей Петрович Проскурин, которому буквально на днях было присвоено звание генерала и в подчинении которого находилась спецгруппа Панкова, хмуро вышагивал от стола к окну и только изредка шевелил губами, как бы напрочь забыв о вызванном для доклада подполковнике. Наконец, вроде бы переварив информацию, которую ему только что выложил Панков, он плюхнулся в свое кресло, пристально уставившись на Игоря все еще зорким, но уже начинающим терять прежний блеск взглядом.

— Итак, повторим еще раз, — произнес Проскурин и передернул плечами, будто на них давила так ко многому обязывающая генеральская звезда. И в первую очередь — обязывающая к более качественному и оперативному витку работы его подчиненных. А именно этим пока что никто из них похвастать не мог. Оперативная информация о заказанных взрывных устройствах так и зависла в воздухе, хотя руководство почти ежедневно теребило с ускорением оперативной разработки: на Ближнем Востоке стали активизироваться террористические организации, и случись какая-нибудь серьезная акция с применением этих самых ядерных «изделий»... О последствиях и думать не хотелось.

Понимая состояние Проскурина, Панков как должное принимал его излишнюю резкость, справедливо взваливая вину за излишнюю осторожность в разработке Киплинга и на свои плечи. И в то же время он прекрасно знал, что, окажись Андрей Яров именно тем самым Киплингом, которому заказаны «изделия», и допусти в этом случае он, Панков, хоть малейшую оплошность — особенно в той оперативной разработке, в которой уже был задействован Крымов, последствия могут разразиться самые непредсказуемые. Впрочем, все это понимал и сам Проскурин, однако именно от него руководство требовало ускоренных действий. Ну а он уж в свою очередь теребил Панкова...

— Итак, — вновь произнес Проскурин и вопросительно уставился на подполковника. Однако Панков молчал, зная привычку шефа повторять доложенные ему факты или версии, но уже в своей собственной интерпретации. — Итак... — Он резко поднялся со своего места, прошел к окну, какое-то время смотрел в запыленное стекло, словно вслушивался в гул московских улиц, и наконец развернулся к Панкову: — Итак, дорогой мой. Из вводных для оперативной разработки мы имеем только кличку Киплинг. Так? — спросил Проскурин и тут же сам ответил: — Так. Но это, конечно, мизер, вряд ли можно на основании одной только клички построить всю дальнейшую разработку. Однако кличка оказывается редчайшей, и ты выходишь на Ярова, нашего бывшего товарища и коллегу по работе, который и кличку-то эту поимел от конторы, будучи внедренным со спецзаданием в колонию строгого режима. Вопрос: достаточно ли этого для того, чтобы на основании одной лишь клички, которую человек получил пятнадцать лет назад и, вполне вероятно, уже давным-давно успел забыть, строить оперативную разработку и заведомо выдвигать против него столь серьезное обвинение?

— Товарищ генерал! — вскинулся было Панков.

— Слушай, прекрати! — скривился, будто от зубной боли, Проскурин. — Ведь просил же тебя...

— Хорошо, — кивнул Панков. — И все же, Сергей Петрович, я не хуже вас знаю прошлое Ярова, однако вы учтите и те обстоятельства, при которых я на него вышел. Белоруссия, убийство бизнесмена и арест Ярова, который именно в *тот* вечер улетал из Минска и которого опознал случайный свидетель. К тому же этот побег из минского СИЗО... Вы что же думаете, мне очень нужно за уши притягивать Ярова к этому делу?

Проскурин пожал плечами, как бы говоря тем самым «не знаю, мол, голубчик, не знаю», но потом, видимо став самому себе противен, сказал:

— Я это и без тебя прекрасно понимаю. Однако там, — и он пальцем показал на потолок, — требуют активных действий и, естественно, боятся, что мы с тобой можем упустить настоящего Киплинга, увлекшись ложной разработкой. Поверь мне, уж очень она жидковата, чтобы бросить на нее все силы. Яров Яровым, но ведь дело в Минске закрыто, настоящий киллер убит при задержании, а что касается опознавшего Ярова свидетеля, так он с таким же успехом опознал еще нескольких человек, их тоже в тот вечер задержала минская милиция...

— А побег? — уже по-настоящему возмутился Панков.

— А что бы ты сделал, окажись на его месте? — вопросом на вопрос ответил Проскурин и, оттолкнувшись ладонями от подоконника, вновь прошел к своему креслу.

— Хорошо, — согласился с генералом Панков, — пусть будет так. И поверьте, Сергей Петрович, мне тоже не доставляет удовольствия копать под Ярова на том лишь основании, что и у него была кличка Киплинг. Но в этом деле есть много других нюансов, которые *заставляют* меня работать по этой версии. Кстати, и Крымов после встречи с Яровым и вполне доверительного разговора, что у них случился, придерживается того же мнения. Ведь я уже докладывал вам, что Яров как должное принял легенду Крымова о его хотя и вынужденном, но криминальном прошлом и о том, что Антон мечтает рвануть из России, так как находится в розыске.

— Выходит, профессиональная интуиция? — настороженно спросил Проскурин.

— И это тоже, но не только, — ответил Панков. — Когда Антон рассказал Ярову о том, что вынужден рвать когти из России, тот посоветовал ему не торопиться и пообещал свою помощь. И насколько я понимаю, помощь противозаконную. Что тоже говорит за связь Ярова с криминальным миром. То есть Яров сразу же начал иметь на Крымова какие-то виды — едва только узнал, что тому дали в нашей конторе по шапке и что он завязан на серьезном криминальном деле. А когда узнал про его нашумевший побег из губернской тюрьмы, в которой расположен следственный изолятор, так вообще проникся к Антону чувствами.

— Ну и?.. — поторопил Панкова Проскурин.

— А теперь, как я вам уже докладывал, он, похоже, предложил Крымову то самое, о чем, видимо, думал с самого начала.

— То есть должность управляющего аэродромом «Чудь»? — уточнил Проскурин.

— Так точно.

Генерал пожевал губами и вопросительно уставился на подполковника:

— Хорошо. Я принимаю это твое предположение, хотя здесь тоже вопросов больше, чем хотелось бы. Начиная с того, что бывший управляющий убит совершенно по-идиотски, какими-то хулиганами, а это значит, что место управляющего освободилось, в общем-то, совершенно случайно. Вот Яров по старой дружбе предложил его Крымову...

— Сергей Петрович, — скривившись, протянул Панков, — вы же...

— Знаю, знаю, — перебил его Проскурин. — Одних убивают с контрольным выстрелом в голову, а других — водочной бутылкой по голове. Знаю. Но ответь мне: *зачем* Ярову понадобился Крымов на хлопотную должность управляющего, если тот в этом деле не смыслит ни бельмеса? Ответ-то напрашивается один: дать ему возможность отсидеться в псковской глухомани, а потом каким-то образом использовать его для своих же интересов. Хотя бы в службе безопасности своего туристического агентства. Такие кадры, как наш Крымов, на дороге не валяются. В какую-то минуту можно и про его криминальные завязки забыть.

— Это точно, такие кадры, как Антон, редкость, — согласился с шефом Панков. — Однако, утверждая, будто Антон в летном деле ничего не смыслит, Сергей Петрович, вы не правы. В свое время нам преподавали кое-что по этой части, так что Антон обучен не только пилотировать вертолеты, но может и «аннушку» в воздух поднять. И Яров, кстати сказать, прекрасно об этом осведомлен. И тот факт, что он сразу же после гибели прежнего управляющего, причем очень опытного специалиста, предложил занять это место Крымову, снова наводит на кое-какие размышления.

— А если более конкретно? — потребовал Проскурин.

— Конкретно? — усмехнулся Панков. — Ну, более конкретно я бы смог сформулировать это так. *Зачем* руководителю туристического агентства понадобился на месте *опытного* управляющего аэродромом совершенно случайный человек, который только и может, что хорошо стрелять, убивать и драться, прыгать с парашютом да еще знает азы летного дела? И вдобавок ко всему замаран в серьезном криминале, что тоже не совсем подходяще для управляющего таким хозяйством, как аэродром «Чудь»?

Видимо соглашаясь с доводами подполковника, Проскурин кивнул:

— Хорошо, пусть будет так. Хотя ничего хорошего лично я в этом не вижу. Что конкретно ты предлагаешь?

— Разрешить Крымову согласиться на это предложение Ярова.

— И что это нам даст для разработки по заказу исламских террористов? — уставился на своего подчиненного генерал.

Панков уже был готов к этому вопросу и поэтому тут же ответил:

— Если Яров окажется тем самым Киплингом, которому заказаны взрывные устройства, то он уже ищет максимально безопасный и надежный способ их переброски через границу. И в этом отношении граничащая с Эстонией Псковская область может оказаться для него весьма привлекательной. Тем более что аэродром находится рядом с границей. Это одно. И второе — что тоже немаловажно, — принимая эту должность, Крымов сразу же входит в круг наиболее близких Ярову людей. Учитывая недавнее «криминальное» прошлое Антона, тот вполне может решиться использовать его для своих целей, а это значит, что Крымов получит возможность пощупать его более плотно. — Панков замолчал, словно выдохся от этого монолога, и вдруг прижал руки к груди. — Сергей Петрович, вы думаете, что мне все это приятно? Нет, нет и еще раз нет! Но, анализируя поступки Ярова, я могу дать голову на отсечение, что он далеко не тот человек, за которого себя выдает.

— Значит, все-таки придерживаешься версии,

что именно он убил в Минске того бизнесмена? — спросил Проскурин.

— И это тоже.

— Ну что ж, может, ты и прав, — чуть подумав, произнес Проскурин и добавил: — Однако должен тебя предупредить еще раз: руководство довольно кисло относится к этой версии, хотя полностью и не отклоняет ее. Уже разрабатывается несколько параллельных версий по линии МИДа — согласись, Киплинги ведь могут быть не только в уголовном мире, но и среди... — Он безнадежно махнул рукой и добавил: — Так что помощи от меня пока не жди, разрабатывай Ярова своей группой. Антону от меня привет и скажи, что благословляю.

III

Дом на Первомайской улице, в котором жил Рядно, почти задарма достался ему от прежнего хозяина, «ненароком» ушедшего в могилу, и внутри чем-то напоминал колонию общего режима после объявленной амнистии. Та же пустота и гулкость осиротевших помещений да редкие небритые рожи, изредка появляющиеся то в одном, то в другом углу. Правда, здесь не хватало ночного воя сторожевых собак, которые не выносили лагерной пустоты точно так же, как и их хозяева, которым в былые советские времена приходилось выть по-волчьи при каждой амнистии и, засучив рукава, самим гнать за досрочно освободившихся зеков отпущенный на колонию государственный план. Оттого и не любил этот дом привыкший к тесноте камер тюремный бродяга Рядно и в то же время гордился своим приобретением. Конечно, с одной стороны, это был явный отход от неписаного воровского закона, запрещающего настоящему вору обзаводиться недвижимым имуществом, но если посмотреть на это приобретение с другой стороны... Не считая далекого безрадостного детства, это была первая собственная жилплощадь, которую вор в законе Тимофей Капралов поимел за всю свою жизнь.

Гулкая пустота дома, запущенного извечным бобылем — даже поговорить порою не с кем. Тех двух узколобых охранников-телохранителей из местных отморозков, которые обретались у него в маленькой пристройке к дому, Рядно и за людей не считал, а не то чтобы позволял себе доверить им какие-то свои сокровенные мысли. Впрочем, то, о чем он сейчас думал и над чем ломал голову, сидя за бутылкой водяры перед телевизором, он и вообще бы ни кому не доверил. Это было свое, выстраданное, раковой опухолью гложущее мозги и душу.

На огромном экране японского телевизора мельтешили какие-то разноцветные тени, о чем-то говорили и решали свои киношные проблемы, споря до хрипоты и стреляя друг в друга, но Рядно будто не слышал и не видел всего этого. Почти ополовинив бутылку, но даже не запьянев при этом, он мучительно пытался решить свои собственные проблемы, причем такие, о которых американская киношная братва и помышлять никогда не могла.

— Ох же с-сучара! — сцепив зубы, прохрипел Рядно и вновь потянулся татуированной клешней за бутылкой. Плеснул в стакан самую малость вонючей жидкости, от которой над журнальным столиком тут же зависло сивушное амбре, и, скривившись, выпил. И непонятно было, к кому конкретно относится эта вымученная и выстраданная ругань. То ли к проклятой водяре, которую пьешь, а она не берет, то ли к Киплингу, о котором Рядно уже и вспоминать перестал, а он на вот тебе — нарисовался собственной персоной, падла!

Господи, сколько бы он отдал сейчас, чтобы *никогда* больше не слышать об этом перевертыше! Он уж о нем и думать позабыл, а оно, говно, на вот тебе. А ведь сколько лет прошло с тех самых пор, как они... Об этом даже и вспоминать-то было страшно.

Рядно плеснул в стакан еще немного водки, тут же выпил ее, не закусывая, а проклятая память уже подкидывала оценки и события многолетней давности, когда в колонию строгого режима, где он, Рядно, тянул очередной срок, пригнали новый этап, в котором сразу выделился молодой, но довольно грамотный, рисковый и нахрапистый мокрушник, залетевший в казенку на полный срок. И кликуха у него была наособицу: Киплинг. Видимо, из-за того, что парень в бытность свою матросом побывал во многих странах и любил рассказывать про Африку. А в ту пору как раз показывали фильм про Маугли, которого, оказывается, придумал какой-то Киплинг, вот и пошло — Киплинг да Киплинг.

Господи, знал бы он тогда, кем для него лично этот самый Киплинг окажется, собственными бы руками замочил еще на карантине.

Подумав об этом, Рядно кисло усмехнулся. Уж кто-кто, а он-то прекрасно знал, что после драки кулаками не машут. Это сейчас, будучи на воле и потягивая водочку в собственном доме, он такой смелый и ушлый, а тогда, на зоне...

Это была его третья по счету ходка, он уже стал довольно авторитетным вором, с мнением которого не только считались бакланы, шестерки и прочая лагерная шушера, но и более весомые люди прислушивались к его словам. И надо же было случиться такому, что он по пьяни заложил своих бывших подельников, чем моментально воспользовался кум[1], заделав из него кумовскую суку[2]. Впрочем, начало восьмидесятых годов — это вообще страшное для братвы время. Власти тогда, кажется, всерьез взялись за растущую преступность и начали внедрять в банды и группировки своих людей, которых поддерживали завербованные на зоне авторитеты. Одним из таких продавшихся авторитетов стал и Рядно, с которым время от времени встречался лагерный кум, дававший ему очередное задание.

Вспомнив ту, самую страшную для него ходку, Рядно передернул, будто от озноба, широкими костистыми плечами. Вновь потянулся за бутылкой, осушил в один глоток полный стакан. Сколько раз он пытался вычеркнуть это прошлое из проклятой памяти, а вот поди ж ты... Он как сейчас помнил тот день, когда его вызвал к себе начальник оперативной части майор Сбитнев и, плотно прикрыв дверь, кивнул на стул, протягивая пачку «Беломора». Рядно уже знал: Сбитнев мягко стелет, да жестко спать кладет — и потому загодя приготовился к очередной пакости, гадая, кого конкретно потребует

---

[1] Кум — сотрудник оперативно-режимной части ИТУ.

[2] Кумовские суки — заключенные-осведомители, доносчики.

заложить кум на этот раз. Колония, где в ту пору Рядно отбывал свой срок, на всю Россию славилась своей отрицаловкой[1], и «граждане начальники» боролись с ней как могли, но то, что предложил этот сучара Сбитнев...

Он не стал терять время на обычные в подобных случаях разговоры за жизнь, а с ходу же буром попер на растерявшегося от неожиданности заключенного:

— Это правда, что авторитеты и законники вместе с отрицаловкой готовят массовый побег?

Всего чего угодно мог ожидать Рядно от этого вызова к куму, но только не этого! И оттого сжался невольно в предчувствии самого страшного. Побег действительно готовился законниками, но об этом знали только избранные, в том числе и Рядно, и случись вдруг сейчас массовый арест... Кумовскую суку на зоне вычислят быстро, а это — либо заточку в печень, либо утопят в параше, либо удавку на шею накинут...

— Гражданин начальник... — простонал Рядно. — Я же...

— Не бзди! — оборвал его Сбитнев. — Твое дело только подтвердить и, если это действительно так, ввести в ближайшее окружение Козыря одного новичка. Ну? — требовательно и жестко повторил он.

Рядно — смешно сказать — почувствовал, что близок к обмороку. Старый законник по кличке Козырь действительно готовился к побегу, и случись вдруг облом... А с другой стороны опер, неизвестно еще, что страшнее — ему ведь достаточно

---

[1] Отрицаловка — группа заключенных-блатных, не соблюдающая правила внутреннего распорядка и режим содержания ИТУ.

свистнуть, и от Рядно останется только безымянная могилка на лагерном погосте. Господи, а ему так хотелось жить!

— Гражданин начальник, — чуть не плача простонал Рядно, — вы же знаете, если я заложу в сундук[1]... мне не жить тогда, гражданин начальник!

— Ты что, тупой, что ли? — уставился на него Сбитнев. — Я же тебе по-русски талдычу: порекомендуешь Козырю новенького зека. Мол, еще до последнего ареста знал его по одному общему делу. А легенду мы тебе состряпаем. И все!

Понимая, что деваться некуда и от кума ему не отвертеться, Рядно уныло кивнул и вдруг спросил — просто так спросил, по какому-то наитию:

— Этот... кого рекомендовать надо... Мухолов?[2]

— Не твоего собачьего ума дело! — резче обычного оборвал его начальник оперчасти и назвал кличку своего протеже — Киплинг.

— К-кто?.. — заикаясь, выдохнул Рядно.

— Киплинг! — повторил кум и засмеялся, довольный. — Чего зенки вытаращил? Поди и невдомек было?

Да, всего, чего угодно, мог ожидать Рядно, но чтобы Киплинг... Вот и верь после этого людям!

А потом было самое страшное и в то же время совершенно непонятное для Рядно, которому оставалось несколько месяцев до освобождения, почему он и отказался от участия в побеге. Киплинг довольно быстро и умело втерся в доверие к Козырю, убедил того не брать в побег затесавшихся к отри-

---

[1] Заложить в сундук — предать с неизбежным последующим арестом.

[2] Мухолов — сотрудник КГБ, уголовного розыска.

цалам мужиков[1], которые уже не в силах были переносить лагерный беспредел, и когда Козырь назначил время побега...

Оставшиеся в живых отрицалы и не участвовавшие в побеге зеки только диву давались, насколько быстро и грамотно сумело сориентироваться в создавшейся экстремальной обстановке лагерное начальство — оно моментально мобилизовало вооруженную охрану и спецназовцев и почти в упор расстреляло рванувшихся на свободу воров и блатных, не жалея при этом пуль и не щадя человеческих жизней. В том трагическом побеге погибли не только старый законник Козырь со своим окружением, но и наиболее матерые и неподкупные отрицалы, которые то и дело баламутили зону. Погиб при попытке к побегу и сам Киплинг. По крайней мере, так сообщили притихшим зекам, когда какие-то пришлые люди снимали с колючей проволоки и внутреннего ограждения тела убитых и загружали ими огромные бортовые «ЗИЛы». Колонию расформировали, Рядно этапировали на другую зону, а вскоре он и вообще освободился подчистую, стараясь забыть ужас той кровавой ночи и прекрасно осознавая свою долю вины в той бойне. После освобождения пил на воле по-черному, заделал несколько рисковых грабежей и вновь залетел на зону. А когда опять освободился — это были уже совсем другие времена. Нежданно-негаданно распался Союз нерушимый республик свободных, а в самой России так все перевернулось, что Рядно уже и не знал, чего можно, чего нельзя, а на смену уходящим

[1] М у ж и к и — добросовестно работающие заключенные.

в прошлое законникам и ворам, которые свято чтили свои устои, пришли новые ухари — молодые и наглые беспредельщики, которым было все равно, кого убивать и грабить, лишь бы валюта шевелилась в кармане. Поначалу он, конечно, растерялся, не зная, куда приложить свои «навыки», но вскоре сумел все-таки найти себя в этом диком беспределе, который назывался «новыми рыночными отношениями», обосновался в Сухачевске, выбил из него неуклюжих конкурентов, а чуть погодя вообще заграбастал под себя едва ли не всю область.

Это было начало девяностых годов.

Припомнив те годы, когда он после освобождения, разинув рот, смотрел на то, что творится в России, Рядно горько усмехнулся. К тому времени он уже забывать стал о той страшной попытке к побегу, после которой на лагерном погосте выросли новые холмики, забывать стал и о своей вине в этом побоище, как вдруг...

Вот уж поистине говорят: не предавай — аукнется!

Подмяв под себя мелкие группировки из местных отморозков и пришлых кавказцев, он и взаправду уже думал, что доживет до беззубой старости в приемлемой для вора-законника роскоши, как вдруг однажды к вечеру в его доме раздался междугородный телефонный звонок, и когда он поднял трубку...

Да, это был Киплинг собственной персоной! Живой и невредимый!

Поначалу Рядно оторопел, решив, что у него поехала крыша и от проклятой водяры началась белая горячка, которая, как известно, вытаскивает из памяти то, что более всего тебя гложет и что хотелось бы забыть навечно, но потом все-таки собрался с силами, выдохнул, заикаясь:

— Т-т-ты?..

Звонивший рассмеялся довольным, раскатистым смешком:

— Слушай, Рядно, с каких это пор ты заикаться начал?

Однако Рядно даже не расслышал этого вопроса. Перед глазами всплыли кровавые сполохи *той* ночи, а в голове, будто это было наяву, взревела лагерная сирена, мгновенно перебившая остервенелый собачий лай.

— Но ведь тебя... тогда... — едва ворочая языком, выдавил из себя Рядно и замолчал. Нет, этого просто не могло быть! Не могло! Ведь он же сам лично видел невысокий холмик на погосте и табличку с личным номером Киплинга. — Ты же тогда с Козырем...

— Все! Кончай базар! — оборвал его властный голос. — Живой я! Целый и невредимый. И хотел бы с тобой встретиться. Кое-какой разговор имеется.

— Когда? — уже практически ничего не соображая, спросил Рядно.

— Да, пожалуй, в ближайшее время к тебе и наведаюсь. Предварительно позвоню. Номер поприличней в гостинице закажешь. Слышал, ты большими делами ворочать стал, — то ли вопросительно, то ли утвердительно проговорил голос, в котором все так же преобладали властные нотки.

— Пустое, — промычал Рядно, несколько удивившись, что о его деяниях знают в самой российской столице. Спросил, криво усмехнувшись: — Откуда базар-то идет?

— Ладно, об этом потом, — закругляя разговор, проговорил Киплинг и добавил тоном, не терпящим возражений: — Жди!

Рядно до сих пор помнил свое состояние после этого телефонного звонка. Память! Эта проклятая память не прощала прошлого. И тем более предательства. Будто наблюдая за собой со стороны, он вспомнил, как медленно опустил трубку на рычажки, как почти без сил завалился в кресло. Видать, Киплинг, этот мент проклятый, этот мусор, эта легавая тварь, и не думал подставлять себя под пули, когда лагерная отрицаловка бросилась на тот отчаянный прорыв. И эта его гибель...

В тот момент на Рядно словно прозрение накатило. Он вдруг вспомнил, что, как только в лагере началась заварушка, взревела сирена и темноту прорезали первые автоматные очереди, Киплинг сразу куда-то пропал. Это потом уже его якобы опознали среди убитых, а на самом деле выходит... Ну да, видать, лагерный кум сразу убрал его с глаз долой, а может, и вывез за территорию зоны, пустив при этом слушок, будто и Киплинга вместе с другими авторитетами замочили в той кровавой бойне. И вот теперь, через столько лет, он снова нарисовался! Зачем? Чтобы поиметь что-то с него, с Рядно? С бывшего зека, который...

И вновь он усмехнулся своей кривой, вымученной улыбкой, припоминая, как запил тогда, находясь в животном страхе от содеянного, и пил, пока наконец Киплинг не объявился в городе. Все такой же стройный и подтянутый, словно и не было этих лет после его «гибели». Но что более всего поразило Рядно, так это то, что Киплинг ни разу не вспомнил ни про зону, ни про убитого Козыря, ни про *ту* ночь. Говорили только о деле!

А если точнее, то говорил Киплинг. И то, что услышал Рядно, не шло ни в какие рамки. Видимо, и взаправду Россия-матушка сошла с ума и все встало здесь раком, пока он тянул на зоне свой последний срок. Конечно, и до них, до зеков, доходили самые разные слухи, но то, о чем говорил тогда с ним Киплинг, требовало особого осмысления.

Оказывается, и не ментом он был вовсе, а засекреченным сотрудником Большого дома[1], и задание имел специальное — руками лагерной охраны и спецназа разбросать, к чертям собачьим, всю ту кодлу блатных и отрицалов, которые сплотились вокруг Козыря и еще нескольких авторитетных воров. Московские власти именно таким макаром решили подчистить наиболее криминальные зоны, и это им кое-где удалось. Причем при помощи таких вот авторитетов, как Рядно.

Но об этом Киплинг упомянул как бы между прочим, правда давая тем самым понять, на каком крючке висит Рядно, и напоминая, что в этом мире *ничто* не забывается. Главное же толковище у них совсем о другом и в то же время как бы ни о чем конкретно. О себе Киплинг сказал, что он как работал на КГБ, так и остался под «крышей» этой конторы, хотя по разработанной легенде приобрел крупное туристическое агентство, директором кото-

---

[1] Большой дом — здание бывшего КГБ на площади Дзержинского.

рого и является официально. Однако для криминального мира он остался все тем же Киплингом, которым был и десять лет назад. Что же касается его «гибели» и номерной могилки на лагерном погосте, то здесь он выдал такую версию. Будто, раненный, очнулся в кузове «ЗИЛа», уже за воротами зоны смог незамеченным выбраться из-под наваленных на него трупов и каким-то чудом добрался до ближайшего города. По пути грабанул какого-то олуха и уже с его документами смог отлежаться в спокойном месте, как волк зализывая раны.

— А я-то тебе зачем? — решился спросить Рядно.

Киплинг усмехнулся одними уголками губ, и по этой усмешке Рядно понял, что теперь-то их сможет разлучить только гробовая доска. Да и то только в том случае, если один из них самолично вобьет в нее гвозди.

— Зачем, спрашиваешь? Да ни за чем. Грешно как-то старых товарищей забывать. Тем более с кем из одной плошки баланду хлебал...

— Это ты-то товарищ? — уже в свою очередь усмехнулся Рядно. — Ты же...

— А вот это ты зря, — урезонил его Киплинг. — Могу и я тебе пригодиться. Слышал, будто азеры на твои рынки наезжают. Долю отхапать желают. Так что могу посодействовать, дабы тебе самому не пачкаться и чистеньким остаться.

Рядно ошалело уставился на своего гостя. Господи, да откуда он про это-то выведал? И что он еще знает о самом Рядно? И еще подумал про его появление: что́ это — новая метода ФСБ по ликвидации банд и прочих устоявшихся группировок или же у него на самом деле нужда в нем, Рядно?..

Шальная, дикая мысль ударила тогда ему в голову, но он поначалу просто отбросил ее как кощунственную. Хоть и не читал Рядно газет, но краем уха слышал, будто обиженные на власть и президента бывшие кагебешники, следаки и менты-позорники сами подались на бандитский промысел, и даже где-то есть мощные группировки, состоящие чуть ли не из одних ментов или тех же кагебешников. Но если до сих пор все это было на уровне слухов, то теперь... Ведь базарил-то с ним за дело не баклан-пустобрех, а сам Киплинг, который хоть и был мухоловом, но таким, которому можно было и поверить.

— А что взамен? — осторожно спросил Рядно.

Киплинг пожал плечами:

— Ну, если, конечно, не считать мизерной платы по умеренной таксе, то еще совсем немногое. — Он замолчал на какое-то время, потом проговорил негромко: — Ты же, если я, конечно, не ошибаюсь, вроде как бы в большом авторитете сейчас ходишь?

— Ну! — угрюмо кивнул Рядно.

— Вот и сведешь меня кое с кем из паханов, которых поставили смотрящими в губерниях. Представишь как старого корефана, с которым баланду вместе хлебал и который чудом жив остался. Годится?

Рядно молчал. Долго молчал, ломая голову, зачем бы это вдруг такое. Выявить наиболее авторитетных паханов, которых воровские сходки поставили смотрящими в большие города и на области? Глупость! У ментов, а тем более в Большом доме, и без его подсказок есть полные списки с точным указанием адресов и телефонов. Тогда зачем же? Так и не додумавшись ни до чего, Рядно вновь вскинул на Киплинга свой тяжелый взгляд:

— Зачем тебе это?

— Господи! — неожиданно засмеялся тот. — Да просто так. Дружить хочу с вами, законниками! Соглашайся. В прогаре не останешься.

Ударили по рукам, а вскоре Рядно воочию убедился, что воскресший из мертвых Киплинг слов на ветер не бросает. Какая-то неизвестная группировка в считанные дни накатила на опешивших от неожиданности азеров, забила с ними «стрелку» и, оставив на глухой проселочной дороге восемь трупов молодых азербайджанцев вместе с их командиром, скрылась в туманной дали. Кто и что — неизвестно. Но главное, что Рядно был совершенно чист, при этом оставшись полновластным хозяином на своей территории.

С Киплингом он расплатился по уговору и вскоре представил его нескольким паханам-законникам, которые держали в своих руках целые российские регионы. И все, казалось бы. Так нет же: теперь ему зачем-то понадобился подполковник Гринько со своим арсеналом!

Выполнил и это его требование. И уже потом, пораскинув мозгами и наведя кое-какие справки, но главное — серьезно поговорив с Гринько, Рядно окончательно понял, кем стал бывший мухолов по кличке Киплинг. Сраное КГБ — это в прошлом. А сейчас... Сейчас он такой же бандит, как и братва, которую он подвел под автоматные очереди в ту кровавую ночь. Но если сам Рядно и его подельники были просто уголовниками, место которым на нарах, то этот с-сучонок... перевертыш гребаный! Да на нем пробу ставить негде! Уж кого-кого, но эту породу людей на Руси никогда не жаловали. Тем более в уголовной среде.

Предавший раз предаст и еще. Это закон! А быть преданным или подставленным еще раз, тем более на старости лет, Рядно не хотел. Оттого и вызревал у него план отыграться за прошлое, по-настоящему «кинув» Киплинга, и убить тем самым сразу двух зайцев. Во-первых, он отомстит ему за те душевные терзания и муки, которые поимел на зоне, стараясь угодить лагерному куму, а также за то, что из-за него столько братвы полегло в сырую землю. И второе, что тоже было немаловажно. Он мог на этом деле поживиться неплохо, заработав не только свой процент навара от сделки Киплинга с подполковником, но и «кинув» мухолова в самую последнюю минуту. Как говорится, долг платежом красен.

Окончательно утвердившись в этой мысли, Рядно опять было потянулся к недопитой бутылке, но тут же отдернул клешню, на которой, казалось, места живого не было от наколок — несмываемой памяти лагерей, колоний и тюрем, в которых он побывал за свою жизнь. Хватит пить. Вчера, ближе к вечеру, ему позвонил из Москвы Киплинг и попросил быть посредником, когда Гринько будет передавать его ребятам «заказ». Видимо, хотел подстраховаться на всякий случай. Рядно усмехнулся. Ну что же, он его подстрахует. Да так...

Место, время и детали «стрелки» были обговорены еще утром, но, боясь проколоться, а также опасаясь возможного подвоха со стороны Киплинга,

Рядно еще за два часа до обозначенного времени направил к двадцатому километру Московского шоссе вооруженную группу своих отморозков, чтобы они загодя проконтролировали прилегающую к лесной опушке местность и в случае шухера подали условный сигнал. Что касается его самого, то он решил прибыть туда точно в указанный час — одиннадцать вечера, прихватив с собой еще двух телохранителей. Назвав место и время встречи, Киплинг сказал, что с его стороны будут трое людей, и это вполне устраивало Рядно.

Проводив оснащенную компактными рациями вооруженную пятерку боевиков, Рядно засобирался и сам, приказав своей охране готовить «мерседес» с тонированными стеклами. Потом вернулся в дом, достал из холодильника целехонькую бутылку водки, банку с малосольными огурцами, тарелочку с нарезанной колбасой и, перекрестившись на почерневшую от старости икону, с которой укоризненно смотрел на него лик Христа, налил себе полный стакан. Рядно, он же Тимофей Капралов, не был особенно верующим человеком, но, прежде чем пойти на очередное дело, всегда принимал привычную дозу и крестился на образа, прося помощи у Всевышнего. В один глоток залив в себя любимый граненый стакан, которых теперь уже и в продаже не увидишь, он зажевал водку куском заветренной колбасы, похрумкал огурчиком и, перекрестившись еще раз, вышел на резное крыльцо. Хозяйским глазом окинул обнесенный высоченным забором двор. Прищурился на багрянец закатного солнца. На старости лет он становился все более мнительным и осторожным, порой ловя себя на излишней подозрительности, но этот тихий вечер, кажется, не предвещал ничего плохого, и Рядно направился к сложенному из красного кирпича гаражу, где его уже поджидал «мерседес» с открытыми дверцами.

Сидя на мягких подушках заднего сиденья и провожая глазами мелькающие за окном зеленеющие поля и лесопосадки, Рядно думал о тех превратностях жизни, которые поджидают человека на каждом шагу. Нет, он никогда не был тюремным философом, просто ему самому хотелось выглядеть чуть лучше тех людей, по просьбе которых он сейчас ехал на эту встречу и по просьбе которых был посредником в их сделке. Взять того же Киплинга — КГБ! А по-нынешнему — Федеральная служба безопасности, едрена мать! Что же касается этого козла Гринько, так этот вообще подполковничьи погоны нацепил, а должность имеет такую, что и выговорить трудно: начальник штаба ракетно-артиллерийского арсенала. До знакомства с ним вор-рецидивист по кличке Рядно и слов-то таких не знал, а теперь, поди ж ты, обоим понадобился. И еще вопрос, кто из них троих для общества страшнее — он или эти двое!

Придя к столь неожиданной для самого себя мысли, Рядно скривился, словно от зубной боли, и покосился на мощные стриженые затылки своих телохранителей, которым человека замочить ничего не стоит. Господи, да они же голуби по сравнению с тем же кагебешником сраным или начальником штаба в звании подполковника! И то, что они сделку эту хотят провернуть...

— Вот же суки! — сквозь зубы процедил Рядно и

вновь уставился в окно мчавшегося по шоссе «мерседеса».

Когда ему позвонил Киплинг и попросил быть посредником на этой «стрелке», Рядно своим собачьим нюхом почувствовал, что здесь кроется что-то очень серьезное, какие-то очень большие бабки, а его самого, прикрываясь его авторитетом, используют как последнюю дешевку. Он тут же созвонился с прапорщиком Тимошкиным, без которого Гринько не проворачивал ни одного дела, но который в то же время закорешил с Рядно, имея на него свои виды, а особенно в перспективе, когда Гринько отвалит на пенсию. Немного помявшись, но, видимо, понимая, что от Рядно ему так просто не отцепиться, Тимошкин сказал, что это, мол, не телефонный разговор, и тогда они встретились накоротке прошедшей ночью, распив бутылку коньяка. И вот на этой-то встрече Рядно и узнал, чего именно добивался от подполковника Киплинг...

— Ты про атомную бомбу в Хиросиме слыхал? — свистящим шепотом спросил подвыпивший прапор.

— Ну! — ничего не понимая, кивнул Рядно.

— Так вот тот заказ, которому уже сделали ноги, примерно то же самое, но только силой малость поменьше.

Всего, чего угодно, мог ожидать Рядно, но чтобы такое...

— Врешь! — выдохнул он в лицо наклонившегося к нему прапорщика. — Неуж атомные?

Тот усмехнулся и пожал плечами:

— Мне-то зачем тебе врать?

— Ну да, конечно, — пробормотал Рядно и вопросительно уставился на Тимошкина. — Но ведь это же... — Рядно, конечно, не знал, что такое ядерный взрыв «силой поменьше», но в памяти его крутанулись кадры из каких-то фильмов-ужастиков, где горела земля и, словно игрушечные кубики, рушились огромные дома. Однако это было там, за бугром, но Киплинг-то здесь при чем?!

Вот тогда-то его и прошибла мысль, что этот столичный ухарь хочет сделать на этом заказе большие деньги, а им, Тимофеем Капраловым по кличке Рядно, просто попользоваться, кинув ему для отмазки шмат в тысячу баксов. Как собаке голодной! Нет, такие вещи Рядно и в былые-то годы никому не прощал, а уж теперь...

«Мерседес» проскочил столбик с отметкой восемнадцатого километра, и водила, сбросив газ, съехал на обочину шоссе. Сидевший рядом с ним телохранитель поднес ко рту рацию и глухо пробасил:

— Ну? Чего там у вас?

Рядно насторожился. Было слышно, как в трубке раздались сначала какие-то шорохи, затем настроечный свист и наконец:

— Слышу тебя хорошо, хорошо. Здесь все в порядке. До нас на поляне никого не было. Обстановку отслеживаем. Минут десять назад подкатил армейский «козлик», в нем капитан и два прапора. Оглядываются, но ведут себя спокойно.

Рядно тронул телохранителя за плечо и, когда тот передал ему рацию, спросил того, что на поляне:

— Кроме этих троих там у вас есть еще кто-нибудь?

— Нет, — ответил высланный вперед наблюдатель, но тут же заторопился: — Хотя обождите!

Вижу, как с шоссе сворачивает какой-то джип. Ну да, точно. К поляне едет.

— Номер можешь разглядеть?

— Щас. Ага, московский.

— С какой стороны он подъехал?

— С вашей. От города.

— Хорошо, — удовлетворенно проговорил Рядно и добавил: — Прикажи ребятам, чтобы готовились. Мы подъезжаем.

Он передал рацию стриженому амбалу, стокилограммовой горой возвышавшемуся на пассажирском сиденье, и удовлетворенно хмыкнул. Что и говорить, эти московские деляги были умными ребятами и правильно делали, что не доверяли арсенальцам. Видать, они загодя приехали в город, отследили Гринько с Тимошкиным или даже тот момент, когда те загружали в «козла» свои бомбы, и, убедившись, что подполковник действует без обмана и тем более без засады, пропустили вперед себя машину с грузом, а уж только после этого подвалили к назначенному месту сами. Что ж, это хорошо. Очень хорошо. Значит, они окончательно успокоились и можно будет обойтись без лишней стрельбы и риска.

IV

Неспокойно было в этот тихий июньский вечер и подполковнику Гринько. Но если многоопытный вор-рецидивист Рядно накалялся злобой по отношению к Киплингу, который, как ему казалось, просто хотел поиметь его, как прыщавую девочку-подростка, то подполковника грыз совсем другой червяк. Он был кадровым военным, тем более начальником штаба ракетно-артиллерийского арсенала, в меру своего положения вынужден был следить за международным положением, к тому же просматривал целую кипу центральных газет, которые его войсковая часть выписывала на штаб, и поэтому вполне мог догадаться, кому и для чего понадобились ядерные взрывные устройства. Будь они прокляты! Оттого и метался по квартире, послав жену то ли спать, то ли к всеобщей матери. Где-то около полуночи ему должен будет звонить капитан Львов, сумевший довольно удачно вывезти эти самые взрывные устройства со своего склада и вызвавшийся самолично передать их из рук в руки заказчику. Но эта часть дела почти не волновала Гринько, который был стопроцентно уверен в успешном завершении сей сделки, его сейчас мучило совсем другое.

Уж кто-кто, а он-то, профессиональный военный, посвятивший, можно сказать, всю жизнь взрывным устройствам, — а за годы его службы с чем только не пришлось иметь дело: и с прыгающими противопехотными минами, оставляющими человека без ног, и с тяжелыми противотанковыми, способными рвать стомиллиметровую броню, словно бумагу, и с ракетными боеголовками, и с «чемоданчиками» вроде холодовского, — уж он-то знал, как все эти «игрушки» работают, особенно в руках террористов. Оглушающий удар взрывной волны, за ним смертельный дождь из осколков стекла, грохот ломающихся перекрытий вперемежку с отчаянными криками о помощи и трупы на земле среди горящих остовов автомобилей. Жалобные стоны, плач и вопли раненых, дым и пыль, невинные жертвы в лужах крови. А в это время в редакции какой-нибудь из газет раздается телефонный звонок и глухой, измененный голос сообщает, что очередная подпольная армия берет на себя ответственность за взрыв и хочет этим выразить свой протест по поводу...

Уж кто-кто, а он, Гринько, прослушавший сравнительно недавно, когда водка не залила еще его мозги, несколько лекций по новейшим взрывным устройствам и борьбе с терроризмом (спасибо знаменитым курсам «Выстрел»), прекрасно знал, что массовое убийство ни в чем не повинных людей, называющееся на языке профессиональных террористов «акцией», может произойти в любое время, в любом месте, и жертвой при этом может оказаться любой человек. Даже ребенок! И это было страшно.

С чисто профессиональным любопытством отслеживая информацию об акциях и наиболее серьезных террористах, Гринько вздохнул с невольным облегчением, когда по всему миру разнеслась весть об аресте Карлоса Шакала, который был признан «главным» террористом планеты. Долгое время этот безжалостный человек оставался неуловимым, словно насмехаясь над всеми стараниями Интерпола и антитеррористических служб многих стран. Четверть века он терроризировал весь земной шар кошмарными убийствами и взрывами, начав свою кровавую «карьеру» в феврале семидесятого года, когда взорвал швейцарский самолет, летевший из Цюриха в Тель-Авив. Тогда погибло двести человек, включая экипаж и пассажиров. Шакал считал себя идейным борцом, но бесплатно никогда не работал. По сути дела, он был наемным убийцей, прикрывающимся политическими лозунгами. Даже в случае отказа от его услуг ему выплачивалась «компенсация за беспокойство».

Это что касается Шакала. А ведь была еще терроризировавшая благополучную Европу Роте Арми фракцион, то есть Фракция Красной Армии, во главе которой встал любитель крепкого баварского пива Андреас Баадер, были их итальянские последователи, были воюющие десятилетиями ирландцы, баски, многочисленные последователи бородатого кубинца...

Даже разумную Японию не обошла эта зараза. Автоматные очереди и взрывы гранат, раздавшиеся в мае семьдесят второго года в аэропорту Тель-Авива, возвестили миру о рождении еще одной террористической организации — «Нихон сэкигун». Трое террористов устроили бессмысленную кровавую бойню, в результате которой погибло двадцать девять человек и более трехсот было ранено. Двое боевиков подорвали себя гранатой, а третьего удалось взять живым. Он был приговорен к пожизненному заключению, но в восемьдесят пятом году вместе с палестинскими террористами был обменян властями Израиля на группу израильских военнопленных и вновь пустился в террор, но уже на Ближнем Востоке. Именно там, по мнению японских террористов, находится теперь центр «мировой революции». Первоначально они разместились в Ливане, на базах Народного фронта освобождения Палестины, под патронажем его руководителя доктора Жоржа Хабаша по кличке Аль-Хаким. Его люди помогли японцам освоить оружие, подрывное дело и основы конспирации. В дальнейшем, объявляя о своей причастности к тому или иному взрыву, они выступали под разными названиями: Организация бригад джихада, Бригада джихада и даже Антиимпериалистическая интербригада, но во главе организации, как бы она ни называлась, стояли одни и те же люди. Взрыв нефтехранилища компании «Истерн петролеум» в Сингапуре и захват заложников, захват посольства Франции в Гааге, захват в заложники пассажиров самолета рейса Париж — Токио привели к тому, что в Японии, в рамках Управления по национальной безопасности, была создана специальная бригада по борьбе с «Нихон сэкигун». Совместно с агентами ФБР США было установлено, что база террористов находится в районе Бейрутского университета, а тренироваться в диверсионных действиях они выезжают в долину Бекаа под руководством палестинских инструкторов.

Гринько слышал, что усилиями спецбригады, полиции и спецслужб других стран удалось захватить некоторых боевиков, но это был лишь относительный успех. Были данные об участии ее боевиков в действиях НФОП на территории Ливана. И еще были сведения, что в связи с финансовыми трудностями НФОП японских «воинов ислама» стали снабжать деньгами и оружием Муамар Каддафи и проиранская организация «Хезболлах».

И теперь уже ни для кого не было секретом, что именно на Ближнем Востоке свил свое гнездо международный терроризм.

Ярким тому подтверждением были взрывы, разрушившие посольства США в Дар-эс-Саламе и Найроби. Прибывшие на место трагедии американские специалисты по борьбе с терроризмом без особого труда обнаружили так называемый исламский след. А чуть позже стало известно, что ответственность за взрывы в Кении и Танзании взяла на себя ранее неизвестная Армия освобождения исламских святынь. Более того, организаторы взрывов грозились продолжить серию терактов, если США не выведут войска из мусульманских стран и не выпустят из тюрем в США и Израиле исламских «борцов за свободу». По мнению американских экспертов, вдохновителем и финансистом взрывов является арабский миллионер Осам Бен Ладен. За свою противозаконную деятельность несколько лет назад он был лишен гражданства Саудовской Аравии и покинул страну. С тех пор он руководит террористами с территории Судана и Афганистана, где возглавляет группу «арабских афганцев», воевавших против СССР. Его ежегодный доход оценивается в двести миллионов долларов, и большую часть этих средств он использует для защиты идеалов ислама от посягательств «неверных», в частности Соединенных Штатов. На свои деньги он обучает и вооружает боевиков-фанатиков, готовых убить каждого, на кого укажет их покровитель. Следы деятельности этих боевиков обнаруживались и в Югославии, и в бывших среднеазиатских республиках СССР, и в Чечне...

Он боялся думать о самом страшном — о том, что проданные им сегодня «чемоданчики» могут найти применение здесь, в России, в каком-нибудь из больших ее городов, а может, и не в одном...

— Господи, на кого же они все-таки нацелились? — невольно пробормотал Гринько и вздрогнул от собственного голоса. — Наверно, все же на американцев...

А что, вполне возможно. Тем более что Соединенные Штаты поставили себя в один ряд с теми же международными террористами. Нанеся ракетный удар по Судану, по Афганистану (якобы по базам Бен Ладена), а теперь вот и по Ираку, они бросили вызов всему мусульманскому миру, вызвав тем самым волну возмущения не только среди последователей ислама, но и во всем цивилизованном мире. Что же касается экстремистских группировок происламского толка...

Теперь эти фанатики и сочувствующие им, объявив себя оскорбленными, начнут новый виток террористических действий. Уже появились сообщения о том, что многие группировки объявили священную войну Соединенным Штатам.

А может, и поделом им?..

Придя к столь неожиданной мысли, которая хоть и была кощунственна, но все-таки хоть как-то позволяла оправдаться в своих собственных глазах перед содеянным, Иван Мартынович с сожалением покосился на бутылку, где водки осталось на донышке, и уж в который раз за этот вечер посмотрел на часы. Стрелки показывали одиннадцать, а это значило, что скоро наступит конец его душевным мучениям и он уже более свободно и раскованно сможет думать о завтрашней жизни. Та валюта, которую сегодня, вернее, этой ночью привезет Тимошкин, обещала вполне приличную прибавку к будущей пенсии, а это значит — и обеспеченную старость.

Приказав своим отморозкам приготовить оружие, но без его команды даже не высовываться, Рядно выбрался из «мерседеса» и походкой уверенного в себе человека, как бы говорящей о том, кто на этой полянке настоящий хозяин, подошел к армейскому газику, у которого высокие договаривающиеся стороны — по три человека от каждой — деловито толковали о чем-то между собой. Рядно хмыкнул. Даже отсюда было видно, что «высокие стороны» еще не полностью доверяют друг другу, а потому держатся настороже. И это было хорошо.

Не удостаивая каждого в отдельности пожатием руки, старый урка кивнул всем сразу — общий, мол, привет! И тут же перевел разговор на дело:

— Ну, чего стоим? У меня времени в обрез. Товар — деньги? Или наоборот?

Столь жесткая конкретика, похоже, устраивала обе группы. Ворюга Тимошкин, покосившись на своего капитана и как бы тем самым испросив разрешения старшего по званию, проговорил, бегая глазами по настороженным лицам:

— С нашей стороны все условия выполнены, так что давайте пересчитаем денежки — и можете забирать свой товар.

Он впервые участвовал в столь серьезной и опасной во всех отношениях сделке и оттого откровенно нервничал.

— Хорошо, — согласно кивнул высокий плечистый блондин, который, судя по всему, был старшим у москвичей, и Рядно заметил кривую ухмылку на его губах. Он бы и сам рассмеялся словам сорокалетнего прапора, но вовремя сдержался. Этот мудак гороховый, хоть и дожил до огромной плеши на голове, разворовывая и растаскивая свой арсенал, но так и не смог уразуметь, что при сделках подобного рода контрагенты должны доверять друг другу, а баксы пересчитываются загодя, чтобы в целях собственной безопасности максимально сократить время контакта. Но армейскому придурку Тимошкину, жадность которого слыла почти маниакальной, все это было невдомек, сплошной непроходняк, что, видимо, тут же понял и московский блондин, который, сунув Тимошкину черный кейс с блестящими замочками, проговорил властно:

— Считай, голуба! Да не сбейся. А капитан пока что изделия мне покажет.

Капитан с Тимошкиным переглянулись, и прапорщик кивнул невзрачному офицерику, которому не было, пожалуй, еще и тридцати, чтобы тот показал взрывные устройства покупателям. Потом отошел в сторону, открыл кейс ключом. И по тому, как он невольно ахнул, Рядно понял, что бабки в кейсе немалые — похоже, Тимошкин видит такую кучу денег впервые в жизни.

И это тоже было хорошо. Очень хорошо! Значит, он ни в чем не прогадает, решившись разыграть эту карту.

Проводив глазами тщедушного капитана с блондином, которые скрылись в газике, Рядно подошел к Тимошкину, который, видимо вовремя сообразив, что он просто не в силах за короткое время пересчитать все банкноты, все же взялся пересчитывать аккуратно упакованные пачки, едва не ахнул от увиденного. Кейс был буквально набит американскими долларами — Рядно тоже впервые в жизни видел столь много денег сразу. Первым его желанием было выхватить кейс из рук этого ублюдка, а потом положить из автоматов всю говенную шестерку прямо на этой поляне, но он вовремя сдержал этот порыв и только уважительно хмыкнул, пробормотав на ухо придурку прапору, похожему в эту минуту на токующего глухаря, забывшего обо всем на свете:

— Дурачок, закрой чемоданчик-то! Все уже пересчитано.

И отошел в сторону, исподволь наблюдая за тем, что происходило на полянке. Он был опытным урканом, которого жизнь так ломала, что он уже и со счета сбился от ее зуботычин, а поэтому не верил никому и ни при каких обстоятельствах. Тем более в такой момент. За те американские бабки, что лежали в кейсе, можно было пойти на любое преступление. По его разумению, полными мудаками будут эти трое москвичей, если не попытаются сейчас положить на этой лесной поляне всю армейскую компанию, а заодно и их прикрытие из уголовников, и не отвалят к себе домой, не забрав бомбы вместе с деньгами. Однако то ли эта сумма была для москвичей слишком мелким кушем, то ли вонючий Киплинг пообещал своим боевикам отвалить кусок еще больше, убедив их не делать глупостей, но только оба оставшихся на поляне москвича мирно стояли у своего джипа, изредка поглядывая в сторону армейского «козла». А один даже на корточки присел, собирая в траве землянику.

Вняв наконец голосу разума, Тимошкин закрыл крышку кейса, щелкнул замочками и отер со лба выступивший пот. Да, этот прапор явно волновался и, видно, дождаться не мог, когда же закончится вся эта нервотрепка. Глядя на него, занервничал и Рядно, невольно бросая косые взгляды на свой «мерседес», где затаились его мордовороты. В голову лезли черт знает какие мысли, но пахан вновь осадил себя.

Прошло еще пять минут. А может, и все десять. Молчавший все это время Рядно уже повернулся было к Тимошкину, но в этот момент распахнулась дверца газика и из его нутра выбрались сначала тщедушный капитан, а потом и блондин. Рядно зыркнул глазами по его лицу и, увидев, что тот явно доволен своей инспекцией, вздохнул облегченно. Значит, все в порядке — Гринько смог увести со склада именно те устройства, которые нужны были этим московским ухарям, и блондин, который, видать, ко всему прочему, разбирался во взрывных устройствах, по достоинству оценил товар. Теперь, когда Рядно окончательно убедился, что в этой сделке нет никакого накола, он тоже смог облегченно вздохнуть. Дело оставалось за малым. Главное — не суетиться.

— Ну что? — спросил Рядно блондина и покосился на капитана, который замер в ожидании возле своего «козлика».

— Нормалек! — бодро ответил блондин и кивнул своему молчаливому сопровождению: — Переносите, братаны. Капитан покажет, что к чему.

Те так же молча кивнули и направились к армейскому газику, в который уже вновь послушно забирался капитан.

Блондин развернулся к Тимошкину, спросил усмехаясь:

— Пересчитал?

Тот хрюкнул что-то в ответ, и здесь Рядно решил заступиться за прапорщика, играя тем самым в заботливого смотрящего.

— Ладно зубы-то скалить! — оборвал он ощерившегося блондина. Но, подумав, тут же смягчил свой окрик: — Ты что, действительно в этой хреновине волокешь? — спросил он, кивнув на упаковку, которую едва ли не на вытянутых руках нес к джипу коренастый, с мощной, накачанной шеей москвич.

Блондин покосился на старого уголовника, насчет роли которого Киплинг, видимо, сделал ему особые разъяснения, и нехотя пожал плечами:

— Полгода учили. Так что...

— Тогда понятно, — уважительно протянул Рядно, наблюдая за перегрузкой столь опасного товара. При разработке своего плана он даже и не подумал о том, что эти хреновины могут требовать какого-то особого ухода, специального. Да, все правильно, а то ведь они и рвануть могут, да так, что... Надо же, до чего хорошо сошлось, что этот блондинистый козел оказался не просто бакланом или шестеркой, которой поручено доставить груз в столицу, а настоящим взрывалой, соображающим в этом деле, — все, что надо!..

Старый уркаган покосился на Тимошкина, который словно остолбенел, вцепившись в набитый деньгами кейс, перевел взгляд на второго прапора, который стоял чуть в стороне, выполняя в команде продавцов роль охраны. По крайней мере, на шее у него висел автомат, да и бронежилет говорил сам за себя.

«Прости мне, Господи, невольные прегрешения», — вздохнул Рядно. То, что он имел явный перевес в стволах, — это ясно. К тому же на него сработает внезапность. Так что пора было кончать с этим спектаклем и переводить стрелки.

Но как ни зудели руки, истосковавшиеся по настоящему делу, он все-таки дождался, когда последняя упаковка исчезнет в чреве «мерседеса», и только после этого подозвал Тимошкина.

— Значит, так, орлы. Работа сделана, пора и по домам. Однако хоть время сейчас и позднее, — он кивнул на угасающую полоску закатного багрянца, который медленно рассасывался над кромкой леса, превращаясь в густеющую тьму, — но всем кагалом выезжать на шоссе не стоит. Так что сначала пускай сваливают военные на своем «козле», а потом уж и ваша очередь. Минут через десять — пятнадцать.

— Что так? — уставился на Рядно блондин.

— Да ничего, — пожал тот плечами. — Просто я отвечаю за вашу безопасность. А когда сразу две машины появляются из леса, причем одна из них — армейский «козел»... и не приведи Господь, если это дело ненароком просечет какой-нибудь мент или гаишник...

Он не закончил, но и так было ясно, что мужик прав и с лесной опушки надо разъезжаться с небольшим интервалом.

— Ну, тогда, гуд бай! — ощерился в нервном смешке Тимошкин и первым полез в нутро газика, прижимая к животу набитый долларами кейс.

Так же нервически улыбаясь, вслед за ним забрался в машину и капитан, видимо мысленно уже прикидывающий, куда он припрячет до поры до времени свою долю, и только после них, продолжая настороженно следить за оставшимися на полянке людьми, на водительское место забрался второй прапорщик, облаченный в бронежилет. Повернул ключ зажигания и, еще раз окинув настороженным взглядом погружающуюся в ночные сумерки полянку, передал свой автомат капитану. По достоинству оценив его действия, Рядно уважительно хмыкнул — этот молчаливый прапор был, пожалуй, самым смышленым из армейской троицы. И не его вина, что родные скоро будут поминать трех покойников...

Проводив глазами скрывшийся за деревьями «газон», Рядно повернулся к блондину, который сразу же после отъезда «продавцов» нервно затянулся сигаретой, щелчком выбив ее из пачки «Мальборо», проговорил с вальяжной ленцой:

— Ну что, москвич, кажись, все в порядке?

Тот молча кивнул и пожал плечами, как бы говоря тем самым: пока, мол, все в порядке, однако что будет дальше...

— Ну и ладненько, — степенным баском сказал Рядно и зыркнул глазами по двум столичным мордоворотам, которые за все время так и не произнесли ни одного слова. — А эти что — глухонемые?

— Вроде того, — хмыкнул блондин, и Рядно понял, что москвич, кажется, расслабился полностью. И это тоже было хорошо. Очень хорошо!

— Вот и ладненько, — теперь уже совсем мирно и как-то по-стариковски повторил Рядно свое любимое словцо и посмотрел на часы.

Кажется, целая вечность прошла с тех пор, как за деревьями скрылся армейский «газон», а в действительности набежало всего лишь пять минут. Это значит, что сейчас осторожный водила-прапорщик выруливает на шоссе и ему на хвост садится пятерка боевиков. А в том, что эти отморозки провернут возложенную на них часть общей операции без сучка без задоринки, Рядно даже и секунды не сомневался.

Ну, кажется, пора и ему вспомнить молодость...

— Ну что? — каким-то свистящим шепотом спросил блондин. Ему тоже не терпелось поскорее отвалить с этой поляны, которая с каждой минутой все больше и больше погружалась в ночной мрак. — Кажется, и нам пора?

— Пора, — вздохнул Рядно и, едва вся троица изготовилась забраться в джип, резко выхватил из-за пояса «макаров» и, почти не целясь, разрядил обойму в молчаливых крепышей, которые, видимо, должны были обеспечивать безопасность груза при его перевозке.

Многократно повторенное эхо выстрелов прокатилось по поляне, огромным волчком крутанулся в сторону стрелявшего блондин, но, увидев ткнувшихся в землю товарищей, застыл на месте, не сводя остановившегося взгляда с направленного на него ствола.

Прошла секунда, вторая. Наконец москвич начал выходить из состояния оцепенения и автоматически потянулся рукой к поясу.

— Стоять, коз-з-зел! — каким-то беззвучным окриком остановил его Рядно и многозначительно повел своим «макаровым».

Блондин отдернул руку от пояса и покосился на двух вооруженных короткоствольными автоматами отморозков, которые, неизвестно когда выбравшись из «мерседеса», зашли ему с тыла. Он перевел взгляд на Рядно, который все так же спокойно продолжал держать в своей татуированной лапе тяжелый «макаров», и вдруг сплюнул ему под ноги.

— Ну, тварь подколодная!..

— Заткнись, падла! — ткнул его в спину один из пристяжных Рядно и, когда блондин хрюкнул от боли, спросил: — Может, и его... того?

— Закрой хлебало, придурок! — оборвал не в меру усердного телохранителя Рядно. — Это же взрывало! Ты, что ли, безопасность этих хреновин мне обеспечишь? — кивнул он в сторону загруженного взрывными устройствами джипа. Потом пистолетным стволом чуть приподнял подбородок блондина и, поймав его яростный взгляд, проговорил глухо: — Слушай сюда внимательно. За хозяином твоим, Киплингом, должок имеется, но я решил забрать его самостоятельно. Тебя я в живых оставлю. Но при условии, что ты поможешь мне с этой хреновиной.

Он замолчал, уставившись на блондина:

— Ну что? Согласен?

Блондин угрюмо молчал, опустив голову. Потом покосился на убитых товарищей, которые как ткнулись носами в землю, так и лежали...

— И сколько?

— Чего «сколько»? — не понял Рядно.

— Сколько времени я у тебя в заложниках буду?! — с яростью выкрикнул блондин.

— А-а-а, — усмехнулся Рядно. — Как с твоим начальником договорюсь. С Киплингом.

И, решив, что разговор закончен, кивнул своим отморозкам:

— Наденьте ему наручники — и в джип! Этих, — кивнул он на трупы, — надо будет прикопать где-нибудь подальше. Только быстро!

В город Рядно возвратился далеко за полночь.

Хоть и доверял он своим отморозкам, но все-таки дело было далеко не ординарное, и потому пришлось самолично проконтролировать, как они заметут следы двойного убийства. Один вариант — людей из «калашникова» мочить, и совсем другой — этих людей в землю закапывать. За его длинную жизнь ему пришлось делать и то, и другое, а потому он хорошо знал разницу между двумя этими работенками. Нет слов, человека, конечно, тяжело замочить, особенно впервые. Но тут главное — ту самую невидимую грань перейти. Один раз сделал, а там уж... А вот жмурика, тобой убитого человека, надежно захоронить, когда кажется, что на тебя изо всех кустов пялятся менты, — здесь не только выдержка нужна, но еще что-то такое, чего не было пока у его сопливых телохранителей с плечами гигантов и мозгами великовозрастных дебилов. Оттого и пришлось ему застрять в ночном лесу, пока они не избавились от трупов. А потом был марш-бросок в небольшую деревеньку, где на всякий непредвиденный случай Рядно приготовил себе запасной схрон. То был огромный бревенчатый дом, из которого давно уже выехали прежние хозяева и который Рядно прикупил почти за бесценок. Засунув окончательно сникшего блондина в просторный погреб и надежно припрятав взрывные устройства на чердаке дома, Рядно оставил в охране парней, что были с ним в лесу, строго-настрого приказав этим отморозкам ни на шаг не отлучаться за ворота, и только после этого позволил себе вернуться в город. Хоть главное и было сделано, однако впереди ему еще предстояло объяснение с Киплингом. Что касается Гринько, то насчет него Рядно даже не волновался. Если эта падла чего и заподозрит, то уж трибуналом этого сраного подполковника всегда припугнуть можно будет.

Он гнал свой «мерседес» по свободному в этот час Московскому шоссе, но, когда проскочил отметку пятнадцатого километра, сбросил скорость, следя теперь уже не только за черным полотном шоссе, но и за обочиной. Где-то здесь его боевики должны были прищучить армейский «газон», в котором возвращался прапорщик Тимошкин со своими подельниками, и в том, что они это осуществили, Рядно даже не сомневался. Однако он уже проехал десятый километр, девятый, а на обочине так и не появилось следов хоть какой-нибудь аварии.

Он сбросил скорость чуть ли не до двадцати километров в час и уже почти не следил за полотном дороги — все его внимание занимали пробегающие метры обочины. Но результат был тот же...

По взмокшей спине уркагана пробежал холодок животного страха. Упустить из рук такой куш... Нет! Об этом было даже страшно подумать. Но думай не думай, а обочина-то была чиста!

— Ох же суки поганые! — скрежетнул он зубами.

И вдруг фары «мерседеса» выхватили из ночной темноты задок съехавшего на обочину армейского газика, который как ткнулся радиатором в придорожные кусты, так и замер на месте, сиротливо распахнув дверцы.

Рядно вздохнул облегченно. Выходит, зря он ребят материл. Проехал на всякий случай еще метров десять и остановился, решив все-таки удостовериться во всем самолично. Осмотревшись, он осторожно выбрался из своего «мерседеса» и, подойдя к «газону», удовлетворенно хмыкнул. Весь левый бок машины был прострочен автоматной очередью, а может быть, и не одной, а выбитые стекла и лужи запекшейся крови говорили о том, что после такого побоища в машине вряд ли кто-нибудь остался живой. Судя по пулевым отверстиям, этот несчастный газик догнали более удачливые ребятишки и с ходу расстреляли, заставив «газон» свернуть на обочину. О дальнейшей участи водителя и пассажиров можно было только догадываться.

— Господи, помяни души их и прости им жадность, — едва слышно пробормотал Рядно и, забравшись в «мерседес», с места рванул в сторону спящего города.

...Не смог заснуть в эту душную июньскую ночь и начальник штаба ракетно-артиллерийского арсенала Иван Мартынович Гринько. Промучившись допоздна в ожидании прапорщика Тимошкина, который должен был сначала развезти людей по домам, после чего приехать к нему с окончательным расчетом за изделия МЧС-518, Иван Мартынович прикорнул было к утру на диванчике, но его почти тут же разбудил настойчивый телефонный звонок и встревоженный голос дежурного по части офицера сообщил:

— Несчастье, товарищ подполковник! Только что звонили из ГАИ города — страшная новость...

— Ну? — поторопил дежурного моментально проснувшийся Гринько и вдруг почувствовал, что сжимающая трубку ладонь взмокла от пота.

— Беда, товарищ подполковник! Из ГАИ сообщили, что на пятом километре Московского шоссе обнаружен газик из нашего парка. И в нем трое убитых. Капитан и двое прапорщиков. Правда, личности еще не установлены. Гаишники сказали, что при них не было ни документов, ни денег. Видать, ограбление, товарищ подполковник.

Чувствуя, что у него перехватило дыхание, Гринько рванул ворот рубашки и спросил чуть ли не шепотом:

— А с чего вдруг они определили, что этот газик наш?

— По номерам, товарищ подполковник. И еще одно. Трупы доставлены в городской морг, и милиция просит подъехать кого-нибудь. Для установления личностей погибших.

— Хорошо, — едва слышно пробормотал Гринько и без сил опустился на диван.

Ему не надо было ехать в морг — он и так уже догадывался, чьи трупы могли оказаться там.

— Господи! — прошептал он. — Этого только не хватало!

И вдруг как-то сразу засуетился, полез в тумбочку за телефонной книжкой, схватил трубку, начал быстро-быстро набирать нужный номер. Когда после длинных гудков в трубке раздался голос Рядно, спросил, еле сдерживаясь от крика:

— Слушай ты, старый лагерный козел! Где Тимошкин с мужиками?

Трубка долго, очень долго молчала, наверно, только что проснувшийся Рядно переваривал столь жестокое оскорбление, наконец он отозвался глухо:

— Ну, за козла, положим, ты мне еще ответишь. А что касается твоих долбаков, то с ними вчера москвичи расплатились чин по чину и они свалили в сторону города. Я лично проследил. — Он помолчал какое-то время и добавил вполне доброжелательно: — А чего, собственно, ты взъерепенился? Я так понимаю, Тимоха твой с капитаном серьезные бабки получили. Так что вполне возможно, что и загуляли на пару. Сам, поди, знаешь, дело-то молодое.

— Загуляли... — все так же угрюмо повторил за ним Гринько. — Мне только что из ГАИ сообщили, что машина Тимошкина расстреляна на пятом километре.

— Чего-о-о? — враз осевшим голосом переспросил Рядно. И вдруг резко, будто до него только что дошел смысл сказанного, вскинулся: — Чего? Чего ты мелешь?!

— Убиты, говорю, все трое! — больше не сдерживая себя, прокричал в трубку Гринько. — И все трое сейчас в морге!

Трубка долго, очень долго молчала, потом Рядно просипел едва слышно:

— О том, что они деньги повезут, кто-нибудь из твоей кодлы еще знал?

Иван Мартынович передернулся от слова «кодла», но все-таки нашел в себе силы пропустить это оскорбление мимо ушей и коротко ответил:

— Нет! Кроме меня и Тимошкина, о деньгах никто не знал.

— А сам он проболтаться никому не мог?

— Исключено.

И вновь Рядно надолго замолчал. Потом вздохнул тяжело и тихо произнес давно заготовленную фразу:

— Неужто москвичи на такое решились? Ах же с-суки вербованные!..

V

Что угодно мог предполагать Крымов, когда после долгих уговоров Панкова вернулся на оперативную работу в ФСБ, — он понимал, что его ждут самые сложные внедрения в криминальные и террористические группировки, но он даже и помыслить не мог, что ему придется исполнять роль управляющего аэродромом, пусть даже небольшим...

Еще не успевший вжиться в совершенно новое для себя назначение и пока что не сумевший обвыкнуться в непривычных условиях, Антон то знакомился с летным, техническим и обслуживающим составом аэродрома, то часами просиживал в своем *личном* кабинете, просматривая служебные бумаги и документацию аэродрома, а то и просто бродил по взлетному полю, окруженному березовым леском. Заходил в ангары, где чумазые технари возились со старыми, давно уже выбравшими свой летный ресурс машинами, выкраивая из двух одну, а то и вовсе разбирая на части какую-нибудь рухлядь. Но больше всего ему нравилось осматривать остававшиеся до сих пор на ходу «аннушки» и вдыхать запахи взлетной полосы, которые будоражили память о далеком прошлом, когда он еще учился в спецшколе и из всех практических занятий более всего любил прыжки с парашютом. И если многие из курсантов все-таки побаивались шагнуть в раскрытый люк или дверцу самолета, то он мог прыгать в любое время суток, отрабатывая практически все типы парашютов: от старых «дубков» до современных планирующих, на которых можно приземлиться там, где душа пожелает. Это было какое-то особое состояние его психики, и вряд ли бы он сумел толком объяснить его причины. Но разбуди его ночью и скажи: «Прыгать надо», — тут же вскочит с кровати и помчится на аэродром.

Впрочем, это все лирика, счастливое прошлое. В настоящем же Антона ждала жесткая действительность, в которой он пока что не мог разобраться.

Вдыхая запахи застывшего от вынужденного безделья аэродрома, Антон обошел по периметру свои владения, где он стал полновластным хозяином, не терпящим прежнего бардака и разгильдяйства (по крайней мере, он должен хотя бы как следует сыграть эту роль), потом забрел в березовый лесок, откуда словно на ладони просматривалось его хозяйство, присел на темный от времени пенек. В безоблачном небе раскаленной сковородкой висело полуденное солнце, заливая аэродром и его окрестности жаркими лучами, в зеленой кроне леска орали ошалевшие от счастья птицы, и Антон вдруг позавидовал тем, кто мог сейчас полностью расслабиться, взять положенный отпуск или хотя бы в субботу с воскресеньем рвануть куда-нибудь на речку, чтобы и рыбку половить, и в лесу с бабенкой погулять, и пивка охлажденного попить, но главное — ни о чем не думать. Ни об этих проклятых «чемоданчиках» с адской начинкой, ни о Ярове, который засветился в ФСБ, ни об этом уютном аэродроме, где надо было хоть что-то делать, чтобы показать свою личную заинтересованность в восстановлении летного хозяйства. Последнее было, пожалуй, самым сложным из всего, что предстояло Крымову. Ведь как ни крути, а аэродром — всего лишь прикрытие, чисто внешняя, показушная причина его пребывания в этой псковской глухомани. Главное же, ради чего Антон согласился на эту «ссылку», был сам Андрей.

Припоминая, насколько стремительно развивались события последних дней, Антон вспомнил и тот их телефонный разговор, во время которого Яров предложил ему эту должность.

— Я — управляющий?! — откровенно удивился Антон.

— А чего здесь такого? — в свою очередь удивился Яров.

— Но я же...

— Брось, Антон! — оборвал его Яров. — Не боги горшки обжигают. Главное для меня сейчас — это иметь на аэродроме своего надежного человека. К тому же ты и летное дело изучал когда-то...

— Вот именно, что когда-то, — усмехнулся в трубку Антон, лихорадочно соображая, как бы на его месте повел себя человек, действительно находящийся в федеральном розыске. И почему вдруг Яров надумал предложить ему это место, зная о его конфликте с милицией? Вопросы, вопросы — и пока что ни одного ответа. — К тому же какой я, к черту, надежный, если меня менты по всей России пасут!

Этот факт из легенды Антона был той самой лакмусовой бумажкой, которая должна была проявить истинное лицо нынешнего Ярова, и Антон, затаив дыхание, ждал его ответа. Он услышал, как хмыкнул Яров. Потом сказал как ни в чем не бывало:

— Щас, голуба моя, всю Россию-матушку пасут! И менты, и прочие звери. И это ты для *них* — ненадежная личность, а для меня, может быть, самый надежный человек. Тем более что ты сейчас уже и не Крымов вовсе по паспорту, а господин Храмов. Сам же говорил мне об этом.

И замолчал, словно давая Антону время по-настоящему оценить его предложение. И если рассудить здраво, то для любого преступника, оказавшегося на месте Крымова, предложение действительно было более чем заманчивым. Пожалуй, надо было решаться. И в то же время...

— Дай подумать... Хотя бы до утра, — сказал наконец Антон.

— Хорошо, — согласился Яров. — Но только до утра. И учти, откажешься — таких предложений, как это, больше никогда не услышишь...

Утром другого дня вновь раздался телефонный звонок, и Яров вместо приветствия произнес одно лишь слово:

— Ну?

Антон, уже получивший к этому времени от своего руководства добро на дальнейшую разработку операции по внедрению, так же немногословно ответил:

— Уговорил!

...Вспоминая, как развивались дальнейшие события, Антон прекрасно видел, что Яров торопил события. И это было еще одним косвенным доказательством того, что именно Андрей мог быть тем самым Киплингом, на котором замкнулся адский заказ террористов. Буквально на второй день после похорон убитого управляющего аэродромом Яров собрал в одной из псковских гостиниц акционеров «Чуди» и представил им Антона Крымова, вернее, Храмова, настойчиво рекомендуя его на место погибшего управляющего. Акционеры, естественно, полезли было в бутылку, — понятное дело, каждому из них хотелось бы иметь на этом месте своего человека, но директор туристического агентства «Андрей и К°», имевший на руках контрольный пакет акций, мгновенно поставил акционеров на место, проявив при этом удивительную жесткость. Что тоже говорило о многом. Вполне можно было бы понять Ярова, если бы он попытался двинуть на место управляющего кого-нибудь из близких друзей или из своей псковской родни, но ведь он внаглую попер на членов правления, двигая при этом фигуру находящегося в федеральном розыске уголовника, с которым его почти ничего не связывало. Разве это не давало пищу для размышлений?

К тому же Яров врал акционерам. Врал нагло и беззастенчиво.

— А почему, собственно, мы должны утверждать твою кандидатуру? — спросил кто-то из акционеров. — Он что, Храмов твой, имеет опыт управления? Или, может, колледж по данной специальности кончал? Мужику, считай, сорок лет. А это значит, что и мыслит он адекватно своему возрасту. То есть по старинке. А нам сейчас нужны молодые и рисковые! Ты лучше посмотри, сколько талантливой молодежи без работы болтается!

Хоть и показались тогда Антону обидными эти доводы насчет возраста, однако он сдержался и вопросительно покосился на Андрея, словно ждавшего этой нападки. Андрей подскочил на своем стуле и уставился яростным взглядом на посмевшего возразить ему правленца.

— Да ты лучше на себя посмотри! Сорок... А что касается твоих молодых, непомерно умных и голенастых, так они уже давно Россию разорили и по миру пустили! И по мне, лучше один сорокалетний практик, чем двое двадцатилетних с нынешним образованием. И еще одно! Кроме того, что Храмов знает летное дело, он также прекрасно разбирается в проблемах международного и чисто российского туризма. Да и управленческим навыком владеет. А много вы мне найдете таких умников, которые бы и первое знали, и второе, и третье?

Да, он врал — откровенно и нагло. Но после таких доводов члены правления уже были лишены возможности отвергнуть кандидатуру Антона.

Было еще одно обстоятельство, вернее, предположение, говорившее в пользу того, что Яров торопил события и старался как можно скорее поставить Антона на этот аэродром. Трагическая гибель бывшего управляющего. А была ли случайной эта столь глупая, нелепая и оттого еще больше наводящая на подозрения смерть?..

А с другой стороны... С другой стороны, эти гипотезы, предположения, версии и за уши притянутые косвенные доказательства до той поры, пока у них с Панковым нет ни одного конкретного факта или иного более-менее вразумительного довода, что Яров именно тот самый Киплинг, который подписался на заказ террористов, — ничто, пустышка, которая вполне может так далеко увести группу Панкова от истинного преступника, что ни о каком выполнении главного задания уже не будет и речи...

Версии, домыслы, предположения! И ни одной по-настоящему серьезной зацепки, которая бы позволила Панкову вцепиться в задницу директора процветающего столичного туристического агент-

7-4

ства и начать его оперативную разработку. То, чем сейчас занимался секретный сотрудник ФСБ Антон Крымов, — это всего лишь, по их терминологии, проверка на вшивость.

Впрочем, как утверждают философы, отрицательный результат — тоже результат...

Остановившись на этом, Антон поднялся с пенька и напрямую по траве побрел к началу взлетной полосы, где гордо выстроилась в ряд его допотопная, изношенная техника — та самая, на которой он, как новый управляющий, и немногочисленная команда «Чуди» должны были помогать развитию туристического бизнеса в Псковской области. На тот день, когда Крымов принял аэродромное хозяйство, там сохранилось два летающих самолета Ан-10, на один грузовик Ан-26 было получено разрешение на продление ресурса, и более-менее безопасно мог подниматься в небо один из вертолетов. Над другим в ангаре колдовали технари. Они же обещали восстановить еще одну «аннушку».

И в общем-то, если, конечно, отбросить столичный снобизм, это было довольно серьезное хозяйство, а уж если к нему еще приложить руки, деньги да голову — у-у! — на этой базе можно было и туризм развить, тем более что для этого есть все предпосылки, и с лесовиками законтачить, а уж о сельском хозяйстве и речи нет!

— Господи, о чем это я? — пробормотал Антон, начиная злиться на самого себя. Все эти аэродромные дела — сплошная лирика, к которой он не имеет совершенно никакого отношения, мало того — не имеет права терять на нее даже минуту своего времени. Но он не мог заставить себя сосредоточиться на главном, не просчитав здешние возможности Ярова, если тот действительно является тем самым Киплингом.

А ведь условия контрабандной переброски взрывных устройств с этого аэродрома налицо, причем весьма серьезные. И в то же время...

Если принять за доказанный факт то предположение, что Андрей Яров действительно смог создать мощную преступную организацию, прикрываясь своим туристическим агентством как «крышей», то почему он тогда раньше не использовал этот аэродром для своих преступных целей? Скажем, для оперативной переброски тех же киллеров или контрабандной поставки наркотиков с территории Прибалтийских государств? Или же в этом пока что не было особой нужды и он до поры до времени держал «Чудь» на консервации?

Антон невольно хмыкнул. А почему, собственно, не использовал? Он-то, Крымов, откуда об этом знает? Может, и использовал, но втемную. Условия-то вполне позволяли. Да и вся предыстория этого злополучного аэродрома, который уже при Ярове вошел в акционерное общество «Чудь», наводила на определенные размышления.

Уже никто не помнил, когда точно началась свистопляска вокруг аэродрома, но главные страсти разгорелись два года назад. Об этом ему рассказывал и сам Яров, и летный состав, и наземная обслуга аэродрома, которые в новом управляющем хотели видеть опору и надежду на возрождение их кормильца. Все страсти начались с тех самых пор, когда почти распался авиаотряд и аэродром стал неплатежеспособным. Антон попытался проанализировать происшедшие с тех пор события, а проанализировав, ясно понял, что все это никак нельзя назвать цепью роковых случайностей. Это был сплошной детективный сюжет, разворачивающийся на фоне угасания довольно мощного и прибыльного предприятия. Сельхозработы, аэрофотосъемка, небольшие пассажирские перевозки — и вдруг почти полное банкротство и признание несостоятельности. Естественно, что тут же последовало увольнение директора как «не соответствующего занимаемой должности» и назначение внешнего управляющего с тем условием, чтобы он вывел аэропорт из кризиса, а если не получится — то подготовил бы его к продаже.

И вот тут-то началось самое странное.

То ли новый управляющий делал что-то не то, то ли здорово мешал кому-то, но с ним вдруг начали происходить невероятные события. Летчики рассказывали о том, как кто-то дважды покушался на его личную машину. Прокололи колеса, выбили все стекла. Потом якобы звонили по телефону, угрожали расправой, постоянно следили за ним. Некие сиреневые «Жигули» провожали его от дома до аэропорта и обратно, в течение дня торчали неподалеку от диспетчерской, и стоило несчастному управляющему выехать куда-нибудь по делам — они тут же садились ему на хвост. Когда он обратился в местное ГАИ, там ответили, что машина с такими номерами у них вообще не зарегистрирована. В пору бы заняться этим делом районной или областной прокуратуре, но там вообще не стали слушать взволнованного посетителя, заявив ему, что когда что-нибудь случится, вот тогда...

И случилось. Управляющий попал в более чем странную автоаварию, после чего отказался от своего кресла. Из Пскова прислали нового временщика, тот быстренько подготовил аэродром к продаже — и как конечный результат туристическое агентство Ярова, которое, объединившись с несколькими более мелкими фирмами, уверенно выиграло конкурс. Теперь практически полновластным хозяином этого аэродрома стал Яров. Правда, коллектив аэродрома выставил ему свои условия: новый управляющий должен будет вытащить аэродром из прорыва. И что самое интересное — Яров, в отличие от своих компаньонов, этому даже не сопротивлялся. И если исходить из той логики, что именно Яров подводил аэропорт к нынешней роковой черте, устраивая различные злокозни управляющим, то придется думать, что он или выжидал, не желая светиться раньше времени, или действительно хотел поставить аэродром на ноги и ему наплевать было, кто конкретно сидит в кресле управляющего — свой человек из Москвы или же кандидат, навязанный летным составом и технарями.

Однако теперь, судя по всему, что-то изменилось в его планах, раз Ярову срочно потребовался свой человек. Причем не просто свой, а знающий летное дело. А то, что этот человек, то есть Крымов, живет пусть и с надежными, но все-таки поддельными документами, для него не имеет никакого значения!

Но что?! Что именно могло измениться у Ярова, что он решился на все это? Может быть, действительно прав Панков, предполагающий, что если Андрей Яров — тот самый Киплинг, которому заказаны взрывные устройства, то он уже ищет максимально безопасный и надежный способ их переброски через границу. И тогда нисколько не удивительно, что он мгновенно изменил свое отношение к этому приграничному аэродрому, поставив на него своего человека.

— Хорошо, пусть будет так, — рассуждая сам с собой, бормотал Антон, подходя к замершим у взлетной полосы самолетам. — Но тогда...

Тогда напрашивался другой вопрос. Что в этом случае будет зависеть от него, Крымова, как от управляющего, и какой окажется его личная роль в возможной переброске взрывных устройств?

Вопросы, сплошные вопросы — и ни одного ответа!

VI

Раздались гудки отбоя, и Яров медленно, будто все это было не с ним, а происходило в каком-то сюрреалистическом фильме, опустил трубку на рычажки. Он был ошарашен услышанным. Десятки маленьких острых молоточков застучали вдруг в висках, жаркая волна крови ударила в голову.

Откинувшись на спинку кресла, он никак не мог собраться, сконцентрироваться, чтобы осознать, переварить услышанное. Похоже — вот уж чего никак не ждал! — у него подскочило кровяное давление, и теперь ему все сильнее мешал сосредоточиться нарастающий шум в ушах, а эта проклятая жаркая волна, захлестнувшая мозги, не позволяла пробиться даже мало-мальской мыслишке. Прекрасно понимая, что этак дело может и до кондратия дойти, Яров попытался расслабиться и, когда ему это удалось, уже более спокойно вздохнул. Осторожно покрутил головой, помассировал виски. Вздохнул еще раз, уже более глубоко, с радостью почувствовав, как исчезают круги перед глазами. Он вновь помассировал виски, и, когда расплывчатые контуры его новенькой итальянской стенки начали принимать прежние привычные очертания, взгляд сфокусировался на телефонном аппарате, что стоял на зеркальной поверхности журнального столика, и вернувшееся к норме сознание моментально воспроизвело телефонный разговор, едва не закончившийся для него инсультом.

Впрочем, если уж быть точным, волноваться Яров начал еще со вчерашнего вечера, с того самого момента, когда его люди должны были окончательно расплатиться с арсенальцами, забрать у них взрывные устройства и доставить их в тайники, где «чемоданчики» должны были находиться до самого момента переброски через границу. Но это было вполне естественное волнение — лихорадочное, немного возбуждающее волнение за исход дела, после завершения которого он станет миллионером и сможет более свободно распоряжаться своей собственной жизнью. В том, что все будет о'кей, Яров даже не сомневался, и его волнение было именно возбуждающе-радостным. Однако утром это ожидание переросло в откровенную тревогу: еще до семи утра его люди, посланные в Сухачевск, должны были перезвонить ему домой, как только доставят товар в условленное место. Однако звонка не было ни в семь, ни в восемь, ни даже в девять. Это могло обозначать или то, что по каким-то причинам передача взрывных устройств сорвалась, но тогда почему ему не сообщили об этом тут же, или же...

Об этом втором «или» не хотелось даже думать. Но в этой стране, где все перевернулось с ног на голову, возможно всякое, и, чтобы обезопаситься от этого «всякого», Яров снабдил своих гонцов удостоверениями Федеральной службы безопасности. На тот случай, если вдруг их машину остановит какой-нибудь пост ГАИ и гаишники задумают проверку багажника и салона машины. Однако в нынешней России, где любой гаишник мог заделать шмон даже полковнику ФСБ, можно было ожидать от жизни чего угодно, и уже после девяти утра Яров не находил себе места, мотаясь из комнаты в комнату своей новенькой квартиры, которую приобрел в престижном доме на Ленинском проспекте, и теперь уже ждал звонка с откровенной тревогой, которая порой едва не перерастала в панику. Но телефон продолжал молчать, и чем дольше он молчал, тем яснее Яров осознавал, что нужного звонка он уже не услышит.

Но почему? Вот вопрос...

Произошел какой-то сбой при передаче или что-то случилось в дороге?

Прошло еще полчаса, и, чувствуя, что нервы уже не выдерживают этого ожидания, Яров взял трубку и набрал домашний номер Рядно. То, что он услышал...

«Нет! Этого просто не могло быть!» — протестовали его мозги, но услужливая память вновь и вновь прокручивала колесико «записи» только что закончившегося разговора.

Рядно словно ждал этого телефонного звонка. Подняв трубку, он тут же попер на Ярова:

— Что ж ты, козел поганый, наделал?! Подставить, сука, меня решил?

Пропустив мимо ушей «козла» и «суку» (оскорбления, за которые на зоне можно и жизнью поплатиться), Яров сразу же понял: действительно произошло нечто чрезвычайное. Не на шутку, видимо, рассвирепевший Рядно орал во все горло:

— Думаешь, мне своих делов мало, что ты, падла, мне еще и свои подбросил!

— Охолонь, дебил! — оборвал его Яров. — И не психуй! Объясни толком. Где мои люди?

Какое-то мгновение трубка молчала и вдруг снова взревела истошным голосом старого рецидивиста:

— Что, падла? И ты еще у меня спрашиваешь, где твои козлы пидорные?! Да я ж тебя, с-сучара, на ножи за такое говно подниму! Вот же тварь! — задыхаясь от злобы, выдавил уркаган и передразнил: — «Не психуй»! Да мне сейчас не то что психовать, мне когти рвать отсюда впору!

Закрыв глаза, Яров слушал и не слышал весь этот поток лагерной матерщины и лихорадочно соображал, что же все-таки могло произойти, если даже эту старую сволочь свернуло с катушек. «Подставил... Когти рвать...» Однако в голову ничего путного не приходило, и он, дождавшись короткой паузы в лавине оскорблений и словесного поноса, сам закричал в трубку:

— Слушай ты, вошь тифозная! Или ты мне сейчас толком расскажешь, в чем дело и где мои люди, или я тебе самолично мокруху заделаю! Ну?

Трубка долго молчала, будто старый зечара соображал, стоит ли еще разговаривать с человеком на другом конце провода, потом раздался какой-то хрип, кашель и, наконец:

— Слушай, Киплинг... Ты что, правда ничего не знаешь? Но учти, если ты мне горбатого лепишь...

Чувствуя, что уже больше ни секунды не в силах выдерживать неизвестность, Яров проговорил тихо, но внушительно, как гвозди вбивал:

— Я же у тебя русским языком спрашиваю... — И замолчал, не считая нужным заканчивать фразу.

Рядно опять задохнулся, будто его давил чахоточный кашель, проблеял что-то нечленораздельное в трубку, потом засопел и так же негромко, как Яров, отчеканил:

— Твои козлы страшенную мокруху заделали. Всех арсенальцев положили. Потом забрали свои бабки и тю-тю... — Он замолчал, видимо ожидая реакции Ярова на свое сообщение.

— Чего, чего? — переспросил опешивший Яров. — Ты что, козел старый, ханки с утра обожрался?

— Какой, к черту, ханки! — возмутился Рядно, так же как раньше Андрей, пропустив «козла» мимо ушей. — Я же тебе понятно, кажется, толкую: люди твои мокруху заделали! Арсенальцев положили, бабки забрали и...

— А эти... изделия?.. — чисто автоматически спросил Яров.

Было слышно, как Рядно злорадно хмыкнул:

— Изделия... Эти самые изделия они еще в лесу в свою тачку переложили.

— Ну и?..

— А потом мокруху заделали, — словно попугай, повторил Рядно.

Уже окончательно ничего не понимая, Яров переложил трубку в другую руку и как можно спокойнее спросил:

— «Стрелка» состоялась?

— Ну!

— Ты на ней был?

— Ну!

— Гну! — взорвался, не выдержав, Яров. — Так что же случилось потом? Ты мне можешь толком рассказать?

Рядно очень долго молчал, наконец произнес сипло:

— Рассказать-то я расскажу, но твой подельник и на меня наезжать стал, крови требует. Так что срочно приезжай сам, без разборки не обойтись.

— Какой подельник? Гринько, что ли? — сразу не понял Яров.

— Ну! — все так же односложно ответил Рядно.

— И что?

— Ничего! — со злостью огрызнулся Рядно. — Приезжай! Видать, крутая разборка предстоит. Да еще и должок надо будет вернуть.

— Чей должок? Кому?

— Твой должок! Полковнику.

Все еще ничего не понимая, Яров откинулся на спинку своего глубокого кресла, окончательно взял себя в руки:

— Хорошо, об этом потом. А сейчас расскажи толком, что там произошло.

И вновь долгое молчание. Наконец:

— Ты что, действительно не лепишь мне горбатого?

— Что случилось? — чуть не озверел Яров.

В это трудно было поверить. И если бы не напористый голос Рядно, в котором звенела неприкрытая злоба, Яров мог бы подумать, что его разыгрывают. Однако старому рецидивисту, похоже, не до шуток, раз он бросил напоследок:

— Разбирайся сам! Про помощь мою забудь. У меня и своих проблем хватает.

Это был полный провал так тонко задуманной операции.

Окончательно придя в себя, Яров еще долго безучастно сидел в своем кресле. Однако мысли о непоправимости происшедшего мало-помалу заставили-таки ворочаться мозги. Его изощренный ум словно бы сам, независимо от хозяина, исподволь анализировал информацию, полученную из невнятного рассказа Рядно.

Яров вновь почувствовал, как все его существо охватывает волна сосущего страха, ярости, ненависти. И в то же время...

Нет, всего того, о чем рассказал старый пахан, просто не могло быть!

«А если ты считаешь, что этого не могло быть, — мысленно рассуждал он, — то, значит, ищи объяснение».

Да, надо было искать всему этому объяснение — логическое и простое.

Он поднялся из кресла, прошел на кухню, нацедил в кружку почти черной заварки из чайничка.

Отхлебнув глоток крепчайшего китайского чая, Яров прикрыл глаза, и перед ним, словно в голографическом изображении, вырос сначала Степан Болотов, взрывник, в котором он был уверен как в самом себе, а потом и двое вечно угрюмых боевиков из команды Максима, что он послал со Степаном. Этих парней ему в свое время рекомендовал все тот же Максим, возглавивший службу безопасности, и за то время, что парни работали на фирму, они успели неплохо показать себя в деле, так что Яров даже мысли допустить не мог, что кто-то из них, а тем более вся троица сразу, мог столь откровенно, нагло и серьезно «кинуть» своего хозяина.

Нет, в это не просто не хотелось верить — этого никак не могло быть. Была и еще одна причина столь твердого убеждения. У Степана была молодая жена, которую он безумно любил и которая только что родила ему девочку. И потерять все это из-за какой-то аферы с «чемоданчиками», которая неизвестно чем еще могла закончиться...

Нет, нет и нет!

Да и оба братка из команды Максима были вполне сообразительными парнями, должны бы уж понимать, чем рано или поздно закончится для них такое предательство... Может быть, они плохо знали Ярова, но зато видели в деле своего командира, а у того с предателями разговор был короткий — имели возможность убедиться. К тому же и у этих были семьи в Москве...

— Хорошо, — едва шевеля губами, бормотал Яров. — Пусть будет так. Но, значит, тогда...

На этом месте логическая цепь его рассуждений прерывалась, однако неудержимо работающие мозги лихорадочно подкидывали ему один возможный вариант за другим.

— Господи, а если!..

Ну да, конечно! И почему он сразу не подумал об этом? Почему, собственно, он должен доверять этому ссучившемуся, прогнившему зеку, который продавал куму братву на зоне, спасая свою собственную шкуру? Это он сейчас, когда Россия с ног на голову встала, в авторитеты крутые вышел, а тогда, при советской власти... Не зря ведь еще древними сказано: не верь предателю, ибо предающий единожды...

И кстати о предательстве: почему, на каком таком основании он должен верить этому продажному начальнику штаба арсенала, который из-за лишней копейки готов не только пойти на любое преступление, задарма распродавая ракетно-артиллерийский арсенал стратегического значения, но и жену свою с дочерьми под любую гниду положить?! Продавший и предавший единожды...

И если так, продолжал развивать свою версию Яров, то возможны три варианта объяснения его нынешнего прокола.

Медленными, скупыми глотками он выцедил терпкую заварку, к которой привык еще в колонии во время своей первой «командировки» на зону.

Итак, вариант первый. Окончательно прогнивший Рядно, узнав каким-то образом о крупной сумме денег, которую должен был получить начальник штаба, решился на откровенный гоп-стоп[1], заделав при этом большую мокруху — ясное дело, для

---

[1] Гоп-стоп — грабеж, разбой.

того, чтобы отвести от себя любые подозрения. Мол, столичные отморозки замочили сопровождающую группу арсенальцев и уже с валютой свалили в неизвестном направлении. Собственно, так он все и объясняет. А раз никаких свидетелей, то и спросить, как было дело, не у кого.

«Возможно такое?» — сам себя спросил Яров.

И тут же пробормотал:

— Вполне.

Уж кто-кто, а он-то хорошо знал возможности Рядно, как знал и то, на что рябой уркаган был способен. Правда, Ярова немного передернуло от количества трупов, которые взял на себя этот ссучившийся прохиндей, но тут же и усмехнулся невольно. Уж кто бы содрогался при мысли о загубленных душах, но только не он, Киплинг, на совести которого десятки жизней...

Это был первый вполне допустимый вариант. Но были также еще два, которые тоже нельзя сбрасывать со счетов.

Закрыв глаза, Яров попытался восстановить в памяти образ подполковника Гринько, и чем дольше он думал о нем, тем больше убеждался, что и эта сволочь в должности начальника штаба арсенала способна на любую подлянку. Тем более если завязаны столь огромные для него деньги.

Итак, подполковник Гринько.

Если взять за основу его патологическую жадность, а также стремление замести следы кражи взрывных устройств, то есть убрать лишних офицеров, которые были замешаны в этом деле, то гипотетически вполне возможен был следующий вариант.

Подполковник дожидался на ночном шоссе своих арсенальцев с деньгами и, когда те тормознули около него, в упор расстрелял свою команду, забрал кейс с валютой и спокойно вернулся домой. Этим он убивал двух зайцев сразу. Освобождался от своих подельников и полностью присваивал себе все деньги, которые получил за «чемоданчики».

Правда, здесь был один немаловажный момент, который нельзя было сбрасывать со счетов. Куда в таком случае пропали москвичи, то есть его, Ярова, люди? Были уничтожены арсенальцами еще в лесу, во время передачи товара? Но тогда возникает еще один вопрос: куда смотрел Рядно и почему он об этом ничего не знает? Или же...

Это был третий вариант версии, который мог выстроить сейчас Яров. Рядно и подполковник в какой-то момент вошли в сговор, Гринько назначил «стрелку» якобы для передачи взрывных устройств и окончательного расчета, а когда на место встречи прибыли ребята Ярова, Рядно с начальником штаба без особых хлопот расстреляли их, забрали кейс с баксами, а для того, чтобы он, Яров, не возникал особо, захреначили на безлюдном шоссе и арсенальцев.

Сложно? Очень сложно. Но если придерживаться этой версии, тогда получается, что подполковник мог вообще не вывозить с территории арсенала взрывные устройства, а все это время вешать Ярову лапшу на уши, чтобы потом кинуть его с деньгами.

Придя к столь неожиданной мысли, Яров даже заскрипел зубами. Но, чуть подумав, решительно отбросил подобную возможность. Здесь явно не стыковалось одно с другим. Во-первых, надо было сразу делиться бабками с Рядно, который мог отхапать себе львиную долю, и, во-вторых... Разве не должен был подполковник или тот же Рядно учитывать, что на «стрелку» мог заявиться и сам Яров? Причем с прикрытием не из трех человек, а с командой боевиков, которые при малейшей опасности могли замочить любых отморозков в этом занюханном Сухачевске. К тому же этот подполковник хоть и жаден до предела, но не такой же идиот, чтобы в столь серьезном деле вешать заказчику лапшу на уши. Ведь он же должен был учитывать возможность того, что Яров привезет с собой крутого спеца по взрывной части, и если тот обнаружит неладное...

Нет, этот вариант явно не клеился, в нем было слишком много противоречий.

Зажав голову руками, Яров мерил шагами свою просторную кухню, прикидывая, что должен делать в первую очередь. Ехать к Рядно и разбираться на месте? Пожалуй, да. Но если эти гаденыши что-то замыслили, то такая поездка добром не кончится, и в первую очередь для него самого. Требовалась предварительная разведка. Причем срочная. С каждым днем, с каждым часом уходило оговоренное время — заказчик, как только авансировал проведение всей операции, стал торопить с переброской «чемоданчиков» через границу. И вот когда вроде бы все уже было на мази...

Яров поднял телефонную трубку, по памяти набрал домашний номер начальника своей службы безопасности:

— Максим? Срочно ко мне. Жду!

Часть третья

I

Всю ночь над городом брызгал незлобивый летний дождь, но к утру он все-таки закончился, и, когда в рваные прорези разметавшихся облаков ударили солнечные лучи, Максим выехал на двадцатый километр Московского шоссе. Он уже третий день торчал в этом поганом Сухачевске, пытаясь найти хоть какие-то концы своих пропавших боевиков, но пока что все было тщетно. А то, что кто-то замочил не только двух прапорщиков с капитаном (о чем знал весь город), но и взрывника с его боевиками, — в этом начальник службы безопасности туристического агентства «Андрей и К°» даже не сомневался, хотя и проверял по приказанию шефа другие версии. Ну, например, ту, что в телефонном разговоре подбросил Ярову старый лагерник: дескать, москвичи замочили арсенальцев, а сами скрылись с деньгами и товаром...

Когда Яров ввел Максима в курс дела и спросил его, что он думает по поводу пропажи «чемоданчиков» и боевиков, Максим тут же покатил бочку на начальника штаба арсенала, пробуя доказать шефу, что одному подполковнику выгоден был расстрел не только своих людей, но и гонцов Ярова. Причем выгоден буквально со всех позиций, а если добавить к этому еще и возможность списать все дело на подвернувшегося кстати уголовного авторитета — то тут и гадать не о чем. И надо попросту взять этого самого подполковника тепленьким из постели, отвезти в укромное место и пытать до тех пор, пока эта сволочь не выложит всю правду и не вернет деньги вместе с заказом. Но Яров, видимо, знал что-то такое, о чем Максим даже не мог догадываться, потому что с ходу отклонил его весьма, как казалось Максиму, разумное предложение и приказал выехать на место и начать отработку криминального авторитета, попутно прощупав и подполковника Гринько. И лишь только после того, как более-менее начнет проявляться картина этой двойной подставки с убийством (в которой Яров нисколько не сомневался), приступить к активным действиям. Всю операцию надо было провести с максимальной осторожностью и в максимально сжатые сроки. Для этого Яров разрешил взять с собой необходимое количество людей, а главное — электронщика, оснащенного всей необходимой техникой для прослушивания.

Когда же Максим попробовал заикнуться о том, чтобы «умыкнуть» Рядно и заделать ему допрос с пристрастием, Яров покачал головой и произнес, вздохнув:

— Думаешь, я сам не думал об этом? Думал. Однако делать этого нельзя.

— Почему? — удивился Максим, имевший богатый опыт подобных допросов.

— По двум причинам. Первая. Если это действительно он заделал нам «козу», тогда он должен предусмотреть мои ответные действия и обезопасить себя такой охраной, что его никакими клещами не возьмешь. А лишняя кровь и паника в городе нам сейчас ни к чему. И вторая причина. Я этого рябого давно знаю, могу официально сказать: сейчас он совсем не тот, что лет пятнадцать тому назад. И уж если он пошел на двойную игру, замочив сразу шесть человек, — значит, поставил на карту буквально все. А она у него, как мне кажется, последняя в жизни. И пытай ты его, не пытай, он тебе ни-че-го не скажет.

В последнем Максим, конечно, здорово сомневался, но счел за лучшее не спорить с шефом и, взяв с собой пятерых наиболее смышленых боевиков с электронщиком, на двух машинах отбыл в далекий город, совсем не похожий на каменную Москву. Современные дома и улицы каким-то образом уживались с застройкой прошлого века, и порой совершенно непонятно было — где тут центральная часть города, а где окраина. Тишиной, спокойствием и какой-то умиротворенностью веяло от каждой улочки, которые веером разбегались от площади, где продолжал возвышаться огромный памятник вождю революции с кепкой в руке.

Проинструктированный Яровым, Максим расселил своих боевиков в двух недорогих гостиницах, где в основном останавливался торговый люд «кавказской национальности», для себя же снял номер в центральной гостинице. Главное — не засветиться в этом городе с патриархальным укладом жизни. Если исходить из той версии, что «козу» действительно заделал Рядно, то он вполне может предположить, что Яров эту обиду ему не простит. А если он человек неглупый — то догадается, что, прежде чем наехать в Сухачевск для разборки, Яров направит сюда свою разведку. И естественно, Рядно будет отслеживать каждую появляющуюся здесь группу москвичей. Поэтому и пришлось предпринимать все меры предосторожности, хотя в душе начальник службы безопасности туристического агентства «Андрей и К°» продолжал оставаться сторонником более активных действий, где не последнее место занимал и допрос с пристрастием.

Думая обо всем этом и в то же время внимательно наблюдая за дорогой, Максим проскочил то место, где было совершено дерзкое нападение на армейский газик, и вздохнул невольно, посочувствовав двум прапорщикам с капитаном. Мужики небось уже и бабки подсчитывали, которые получат при дележке, а на деле вышло совсем иначе. Гоп-стоп на дороге, несколько автоматных очередей и... Ни денег тебе, ни дальнейших продвижений по службе. А ведь капитан, поди, полковником мечтал стать...

Отвлекшись на эту лирику, Максим даже не заметил, как проскочил до верстового столба с отметкой «20». Съехав на обочину, он выбрался из машины, помахал руками, разминая затекшие мышцы, немного постоял неподвижно, подставив лицо пробивающимся солнечным лучам. В этот час машин на шоссе было мало, на асфальте блестели небольшие лужицы, а воздух был насыщен таким пряным, пьянящим запахом, что даже не хотелось верить, будто в этом самом лесу нашли свою смерть три здоровых, крепких человека, которые стояли у Максима перед глазами как живые. Отправляя его в эту командировку и давая последние наставления, Яров приказал прощупать и это предположение — что парней положили в этом леске, примыкающем к шоссе, а уж потом расправились и с арсенальцами. Если это действительно так, то на поляне, где проходила «стрелка», должны были остаться хоть какие-то следы этой расправы. Три вооруженных боевика — это все-таки сила, и замочить их... Следы, по мнению Ярова, должны были остаться обязательно, однако Максим в душе с самого начала позволил себе засомневаться в этом. Трава, дожди и солнце могли за это время уничтожить любые следы преступления, что же касается стреляных гильз... Их и на асфальте-то, бывает, невозможно найти... Зная по собственному опыту, как тщательно готовится убийство, Максим о том, чтобы найти стреляные гильзы, даже и не мечтал. Единственно, на что еще он мог надеяться, так это на следы крови или свежевскопанной земли...

Осмотревшись с обочины шоссе, Максим удовлетворенно хмыкнул. Чуть дальше верстового столбика в асфальт с правой стороны упиралась наезженная проселочная дорога, скрывающаяся в березняке. По схеме, которую ему нарисовал Яров, от этого съезда в лес надо отмерить еще с километр, и тогда он упрется в ту самую поляну, на которой и была забита «стрелка». И на которой, по версии Ярова, могли замочить их ребят.

Вновь забравшись в салон своей «девятки», Максим включил зажигание и осторожно свернул на довольно накатанную дорогу, обочина которой успела зарасти густой, высоченной травой. Когда-то, видимо, она связывала с шоссе какую-нибудь отдаленную ферму. А потом настали постперестроечные времена, ферма разорилась вместе со своим колхозом, и теперь на этой дороге вместо колхозных машин да стада коров появлялись лишь городские отморозки, забивающие очередную «стрелку»...

Как сказал один великий человек: «О времена! О нравы!»

Осторожно объезжая размокшие после ночного дождя ухабы и канавки, которых с каждым метром становилось все больше и больше, Максим наконец-то увидел просвет между деревьями и вскоре вырулил на широченную поляну, залитую солнечными лучами. Заглушил мотор и, не вылезая из машины, осмотрелся. Оказывается, он был не прав: здесь не только забивают «стрелки», но и туристы с грибниками любили останавливаться. Трава на поляне была вытоптана; кто-то притащил сюда несколько спиленных деревьев, меж которыми чернели кострища. А заплевано, загажено было так, будто с этого места только что ушла орда каких-то варваров, останавливавшихся здесь на ночную стоянку. И в то же время все вокруг дышало каким-то умиротворенным спокойствием, которое нарушал только птичий щебет.

— Неужто и впрямь здесь? — невольно прошептал Максим, выбираясь из машины. Никак ему не хотелось в это верить...

Еще раз огляделся по сторонам, прикидывая, где бы могла произойти возможная мокруха, окажись Яров прав в своем предположении. Почему-то он сразу облюбовал огромные бревна, меж которыми чернели кострища. Он побрел к ним, внимательно рассматривая землю под ногами. М-да, если что и произошло на этой поляне, то надеяться найти здесь хоть какие-нибудь следы — дело безнадежное. И уж тем более кровь. Тут, пожалуй, и эксперты с лабораторией не смогли бы точно определить, где была кровь, а где просто грязь или копоть от костра...

Пристально вглядываясь в мокрую землю, то и дело нагибаясь и вороша траву руками, Максим будто сквозь мелкое ситечко просеивал забивший поляну мусор, с каждым кругом увеличивая радиус поиска, и чем ближе он приближался к обступившим полянку деревьям, тем все сильнее становилась его уверенность, что здесь он абсолютно ничего не найдет. А это значило, что либо ребят замочили в каком-то другом месте, либо же мокруха на «стрелке» была далеко не случайной и ее продумали настолько серьезно, что даже о мало-мальских следах позаботились. О версии, которую Ярову подбросил Рядно и на которой урка настаивал при последнем телефонном разговоре, Максим даже не думал. Ну не могли его пацаны позариться на кейс с баксами и свалить с ними куда-то на сторону. Не те времена сейчас были, да и пацаны проверенные. А если учесть еще и семьи, которые у них остались в Москве... В случае возможного предательства семьи ведь оставались заложниками в руках Ярова, со всеми вытекающими последствиями... Да на подобное даже Иуда, наверное, решиться бы не смог, не то что эти трое...

Когда до кромки леса оставалось совсем немного и Максим уже точно знал, что *ничего* здесь не найдет — гильзы могли собрать, а обагренную кровью траву выжечь, — он распрямил плечи, провел взглядом по верхушкам высвеченных солнцем деревьев, которые были единственными свидетелями забитой здесь «стрелки», и направился к своей «девятке». Можно бы побродить по этой поляне и еще, но уж слишком много дел было в городе и слишком мало времени отпущено на эту командировку, чтобы тратить его столь бездарно. Возвращаясь в город, Максим сбросил скорость и по инерции прощупал взглядом еще раз то место, где расстреляли арсенальцев. Он побывал здесь в первый же день своего приезда в Сухачевск, однако после кропотливой работенки оперативно-следственной бригады да проливных дождей, подчистивших обочину шоссе, здесь тоже уже не могло остаться даже малюсенькой детальки, за которую можно было бы уцепиться в этом расследовании, так что он только чертыхнулся со злостью. Въехав на городскую окраину, он остановился, достал из бардачка приобретенную в киоске карту города и, разложив ее на пассажирском сиденье, пробежался взглядом по отдаленному району, где жил Гринько. Но вообще-то сегодня его интересовала старая часть города, где сегодня ему предстояло завести нужное знакомство.

За подполковником Максим вел слежку только в вечерние часы, когда тот возвращался со службы домой. С этим Гринько у него особой проблемы не было. Мужик уезжал из дома рано утром и приезжал к семи вечера, по пути заворачивая в магазин, чтобы прихватить там бутылку водки и три пива. Одну бутылку «Жигулевского» открывал тут же, в машине, и с ходу высасывал ее до конца. Видать, томила мужика постоянная похмельная жажда, но, будучи большим начальником, он соблюдал порядок и не мог себе позволить опохмелиться в служебное время. Ну а после работы... Можно было бы, конечно, оставить его в покое, переключив все силы на круглосуточную слежку за Рядно, но Максим все-таки решил сначала поставить на телефон подполковника прослушку. Теперь вот надо было выбрать удобный момент, когда отлучится из дома его жена, и поставить там пару «клопиков»...

Но если с подполковником было просто, то с Рядно дело обстояло гораздо сложнее. Жил он в огромном доме за высоченным забором, в котором кроме него самого постоянно торчали два мордоворота, от которых за версту несло мокрухой. Видимо получив жесткий приказ везде и всюду прикрывать своего пахана, они ни на шаг не отлучались от хозяина во время его выездов в город и, словно сиамские близнецы, следовали за ним даже в уборную, если он решал освежиться в небольшом ресторанчике «Заречье». Впрочем, в этом был и свой плюс. Если они все время с ним и дом на время отлучки остается практически без присмотра, можно будет без особой сложности нашпиговать прослушивающей техникой и его.

Выруливая к улице, где жил Рядно, Максим припомнил все наставления своего шефа:

— Учти, этот уголовник такой волчара, что на нем пробы ставить негде. И если именно он замочил наших ребят или хотя бы это было сделано с его ведома и попустительства, значит, он ждет нашего приезда. И к тому, что мы будем пасти его, также готов. А значит, будет проверяться и перепроверяться буквально на каждой улице, благо у него есть такие возможности. И единственно, что ты можешь сделать, — это организовать постоянную прослушку его телефонных разговоров. Не может такого быть, чтобы он не прокололся в разговоре с кем-то. Так что наипервейшая твоя задача — врезаться в его телефон.

Уже здесь, на месте, Максим полностью убедился в правоте шефа, и сейчас его братки отслеживали Рядно, чтобы уже без особого риска запустить в его дом электронщика со своими хитрыми прибабашками.

Была и еще одна возможность выйти на заказчика или исполнителей этой многоярусной мокрухи.

Джип! Новенькая иномарка, на которой его парни прикатили в этот поганый город за заказом.

Эта черная, матово поблескивающая красавица, от которой глаз невозможно было отвести, стоила настолько дорого даже по крутым московским меркам и выглядела настолько привлекательно, что ее просто не могли бросить где-нибудь в лесной глухомани или загнать в реку вместе с трупами, дабы только замести следы. На подобное кощунство по отношению к машине, которая стоила целое состояние, не поднялась бы рука даже у очень осторожного и здравомыслящего человека. Ну а что касается местных отморозков с их паханом, отбарабанившим половину жизни за колючей проволокой, то здесь и думать было нечего. А следовательно, вывод был один. Если людей Ярова замочил Рядно, то он прикопал их в каком-нибудь укромном месте, а джип до поры до времени припрятал или же постарается как можно быстрее сбыть с рук. Но для этого надо перебить номера и оснастить его надежными документами. А это время и работа в мастерских. Стало быть, вот уже и зацепка...

Задумавшись, Максим даже не заметил, как подъехал к перекрестку, с которого открывалась прекрасная панорама всей улицы, посредине которой затерялся в зелени сада и дом Рядно. Место для наблюдения было более чем удачным. Мало того что здесь имелась автобусная остановка, вдобавок ко всему чуть дальше по улице зазывал покупателей вполне приличный магазинчик, около которого постоянно тусовалось несколько мужичков и парочка опустившихся, синюшных бабенок, которые жаждали халявной выпивки. В эту тусовку незаметно втерлись и двое боевиков Максима, с которыми держал зрительную связь запыленный «жигуленок», припарковавшийся так, что его нельзя было углядеть от дома Рядно. Рациями решили пользоваться только в крайнем случае — боялись ненароком засветиться.

Пристроив свою «девятку» на противоположной стороне улицы, Максим выбрался из ее нагретого салона и походкой занятого человека поднялся в магазин. Постоял у винно-водочного отдела, рассматривая разноцветные этикетки на бутылках, попросил продавщицу подать ему литровый «пузырь» газированного крюшона и все так же неторопливо прошел к прилавку, под стеклом которого красовались обрубки заветренных колбас. Цены кусались, да и покупательная способность у местного люда была не такой, как у москвичей, оттого, видать, молоденькая бабенка в белом чепчике тут же признала в высоком, по-спортивному подтянутом парне потенциального покупателя. Мгновенно преобразившись из дородной, лениво скучающей молодухи в игривую, заинтересованную личность, чуть ли не пропела местным говорком:

— Чем интересуетесь, гражданин хороший? Колбаска? Сыр? Или ветчинки попробуете? Только что с мясокомбината. Свежайший, высшего качества товар.

Бабенка явно врала, отчего Максим едва не рассмеялся, но уж так сильно хотела продать свой залежавшийся продукт, что он невольно хмыкнул, расплывшись в ответной улыбке:

— Товар-то с душком, поди?

— Ну отчего-о-о же, — почти всерьез возмутилась продавщица, играя одновременно и глазами, и бровями, и плечами, да и грудь перла из-под халата так, будто сказать хотела: «Куда глазки пялишь, красавчик? На хрен тебе эта колбаса заветренная сдалась? Ты лучше бутылец на вечер возьми да меня пригласи. Гляди, какая я!»

Впрочем, она и вправду была хороша.

— Ладно уж, не обижайся, — подмигнул ей Максим и попросил завернуть батон сырокопченой колбасы.

К этой просьбе молодуха отнеслась с полной серьезностью — видно, такими оковалками в этом безденежном городке никто ничего давно уже не покупал, и она, сноровисто достав из холодильника вполне симпатичный и свежий батон сырокопченой, моментально взвесила его и вытянулась перед столь редким в этих краях покупателем, словно солдат-первогодок перед генералом.

— Что еще?

«Тебя!» — едва не брякнул Максим, но вовремя удержался и только спросил:

— Местная?

— Естественно, — зарделась молодуха, наверно даже не ожидавшая, что клюнет такая рыбка. — А что?

— Ничего, — в свою очередь улыбнулся Максим. — Может, я жениться хочу. Сама видишь — парень-то застоялся.

— Так в чем же дело? — игриво повела круглыми плечиками молодуха. — Незамужних да красивых у нас пруд пруди, так что в момент сосватаем.

— А зачем сватать-то? — как о чем-то давным-давно решенном сказал Максим. — Может, я на тебе и хочу. Как увидел — так и втюрился.

Теперь уже бойкая молодуха посерьезнела окончательно. Впрочем, ее можно было и понять. Не каждый день в этом магазине появлялся столь богатенький покупатель, к тому же и пригожий собой. А когда тебе двадцать пять, а женишки словно вымерли, бросившись из родного города на поиски заработков и хорошей жизни, — здесь уж особо кочевряжиться не приходится. Да и что кочевряжиться — вон он из себя какой!

— «Хочу...» Ишь ты! Все хотят. Однако и я разборчива, — вновь повела плечиками молодуха, да так призывно, что у Максима даже селезенка екнула. И тут же, словно выдавая ему многообещающий аванс, спросила: — Сам-то откуда? А то ходят тут разные. Да и от кавказцев проходу нет.

— Оттуда, — непонятно куда кивнул Максим, а чуть погодя добавил: — Буду в вашем городке филиал своей фирмы открывать. А сейчас место приличное под офис присматриваю.

Это был проверенный удар на упреждение,

после которого не могла устоять ни одна среднерусская красавица.

Молодуха оттопырила свои пухленькие губки и так захлопала ресницами, что Максим едва сдержался, чтобы не рассмеяться и не произнести классическое: «Закрой рот, дура! Я все сказал». Однако он только подмигнул ей и прищелкнул языком:

— Вот так-то. Еще вопросы будут? Кстати, как звать-величать? А то приду свататься, а сам даже имени не знаю. Лично меня — Максимом.

— Зина, — простодушно ответила молодуха, но тут же поправилась: — Зинаида.

— Прекрасно! — расцвел в улыбке Максим. И тут же: — Ну что, приглашаешь в гости?

— Ну-у, если вы так настаиваете, — расцвела Зинаида, — то конечно... Милости просим.

— Тогда записываю адрес, — посерьезнел Максим.

Молодуха зарделась вновь, кокетливо сложила губки.

— Улица Первомайская, семнадцать.

Впрочем, адрес он мог бы и не спрашивать. Продавщица Зина жила на той же улице, где обосновался со своей охраной и местный авторитет по кличке Рядно. У нее — дом семнадцать, а у него — двадцать шесть. Почти напротив. Что, естественно, облегчало слежку за домом старого уркагана. Можно было бы, конечно, и комнатенку снять на месячишко в каком-нибудь доме, но это могло привлечь внимание насторожившегося авторитета, а здесь... Одним словом, любовь.

— Первомайская, семнадцать... — вслед за Зиной повторил Максим и тут же уточнил на всякий случай: — А что родители?.. Возникать не будут?

— Не! — моментально отмахнулась Зина. — Мама у брата живет, в Питере, так что я одна...

Впрочем, этого он тоже мог не спрашивать. Узнав, что незамужняя соседка Тимофея Капралова работает в магазине, Максим через своих ребят выведал у местных алкашей, кто она и почем, и поначалу даже не поверил в свою удачу. Мать живет у брата, что же касается ее отца, то о нем он и спрашивать не стал. И так было ясно: раз она отца не помянула, значит, или умер мужик, или семью давно бросил. Так что дело оставалось за малым: познакомиться и в дом въехать.

— Прекрасно! — бодренько произнес Максим. — Тогда сегодня вечером жди в гости. Кстати, у тебя подруга есть? А то я тут не один, с напарником.

— Напарник-то хоть симпатичный? — засмеялась Зина.

— Вроде меня, — тоже засмеялся Максим и достал деньги. — Значит, так, хозяюшка. Вот тебе полкуска — купишь к столу все, что положено. Включая спиртное, ну и закуску поприличнее. Деньги не экономь, эти не последние. И накрывай стол на четыре персоны. Одно только не очень складно: мы с приятелем будем не раньше одиннадцати.

— А чего так поздно? — повела головкой молодуха.

— Так дела же, Зиночка! У меня только на сегодня еще три встречи с деловыми людьми назначено. Так что сама понимать должна...

Ну, в одиннадцать так в одиннадцать.

На том и порешили.

Положив в целлофановый пакет батон колбасы, пузырь крюшона и полбуханки белого хлеба, Максим вышел из магазина и остановился на крыльце. Тепло и до противности спокойно было вокруг. Еще утром задувший ветерок окончательно разогнал лохматившиеся несколько дней тучки и взбухшая от дождя земля словно застыла в томной неге, греясь под солнечными лучами. В небольшой лужице барахтались осатаневшие от счастья воробьи, а неподалеку, прямо на травке небольшого палисадника, расположилась небольшая кучка то ли бомжей, то ли похмельных алкашей, то ли просто молодых мужиков, изнывающих от вынужденного безделья. В этом городе с патриархальным укладом так же, как и по всей России, люди страдали от многолетней безработицы, но что интересно — деньги на стакан-другой самой дешевой водяры находились всегда.

Заметив остановившегося на крыльце незнакомца, жаждущие халявного опохмела мужички повернули было в его сторону взлохмаченные головы, но уже через минуту потеряли к нему всякий интерес. Впрочем, оно и понятно: что с него спросишь, если в руках ни бутылки нет, ни баночки пива, ни курева. Так же лениво отвернулся от него и боевик Максима, успевший довольно органично раствориться в этой беззлобной компании. А это значило, что в доме Рядно все тихо и спокойно, да и сам хозяин никуда пока что не выходил. И это было хреново. Бездарно уходило время, а старый уголовник словно сжался в своей скорлупе из красного кирпича, опасаясь даже нос показать на улицу. Словно боялся чего-то. Чего? Мести со стороны того же Ярова или подполковника? Но все это домыслы и гадание на кофейной гуще, а вот чтобы знать все наверняка, надо срочно набить его хату подслушивающей и прослушивающей аппаратурой. И проделать это Максим решил не позже сегодняшнего дня. Но даже из той короткой слежки, что его ребята вели за Рядно, прояснились кое-какие привычки старого уголовника, который на закате своей бестолковой жизни хотел поиметь то, чего у него не было раньше — шика. Пусть даже такого дешевого, как ежедневный ужин в ресторане. Причем ужин со всей своей шестерней и охраной. Уж это-то точно должно было в Сухачевске сойти за особый, ну просто невозможный шик...

И сегодня, когда Рядно отправится в свой любимый кабак...

Задача в общем-то несложная, к тому же облегчало ее и то, что в доме Рядно не было охранных собак. То ли он их сызмальства выносить не мог, то ли за годы отсидок натерпелся от этих тварей такого, что теперь даже одно напоминание о них вызывало у него аллергию. В общем, дело оставалось за малым. Незаметно проникнуть в дом. А дальше и совсем просто — прослушка. И не урывочная, а постоянная. Так что дом любвеобильной Зинаиды, с окнами на Первомайскую улицу, мог оказаться просто подарком. И это значило, что сегодня и он — Максим, — и его напарник — Гена-электронщик — должны были во что бы то ни стало понравиться как самой хозяйке, так и ее подруге.

Однако, как говорится, человек предполагает, а Господь располагает. Естественно, не знал еще Максим в тот момент, какой фортель выкинет уголовный авторитет по кличке Рядно.

II

Рядно метался из угла в угол своего огромного дома и не знал, что ему делать. С одной стороны, он уже вроде бы и так немыслимый богач по нищенским российским меркам, а с другой... С другой стороны, ощущение было двоякое. Во-первых, он хотел бы получить настоящую сумму, американскими баксами естественно, за те «чемоданчики», которые могли озолотить его, продай он их грамотно и умно, а главное — тем людям, которым они позарез нужны. А во-вторых... Во-вторых, это были не просто взрывные устройства, а такой силы, что взорвись они случайно — так даже яиц твоих никто никогда не найдет. Правда, киплинговский взрывала, которого охрана держала взаперти вместе с бомбами, пока что гарантировал полную безопасность, однако Рядно еще в первую ходку на зону отучили доверяться зависящим от тебя людям, и все это время он был как бы на взводе, денно и нощно думая об этих проклятых «чемоданчиках», которые нежданно повисли на нем, словно трехпудовые гири.

И еще один момент из длинной цепочки последних событий не давал ему жить спокойно, заставляя просыпаться в холодном поту и шлепать босыми ногами к холодильнику, где у него всегда имелся запас охлажденной водяры.

Привыкший за долгие годы своих мытарств к мысли о неотвратимости наказания и отдавший из-за этой самой проклятой неотвратимости половину жизни лагерям и тюрьмам, он никак не мог понять, с чего бы это ему так легко съехало с рук убийство пятерых человек, трое из которых военные. Да раньше из-за подобного беспредела уже вся область стояла бы на ушах, а тут... Сначала менты порылись на месте убийства трех арсенальцев, потом люди из военной прокуратуры приехали — тоже порылись малость на обочине шоссе. И все! Никаких тебе последствий. Были люди — и нету! А официальная версия областной прокуратуры, промелькнувшая в местной газете, такая, что и ехать дальше некуда. Мол, этот чудовищный расстрел явился страшной ошибкой на почве ревности. Мол, кто-то из военнослужащих-арсенальцев, сейчас выясняется, кто именно, заподозрил одного из прапорщиков в любовной связи со своей женой и решил отомстить ему. Однако, когда все это случилось, в машине находились еще два ни в чем не повинных человека, которые также стали жертвами этой кровавой расправы.

Отмотав последний срок на зоне, Рядно, выйдя на волю, хоть и стал авторитетом областного масштаба, однако все же не совсем успел въехать, как теперь говорится, в новую и такую во всем незнакомую российскую жизнь. Оттого и не мог никак уразуметь, с чего это местная уголовка не берет его за жабры и не трясет, выбивая нужные ей показания. Уж кто-кто, а он-то знал, как это делалось раньше: раз есть у мента на участке уголовник со стажем — тащи его, мент, куда надо и выбивай признание. И оттого Рядно вдвойне боялся этой самой проклятой неотвратимости наказания. А уж после той самой ночи она и вовсе не давала ему ни спать спокойно, ни есть.

— О Господи! — оборачивался он к образам,

кладя на лоб православный крест синюшной от сплошных наколок рукой. — Помоги и пронеси! Спаси раба твоего грешного.

Бог-то, как говорится, Бог, а и сам не будь плох. Надо было как можно быстрее освобождаться от адских «чемоданчиков». Слишком опытным волчарой был Рядно, слишком хорошо узнал Киплинга на зоне в тех далеких восьмидесятых годах, чтобы поверить, будто такой человек, как он, спустит этот провал с «чемоданчиками» на тормозах без своего собственного суда и своего личного следствия. А оттого и страшился возмездия, обливаясь порой холодным липким потом. В какой-то момент он даже жалел, что решился на этот перехват, но сделанного теперь не поправишь. Так что надо было как можно быстрей загнать эти самые атомные «чемоданчики» да и развязаться с ними окончательно.

Приняв все необходимые меры предосторожности и отлично понимая, что выжидать больше нечего, — время чем дальше, тем сильнее будет играть против него, — Рядно решился выйти на клиента. Да, был у него один человек на примете... Придя к этому решению, старый уркаган уже в который раз за этот день подошел к холодильнику, открыл его белоснежную дверцу, потянулся было за непочатой бутылкой и вдруг остановился на полпути, с силой захлопнул холодильник. Нет, он не боялся напиться — боялся потерять трезвость рассудка, боялся сделать даже один-единственный опрометчивый шаг, который мог свести на нет все его усилия. Нет, не будет он пить. Ему сейчас, пожалуй, как никогда, нужна ясность разума.

Прошлепав на половину дома, где дневала и ночевала его охрана, он распахнул дверь и остановился на пороге, зло уставившись на развалившихся перед телевизором парней. Пальцем подозвал старшего:

— Бери машину и кандёхай на вокзал. Возьмешь три билета до Москвы на сегодняшний вечер. А лучше возьми все купе. А ты, — кивнул он второму отморозку, — готовь барахлишко и чего-нибудь пожрать на дорогу.

— Так, может, лучше по телефону заказать? — предложил тот, кому было приказано «кандёхать», на вокзал.

— Делай, что велено! — хмуро бросил Рядно и взялся за ручку двери. Однако в проеме обернулся и добавил: — Созвонитесь со своими. Пусть кто-нибудь вас подменит на время отлучки. — Он прикрыл за собой дверь и с неожиданной злостью пробурчал: — Ишь ты! «По телефону заказать»... А ноги у тебя на хрена?

Нет, он не был брюзгой, он просто еще не привык к этим нововведениям. Заказать... Телефон... Сказано: ноги в руки — и бегом за билетом!

Вернувшись в гостиницу, Максим принимал душ, когда в его номере раздался телефонный звонок и встревоженный голос произнес скороговоркой:

— Командир? Хреновина какая-то получается! Рядно послал своего отморозка на вокзал, и тот только что взял четыре билета на Москву. Купе закупил. Что делать, командир?

Максим даже опешил от такой новости. Этого

еще не хватало! Хотя, впрочем... А почему, собственно, этот бандит должен торчать все время у себя в городе? Да, так-то это так, но... Но почему Москва? И почему именно сейчас?

Было и еще одно почему, которое стояло первым в этой цепи вопросов. Исходя из логики нынешней ситуации, когда пропали трое москвичей, а вместе с ними товар и «дипломат» с баксами, Рядно должен был сидеть на своей земле и готовиться к предстоящей «стрелке» с большой разборкой. А он вместо этого...

Так почему все же Москва?

Максим, забыв о звонившем, молчал, соображая, как ему быть. С одной стороны, здесь оставался подполковник Гринько, за которым тоже требовался постоянный глаз, к тому же надо было продолжать поиск «дюжины», а с другой стороны... С другой стороны, прямо из-под рук уходил этот старый уголовник, на которого, поболтавшись здесь, в городе, все больше и больше грешил Максим. Не верил он в чистоплотность старого пахана — если, конечно, к нему вообще применимо это слово. Не было прямых доказательств, но все же кое-какие факты говорили за то, что рыло у него в пуху. Да и интуиция... А интуиция пока что Максима не подводила...

Думай, голова, как же быть-то?

То, что он отследит его до самой посадки и постарается прощупать багаж, — это вне сомнений. И то, что сопровождать его придется до Москвы, — тоже факт. Но кому лучше пойти сопровождающим? Ему лично или кому-нибудь из ребят?

— Командир... — вновь раздался в трубке голос звонившего боевика.

— Значит, так, — принял решение Максим. — Ты сейчас где?

— На вокзале. В билетном зале.

— Один?

— С Бобом. Он в машине остался.

— Хорошо. Тогда делай так. Отклейся от этого козла с билетами и передай его Бобу. Пусть ведет до конца, а потом перезвонит мне. Сам же срочно мотайся к кассе и возьми два билета на тот же поезд. В какой вагон он взял?

— В четвертый. Когда он билеты брал, я сбоку стоял.

— Хорошо. Тогда возьмешь один в третий и один в пятый.

— Понял. Два билета. А кто поедет, командир?

— Ты с Бобом. Кстати, предупреди его. Дополнительные инструкции получите у меня. Через час жду в гостинице.

— Ясно, командир!

Опустив трубку на рычажки разбитого, допотопного аппарата, Максим задумался. Вроде бы принятое лично им решение было правильным, но уж слишком серьезным было дело, чтобы взваливать всю ответственность на одного себя. К тому же неизвестно, за каким чертом тащится в столицу Рядно, когда его дело — сиднем сидеть в этом занюханном городишке и готовить «стрелку».

Да, без шефа здесь не обойтись...

Оставляя мокрые следы на полу, он прошел к встроенному шкафу, достал из кармана ветровки записную книжку, открыл страничку на букву «Я». Здесь был целый ряд телефонов, по которым он мог найти своего шефа в любое время суток.

...Поезд прибыл в Москву без опоздания, и влившийся в людской поток Рядно вышел на привокзальную площадь. Давненько не бывал он в столице! Вроде бы за это время и измениться она должна была, — хотя бы чуточку поутихнуть да пыл свой поумерить, как это случилось со всей Россией, а она как была, так и осталась все такой же бойкой, суматошной, крикливой и бестолковой, как десять, двадцать и тридцать лет назад, когда он впервые гастролировал в ней, с ходу залетев в знаменитую Бутырку.

Кивнув своим мордоворотам, от которых за версту несло глухой провинцией, отчего каждый встречный мент не задумываясь мог потребовать у них документы, Рядно спустился к автостоянке, где обнаружил едва ли не сотню самых разных машин, и в растерянности огляделся вокруг. Перед самым отъездом он еще раз перезвонил человеку, к которому ехал, — Хамзату Яндиеву, и тот пообещал прислать за ним машину. Даже номер назвал и марку, но попробуй-ка найди ее в этом столпотворении. Он обернулся к своим отморозкам, которые, видимо, тоже подрастерялись в сплошном людском море, произнес неприязненно:

— Смотрите лучше. Светлая иномарка, «опель». Семь-пять-девять.

И в этот момент к ним подошел молоденький, спортивного вида парень кавказской наружности.

— Капралов? — покосившись на сделавших стойку мордоворотов, спросил он. — Тимофей Иванович?

— Ну? — нервно дернулся Рядно, отвыкший от подобного обращения.

Движением руки остановив свою охрану, он хмуро и в то же время вопросительно уставился на парня. Хотя Хамзат и пообещал, что пришлет машину к поезду, и даже сообщил ее марку и номер, о том, чтобы водитель разыскивал его в этой толпе... Нет, так они не уговаривались.

— Ну? — повторил старый уркаган, чувствуя, как на него накатывает волна животного страха. Именно с таким вот подходцем его задерживали последний раз, и тоже, кстати, в Москве. Но тогда хоть было за что, а теперь-то — за какие грехи?

Молодой южанин тем временем оскалился в улыбке, ощерив все тридцать два зуба сразу:

— Значит, угадал. Меня хозяин прислал. Яндиев Хамзат. Приказано вас домой доставить. — И, увидев, как облегченно вздохнул Рядно, добавил: — Вещей больше нет? Тогда поехали.

Когда загрузились в новенький «опель» и выбрались с площади на гудящее и ревущее Садовое кольцо, Рядно спросил, вспомнив свой неожиданный страх:

— Как узнал-то меня?

Парень снова расцвел в улыбке:

— А я вас от самого вагона вел. Хозяин так приказал.

Рядно хмыкнул. Что и говорить, толково. Разговор предстоит серьезный, и Хамзат, которого Рядно знавал еще с зоны и которого российская братва окрестила Лисом, решил подстраховаться на всякий случай и посмотреть, нет ли за прибывшим гостем хвоста.

Однако как они ошибались оба — и Рядно, и водитель Яндиева! Натасканный хозяином на переодетых ментов из районного отделения милиции, в лучшем случае — из МУРа, этот парень даже внимания не обратил на изысканно одетого Киплинга и его людей, рассредоточившихся по перрону. Не обратил он внимания и на двух затрапезного вида парней, которые чуть позже Рядно вышли один из пятого, а другой из третьего вагона и тут же растворились в многоликой толпе, передав эстафету слежки своему шефу.

Приказав им ближайшим же поездом возвращаться к Максиму, Яров отдал своей команде необходимые распоряжения и тоже скрылся в толпе, опасаясь быть узнанным или хотя бы замеченным на этом вокзале. Теперь Рядно был в его руках и важно было узнать, по какому столь срочному делу и к кому конкретно он приволокся. Ведь если этот старый, прожженный уголовник, шарахающийся от каждой милицейской шинели как черт от ладана, решил выбраться из своей берлоги и приперся в златоглавую, — значит, возникла у него срочная нужда. Но какая? Правда, уже то, что его встречал на шикарной иномарке какой-то молодой абрек, судя по всему — водитель или чей-то охранник, давало пищу для размышлений.

Влившись в сплошной поток машин, среди которых иномарок было практически столько же, сколько и отечественных «Волг», «опель» Яндиева с трудом пробивался к проспекту Мира, а притихший Рядно только головой крутил, рассматривая в окна до боли знакомую и в то же время такую незнакомую Москву.

Господи, ведь всего-то несколько лет, как он не бывал в ней, а вот поди ж ты — похорошела первопрестольная! И если в российской глубинке все рушилось и разваливалось, то здесь — наоборот. Будто в сказочное время жила столица: сначала мертвой воды испила, а потом и живой водицы хватила. Да так хватила, что поперла, словно тесто дрожжевое, и вширь, и ввысь. Да и приоделась, голубушка. На месте серых, безликих фасадов довоенной или послевоенной постройки заискрились зазывные витрины магазинов и каких-то офисов, а там, где ютились пивнушки-свинарники, выплыли под разноцветные тенты стульчики и столики многочисленных уличных кафе.

Видимо поняв внутреннее состояние этого костистого мужика с изрытым оспой лицом и синюшными от тюремных наколок руками, водитель повернулся к Рядно и ощерился в улыбке гостеприимного восточного человека:

— Что, нравится?

Рядно аж передернуло от этого вопроса. Вроде бы ничего особенного не было в словах чернявого малого, сплошное гостеприимство и желание угодить дорогому гостю столицы, но где-то подспудно крылась в этом вопросе и доля снисхождения, которую Рядно не мог не почувствовать. Ну он-то ладно, а что, если это просекли и его пристяжные, развалившиеся на заднем сиденье? Хмуро ухмыльнувшись, он перевел тяжелый взгляд на лицо молоденького чеченца, спросил в свою очередь:

— Сам-то давно в Москве?

— Третий год пошел. Как война кончилась — так сюда и подался.

— Понятно, — все так же угрюмо кивнул Рядно. — А я родился здесь, в Останкине. Когда еще никакой телевизионной башни там не было. И замели меня первый раз в парке имени Дзержинского, в бильярдной. Кстати, не знаешь, парк-то мой еще не вырубили? Там ведь когда-то столетние дубы стояли. И когда я еще пацаном сопливым был, мы теми желудями полные карманы набивали, а потом ими в киношке пулялись.

— Стоит парк. Куда он денется? — все так же снисходительно ответил водитель и, видимо почувствовав смену настроения, замолк, уставившись в лобовое стекло.

Молчал и Рядно, с невольной горечью думая о временах и нравах, которые наступили в России. Вроде бы и ни о чем спросил его этот молоденький чеченец, подавшийся из своих мест на родину авторитетного вора по кличке Рядно, а вот задел его чем-то этот беззлобный вопрос и уже как-то по-новому заставил посмотреть и на себя, и на когда-то родную столицу, в которой прошли его детство с юностью и из которой он поимел первую ходку на зону. Но все это в далеком прошлом, а сейчас родная Москва встречает его не как мать или даже добрая родная тетка, а как блудливая, но удивительно красивая мачеха, которая выбросила своих родных детей за порог, указав им место в скотском стойле, а вместо них привела в свою горницу новенького мужичка с толстенным лопатником в кармане, из которого торчат даже не рубли, а сплошные доллары-баксы, а вместе с ним и его многочисленную родню пригрела, которую раньше даже на кухню не пускали...

Любил порой пофилософствовать Тимофей Капралов. Доставляло ему удовольствие иной раз и об жизни подумать, поразмышлять, кто он есть в этом мире, но что-то слишком горькими стали в последнее время его размышления. И он тяжело вздохнул, подумав, что Москва — это уже не Россия-матушка. Выходило, что город, по которому их вез сейчас водила Хамзата, — это Московия. А настоящая Россия — это где-то там, далеко отсюда, и называется она — Россияния. И пожалуй, если трезво посмотреть на жизнь, то и не выжить бы в нынешние времена рецидивисту Рядно в этой самой Московии, поскольку хозяевами в ней могут быть либо такие молодые да ловкие, что умеют не фомками[1], а компьютерами банки да сберкассы подламывать, либо же такие авторитеты, как прожженный Лис.

И это было правдой. Горькой и обидной, но правдой.

И вновь Рядно невольно усмехнулся, поймав себя на том, что рассуждает не как авторитетный вор-рецидивист, подмявший под себя едва ли не целую губернию и вкусивший все прелести новой жизни, а как застарелый вор-законник, пытающийся удержать в руках ускользающую власть. Это нынешняя братва такая шумная и ушлая, а раньше... Когда-то, согласно неписаному кодексу чести, «правильный» вор, пройдя тюремные университеты, не должен был иметь никакой собственности, не должен был обзаводиться семьей, не должен был, не дай бог, торговать или работать...

Многие из тех воров, которых знавал когда-то Тимофей Капралов, вообще имели четыре началь-

---

[1] Ф о м к а, Ф о м а Ф о м и ч — ломик, используемый для взламывания замков и запоров.

ных класса на двоих, с малых лет отсидев сначала в «малолетке», а потом на всю оставшуюся жизнь прописавшись в лагерях да тюрьмах. И ничего, имели при этом и должный авторитет, и настоящее уважение. Взять хотя бы патриарха уголовного мира Васю Бузулуцкого. С грехом пополам закончил несколько классов, сорок лет скитался по пересылкам да лагерям, однако когда умер, то на его похороны съехались авторитеты со всей России. А молодые воры и сейчас считают за особую честь сфотографироваться у его гранитной стелы на Смоленском кладбище в Санкт-Петербурге. Да и ему самому, Тимофею Капралову, не хрена бы на жизнь жаловаться, все, чего захочет, имеет в достатке, и все-таки... И все-таки он понимал, что золотой век воров его поколения, поимевших на свободе почетные и сытные должности «разводящих», «ставленников» и «смотрящих», уходит в призрачное вчера. И вполне возможно, что даже его верные псы-отморозки, сидящие позади него, могут вскоре поднять свои тупорылые морды и, ухватив своего стареющего пахана за костистый кадык, потребовать не только бóльшую часть доли, но и власть...

Это раньше, в советские времена, молодые воры слушались центровых[1], вдыхая каждое слово гувернера, козлятника, мазы, пахана, родича или шлифовщика[2], а ныне совсем не то. Сейчас молодые качки и прошедшие тюремные университеты быки строят отношения как друг с другом, так и с паханами в соответствии с законами рынка. И ведь до

---

[1] Ц е н т р о в о й — в данном случае главарь отрицаловки.

[2] Г у в е р н е р, к о з л я т н и к и пр. — вор-наставник.

чего, сучий потрох, страна докатилась! Увешанные цепями совсем еще сопливые отморозки считают себя вправе вести на равных разговор с любым авторитетом. А если, не дай-то бог конечно, он начнет ущемлять их интересы и лишать куска с маслом, то разговор у них короткий. Не обремененные комплексами воровской этики, эти бакланы, которым безразлично — вор авторитетный перед ними или такой же отморозок, как они сами, без особых раздумий открывают стрельбу. И кто знает, чья пуля и когда настигнет и его, Тимофея Капралова? Думая об этом уже не единожды, Рядно понимал, что времени для его барской жизни осталось не так уж и много и надо именно сейчас, пока он еще на коне и пока подползают к нему на брюхе его шестерки с пристяжными, сорвать полный банк, а потом уже думать о дальнейшей жизни.

За этими невеселыми мыслями он даже не заметил, как проскочили Садовое кольцо, свернули на проспект Мира и вскоре въехали под арку огромного кирпичного дома, в котором жил теперь Хамзат. И это тоже как-то очень больно кольнуло Капралова. Почему-то он, авторитетный славянский вор, должен мыкаться в какой-то глухомани, прозябая в деревянной халупе, а какой-то чеченец Лис, не иначе как официально прописанный в этом престижном доме, наслаждается всеми прелестями цивилизованной жизни, вдыхая запахи московских улиц, и каждый день выезжает на своей шикарной тачке со двора, в котором вон выстроилось не менее полусотни дорогостоящих иномарок с «Жигулями»...

Лихо въехав на каменный тротуар у чистенького

подъезда, чеченец выключил зажигание и вновь улыбнулся своему угрюмому пассажиру:

— Все, приехали!

К сидящим позади него даже головы не повернул.

Хамзат уже ждал гостей. Глазами показав своему служке-водителю, чтобы тот провел охрану на кухню, где также был накрыт стол, он приобнял Рядно за широкие костистые плечи и, довольный первым впечатлением, похлопал его по такой же широкой спине:

— Живой, значит! И силушка еще имеется.

Рядно ухмыльнулся, рассматривая своего товарища по нарам. Все такой же быстрый в движениях и поджарый, Лис словно не изменился за те годы, что они не виделись после отсидки. И если славянская братва, измотанная пресс-камерами да колониями строгого режима, резко сдавала к сорокалетнему возрасту, то этот чеченец при каждом этапе будто силушки набирался, матерея в СИЗО да в пересыльных тюрьмах. Но что более всего поразило Капралова, так это та ненапускная вальяжность, граничащая с какой-то звериной вкрадчивостью, которая появилась в нем. И если бы он, Рядно, не знавал Лиса по зоне, то мог бы подумать, что приехал в гости не к вору-рецидивисту, за плечами которого несколько ходок, а к отцу благородного семейства, имеющему приличный счет в банке, за которым по утрам приезжает служебная машина с государственными номерами, чтобы отвезти на службу... Хотя, впрочем, и счет в банке был у Лиса, да не один, и машина стояла у подъезда. И не засранный, как Рядно уже видел, «жигуленок», а вполне приличная иномарка, за рулем которой сидел преданный своему хозяину водила, прошедший чеченскую бойню и умеющий не просто драться, если надо, но и убивать.

Придя к такому заключению, Рядно вздохнул невольно. Господи, до чего же обманчива внешность!

Потискав гостя в сильных руках, Хамзат наконец-то провел его в огромную комнату, посреди которой стоял заставленный разноцветными бутылками, зеленью с помидорами и шикарнейшей закуской стол, кивнул на кресло, приглашая садиться. Проговорил своим гортанным голосом, в котором нет-нет да проскакивали металлические нотки:

— По рюмахе? Или сначала помоешься с дороги?

— Выпьем сначала. А то устал я что-то.

— Коньяк, водка?

— Водочки.

Хамзат потянулся за бутылкой, до краев наполнил серебряные рюмки, чуть приподнял свою:

— Ну, за нас с тобой!

— Годится, — кивнул Рядно и залпом осушил свою рюмаху.

Когда зажевали водку зеленью и Лис потянулся было, чтобы разлить по второй, Рядно остановил его:

— Погодь малость. Не гони лошадей. Дело бы сначала обговорить неплохо.

— Хорошо, — согласился с таким предложением Хамзат и тут же спросил: — Надолго в Москву?

— Все зависит от тебя и от того человека, с которым обещал познакомить. Если сговоримся — сегодня же и уеду. Ночным поездом.

— Может, все-таки погостишь немного? Москву

покажу, в казино сходим. А если хочешь, то и девочек привезут.

И опять что-то острое и неприятное кольнуло Рядно. «Москву покажу...» Будто он, этот чеченец, был нынче хозяином города, который по праву должен принадлежать только ему, Тимофею Капралову, и больше никому. Однако он постарался вовремя запрятать свои чувства куда подальше и только улыбнулся кисло уголками губ:

— Не могу, Хамзат. Не могу. Сам понимать должен... Дело серьезное, и пока я его не закрою...

— Да, конечно, — согласился Лис и кивнул в сторону кухни: — Ребятишки твои здесь тебя будут ждать или, может, пусть их по городу покатают?

— А вот это было бы неплохо, — согласился с таким предложением Рядно. — Пусть твой человек по магазинам их повозит, малость прибарахлиться моим вахлакам не помешает.

— Без проблем! — расцвел золотыми зубами Лис и гортанным голосом крикнул что-то в сторону кухни.

За все это время они не обмолвились даже единым словом о взрывных устройствах с ядерной начинкой. Словно приглядывались друг к другу, боясь ошибиться. Уж слишком велики были ставки в предстоящей сделке.

III

Генерал Проскурин пробежал глазами по короткому и до предела лаконичному оперативному донесению, задумавшись, положил его на стол, поднял голову на Панкова.

— Хорошо, — протянул он. — А теперь — словами.

Зная привычки своего шефа, который недавно сменил три полковничьи звезды на одну генеральскую, Панков уже был готов к обстоятельному докладу, а потому и начал без обычных в подобных случаях покашливаний и неуверенных пожатий плечами:

— Уже первый анализ прослушки телефонных разговоров Киплинга, то есть Ярова, показал, что занимается он не только туристическим бизнесом, но и...

— Что, по-прежнему настаиваешь, что его фирма — всего лишь «крыша» для более серьезных дел?

— Так точно, товарищ генерал! — почувствовав недоверие в голосе начальства, ответил по-уставному Панков.

Проскурин вскинул на него удивленные глаза и пробурчал глухо:

— Слушай, Игорь, если будешь и дальше выкобениваться и если еще раз услышу от тебя «товарищ генерал», то...

— Ясно, Сергей Петрович!

— Вот и ладненько, — усмехнулся Проскурин. — Раз так, давай вернемся к нашим баранам. Так вот, я тебя еще раз спрашиваю: ты на все сто процентов уверен, что туристическое агентство Ярова — это всего лишь «крыша» для более серьезных дел?

Немного подумав, Панков пожал-таки плечами:

— На все сто процентов, как вы говорите, я и в себе самом не уверен. Что же касается Ярова-Киплинга, то очень бы хотел, чтобы все мои подозрения и оперативные наработки моей группы так и остались всего лишь подозрениями. Но если еще два дня назад я сомневался, то сейчас...

— Хорошо, — движением руки остановил его излияния Проскурин. — Тогда попробуй убедить и меня. Но так, чтобы я смог и других убедить в необходимости продолжения этой разработки. И это очень серьезно. Время, как ты знаешь, идет, Крымов неизвестно зачем торчит на своем аэродроме, постигая искусство пилотирования, а мы здесь не сдвинулись ни на йоту. И если вдруг где-нибудь громыхнет...

Он замолчал, не докончив фразы, но и так было понятно, что в этом случае не поздоровится обоим. Если вдруг эти проклятые «чемоданчики» уплывут к террористам и где-нибудь в Тель-Авиве или в Вашингтоне рванет пусть даже небольшой, но все-таки ядерный взрыв, — прощай их погоны. Да что там погоны! О возможных последствиях такого прокола в работе даже и помыслить было страшно.

Панков лишь покрутил головой, как бы говоря, что в таком случае не надо бы самим себе ставить палки в колеса, страхуя свою собственную задницу, вслух же сказал:

— Понятно, Сергей Петрович. Постараюсь быть максимально убедительным.

— Да уж постарайся, — не удержался, чтобы не съязвить, Проскурин и подмигнул Игорю ободряюще, как бы разряжая тем самым сгустившуюся было атмосферу.

И все-таки доклад Панкова получался более чем лаконичным.

— Как я уже говорил, даже первый анализ прослушки телефонных разговоров Ярова-Киплинга еще раз заставил меня усомниться в том, что он занимается только туристическим бизнесом. Однако все это лежало в области гипотез, версий и догадок, до тех пор пока последняя прослушка не заставила нас посмотреть на его деятельность более серьезно. Как вы уже знаете, звонил возможный агент или его наблюдатель из города Сухачевска и сообщил буквально следующее: «Андрей, срочно встречай гостя! В Москву отбывает сегодня вечером. С ним еще два отморозка». И далее — номер поезда и вагона, в котором, как оказалось впоследствии, должен был приехать некий Рядно.

— Ну и?.. — поторопил Панкова Проскурин, хотя только что сам требовал от него быть максимально убедительным.

Игорь охотно продолжил:

— Возможно, мои ребята и не обратили бы особого внимания на это сообщение из какого-то Сухачевска, если бы не реакция Ярова и то волнение, с которым он переспрашивал номера вагона и поезда и уточнял отдельные детали. Заинтересовались и мы этим самым Рядно, тем более что это явно не фамилия, а кличка и живет он в российской глубинке. Понимаете, уж слишком неадекватной была реакция Ярова на сообщение о его приезде. А когда мы проверили по картотеке, кто этот человек со столь редкой кличкой, то у меня не осталось никаких сомнений относительно Ярова...

— Не понял, — хмуро прервал его Проскурин.

— Я имел в виду — относительно того, что зарубежный туризм для Ярова — не единственный способ добывания денег. И это пока что главное, Сергей Петрович! — с напором произнес Панков. — То есть мне было очень важно аргументированно доказать, что Яров совершенно не тот человек, которым его знают в туристическом бизнесе. Но если это действительно так, то почему бы ему не оказаться и тем самым Киплингом, которому были заказаны «чемоданчики» со взрывными устройствами?

— Ладно, пусть будет так, — согласился Проскурин. — Хотя все это опять-таки лежит в области догадок. Что дальше?

— А дальше началось самое интересное. Как выяснилось, этой кличкой нарекли когда-то некоего Тимофея Капралова, вора-рецидивиста, который по окончании своего последнего срока надежно осел в этом самом Сухачевске, прибрал к рукам местную братву и держит сейчас под собой едва ли не всю область.

— Смотрящий, что ли? — уже более заинтересованно уточнил Проскурин.

— Не совсем. Но влияние имеет огромадное. Но что для меня самое любопытное — с чего бы это вдруг столичному воротиле туристического бизнеса вдруг так заинтересоваться каким-то там сухачевским паханом...

— Интересы рынка? — подсказал Проскурин.

— Я тоже поначалу так подумал, но потом... Понимаете, Сергей Петрович, нет никакого резона для Ярова следить в Сухачевске за местным паханом, а затем встречать его в Москве и пасти вплоть до того самого момента, пока он не сядет обратно в поезд. Мало того, он еще и негласное сопровождение с ним отправил. Чуть что, я имею в виду резоны с точки зрения чисто туристического бизнеса...

— Так что же тогда? — спросил Проскурин, вновь пробегая глазами оперативное донесение группы Панкова.

— Пока не знаю, — вздохнул Панков. — Но одно могу утверждать точно. Если *наш* Яров — *тот* самый Киплинг, то он мечется сейчас в поисках какого-то выхода, и нам нельзя сбрасывать со счетов *ни одного* человека, с которым он выходит на более-менее подозрительную связь.

И вновь Проскурин нахмурился, подняв на подполковника тяжелый взгляд:

— Так ты что же, предлагаешь...

— Так точно, товарищ генерал. Сейчас нам важен не только Яров, но и этот самый Рядно. И я считаю, что за ним необходимо установить негласное наблюдение. Как говорят в народе — чем черт не шутит.

— И какими же силами ты устроишь это наблюдение? — вопрошающе уставился на Панкова Проскурин. — Или прикажешь подключать местное управление ФСБ?

— Ни в коем случае, Сергей Петрович! Это возможная утечка информации. А если утечка — тогда... — Он не договорил и безнадежно махнул рукой.

— Ну, это, положим, и так ясно, — видимо, согласился с подполковником генерал. — Однако ты-то что предлагаешь?

— Попытаться обойтись собственными силами.

Раздумывая над предложением Панкова, генерал как-то уж совсем по-стариковски пошамкал губами:

— Ну что ж, если справишься... Хорошо! Можешь считать, что мое согласие получил, теперь давай дальше. Что это за человек такой — Хамзат Яндиев? И что может быть общего между ним, этим самым Рядно и нашим Яровым?

Пропустив мимо ушей подначку генерала, которая прозвучала в слове «нашим» и которой он как бы давал понять, что доводы подполковника пока что его не убедили, Панков раскрыл целлофанированную папочку, которая лежала перед ним на столе, достал из нее нужную справку.

— Итак, Хамзат Яндиев. Многого пока что о нем узнать не удалось, и поэтому трудно судить о том, что может связывать этих людей, по крайней мере Ярова с ними. Но Яндиев уже сам по себе довольно интересная личность. Чеченец по национальности, в недалеком прошлом — вор-рецидивист.

— А ныне что, совершенно честный и законопослушный гражданин? — усмехнулся Проскурин.

— Вот и я о том же, — пробормотал Панков. — Тем более что его последний срок и выход на волю совпал с демократической эйфорией начала девяностых годов, и он влился в чеченскую группировку, которая набрала в Москве довольно солидный вес, активно участвовала в переделе столичного пирога и даже пыталась подмять под себя более мелкие и слабые группировки. На зоне его нарекли Лисом, и он как нельзя кстати пришелся в ту пору своим соотечественникам. Умен, хитер, к тому же прошел жесточайшую школу российских тюрем и, естественно, имел выход на славянскую братву.

— Что, большой авторитет в чеченской группировке?

Панков пожал плечами, задумался.

— Я бы не сказал, что очень большой, но определенным весом среди своих пользуется. А если судить по его московской квартире, новенькой иномарке и охраннику-водителю, который всегда при нем, то...

— Короче говоря, не первое лицо в группировке, но далеко и не последнее, — перебил его Проскурин.

— Думаю, что так оно и есть.

— Хорошо. Но если в этом случае становится понятной связь между Рядно и Лисом, что может представлять определенный интерес для МУРа, то при чем здесь Киплинг? То есть Яров, — поправился Проскурин.

— Вот и я над этим же голову ломаю, — пробормотал Панков.

Проскурин покосился на своего подчиненного, произнес негромко:

— И все-таки, Игорь, тебе не кажется, что этот чеченец — пустышка для нас и мы только зря время и силы потратим, отрабатывая его связи?

— Не знаю, Сергей Петрович, — уныло признался Панков. — Но нюхом чувствую, что не просто так заявился в столицу Рядно и не просто так устроил эту слежку Яров. Причем я не рассказал вам еще об одной интересной детали. Когда водитель Яндиева повез охранников Рядно по магазинам и ярмаркам, к нему где-то через час приехал еще один земляк, личность которого мы сейчас устанавливаем. И уже втроем они проговорили едва ли не до самого вечера. Вернее, до того самого часа, когда вернулись молодые отморозки. Чеченца этого тоже привезли на довольно дорогой иномарке, но водитель даже не поднялся в квартиру Яндиева и все это время ждал своего хозяина, а может, и клиента в машине.

— Ну и что? — хмыкнул Проскурин. — Собрались старые подельники, выпили и закусили, и Рядно предложил им банк какой-нибудь ковырнуть в своем Сухачевске. Или что-нибудь в этом роде. Все это, конечно, очень даже интересно, но Киплинг-то, Киплинг здесь при чем, дорогой мой?!

— Пока что не знаю, — вновь с сожалением признался Панков. — Но уверен, что интерес к ним всем он имеет громадный. Когда этот гость Яндиева вышел из подъезда и сел в свою машину, человек Ярова тут же кинулся за ним и вел на своих «Жигулях» до самого упора.

— Думаешь, Яров пытается выяснить, какие конкретные цели преследует Рядно, явившись в Москву?

— Так точно!

— Ну и что из этого? — продолжал «раскручивать» подполковника Проскурин, понимая, что в действиях и поступках директора туристического агентства и впрямь есть что-то такое, что противоречит нормальной логике. И ему было важно нащупать это самое что-то, понять его.

Думал об этом и Панков. Не один час ломал голову перед тем, как явиться на доклад к шефу. Картина казалась бы ясной и вполне понятной, если бы можно было взять за отправную точку факт, что Яров — тот самый Киплинг, которому заказаны ядерные «чемоданчики». Он так и сказал генералу, правда на всякий случай добавив:

— Давайте пока что признаем это как доказанный факт.

— Ну и что это нам дает? — пожал плечами Проскурин.

— И вот тогда, Сергей Петрович, вырисовывается довольно занятная картина. Яров, то есть Киплинг, вместо того чтобы бросить все свои силы на подготовку переброса взрывных устройств через границу, замыкается на каком-то пахане областного масштаба и распыляет своих людей на слежку за чеченцами. Вам не кажется все это более чем странным?

— Кажется, — хмуро кивнул Проскурин. — Но странным мне кажется не то, что эти мужики встречаются друг с другом и их пасет Яров, пусть даже в каких-то корыстных целях, а странным мне кажется то, что ты замкнулся на этой своей версии с Яровым и почти не отрабатываешь другие. Почему, Игорь? Ты что, действительно настолько убежден в своих предположениях?

— Да!

— Почему? Объясни!

Панков помолчал немного, словно подыскивая наиболее правильные и убедительные слова, поднял на Проскурина смелый взгляд:

— Интуиция, товарищ генерал. И еще... Я вновь пересмотрел личное дело Ярова и еще раз убедился, что он мог стать *тем самым* Киплингом, на которого вышли террористы со своим заказом. Мужик авантюрного склада характера, самолюбивый и в меру тщеславный. И, судя по его характеристикам, не очень-то настроен прощать обиды. Тем более тяжелые обиды.

— Ты хочешь сказать...

— Да, — перебил Проскурина Панков. — Яров пошел работать в КГБ по призванию и, как всякий тщеславный человек, надеялся получить за свою службу и преданность не только денежное вознаграждение, но и что-то большее. А его вместо этого пинком под зад, словно последнюю дворнягу. И вполне возможно, что когда он очухался после такого удара судьбы и пришел в себя, то решил наплевать на все, что было, и начать жизнь с новой страницы... Тем более теперь совсем иные, чем прежде, времена. Так сказать, времена беспредельной демократизации общества, превратившегося в гигантскую уголовную структуру, и таких же рыночных отношений.

Слегка прищурившись, Проскурин слегка удивленно и пристально смотрел на Панкова, словно видя его впервые.

— Ты что, социальную базу под своего Киплинга подводишь?

— Нет.

— Что же тогда?

— Просто хочу доказать вам, что и такое возможно. Кстати, подобных примеров сколько угодно. Что в нашей конторе, что в МВД, что среди прокурорских...

— Хорошо, пусть будет так, — нехотя согласился Проскурин, которому эта тема была как нож острый — не мог и не хотел молодой генерал смириться с тем, что в их конторе, с которой у него связаны самые лучшие и счастливые годы, могли водиться предатели. — А чего ж ты со своим дружком Антоном в рэкетиры не подался? Опыт-то вон какой есть! Всем этим солнцевским, орехово-зуевским да тамбовским и присниться такой не мог бы...

Панков с улыбкой посмотрел на Проскурина:

— Не надо, товарищ генерал. Что касается меня лично, то я в совершенно другой ситуации оказался, когда на профессионалов гон начался и они пачками за ворота вылетали. А Крымов... Крымов, Сергей Петрович, — это совершенно иной разговор. Это романтик, товарищ генерал. Причем человек, для которого такое понятие, как Родина, было и осталось священным. А если еще проще, то, как говорят в народе, он воспитан на лучшем отечественном самогоне. Да и то, чтобы подняться вновь, должен был сперва на самое дно опуститься...

IV

В мембране раздались звуки сигнала отбоя, и Яров медленно опустил телефонную трубку на рычажки. Подошел к окну, за которым бушевало лето, задумался.

Итак, второй чеченец, с которым Рядно встречался в Москве, — некий Салманов. Человек, как только что сообщили Ярову, не имеющий совершенно никакого отношения к уголовникам, однако являющийся довольно приметной личностью в чеченской диаспоре. И еще одно, пожалуй, наиболее интересное. Этот самый Салманов — фанатичный враг России, ненавидит нынешнего президента Чечни за его «заигрывания» с Москвой, а что самое любопытное — близок к проэкстремистским кругам и является чуть ли не их эмиссаром в российской столице. А это, как говаривал когда-то Штирлиц, уже информация к размышлению. Причем информация серьезная.

Яров смотрел в окно, но видел перед собой не двор, а изрытое оспой лицо старого уркагана и пьяные объятия на вокзале, когда Рядно, провожаемый чеченцем по кличке Лис, садился со своими отморозками в поезд.

«Неужто «чемоданчики» и впрямь оказались у этой продажной гниды, и он, чтобы погреть руки, собрался толкнуть их чеченским отморозкам?»

Да, и после столь непонятного и поспешного приезда Рядно в Москву и его встречи с Лисом, на которую был приглашен печально знаменитый Салманов, пожалуй, уже не может оставаться и малейших сомнений в том, что дело обстоит именно так.

Яров отошел от окна и потянулся к телефону — надо бы позвонить в офис, предупредить зама, чтобы и сегодня не ждал его на работе, но потом, подумав, решил отложить этот звонок на более позднее время. Вновь подошел к окну, бездумно постоял, прижавшись лбом к нагретому солнечными лучами стеклу.

Надо было что-то срочно делать. Но что? Он вдруг с какой-то звериной остротой почувствовал, как безнадежно уходит время. Для начала, пожалуй, надо как следует взять себя в руки и еще раз проанализировать все действия и поступки Рядно. Не дай-то бог упустить что-то или ошибиться — уж очень высока в этой игре цена ошибки...

Подставив лицо солнечному свету, Яров закрыл глаза, поискал нужную позу и замер в ней, будто окаменев. Он знал: сейчас наступит момент, когда его тело ощутит необыкновенную легкость, станет невесомым. И когда этот момент наступил, он напрягся, сконцентрировался всем своим существом на самом главном и, постояв так какое-то время, глубоко вдохнул и тут же резко выдохнул весь воздух, что был в легких. От этого нехитрого приема, которому он научился еще в спецшколе КГБ, Яров почувствовал, как отпускает внутреннее напряжение, как становится яснее голова. Повторил этот прием еще раз, потом еще. Хорошо было бы сейчас чайку покрепче... Он пошел на кухню, повозился с чаем. Ну вот, теперь можно и о деле подумать. Спокойно и трезво.

Итак, Рядно. Вернее, эта продажная сука и начальник штаба арсенала Гринько.

Если еще до вчерашнего дня Яров допускал возможность, что эти два гаденыша просто «кинули» его, как последнего лоха, имитировав передачу «чемоданчиков» из рук в руки, в то время как на самом деле они даже не были похищены с арсенальского спецсклада, то теперь, когда Рядно столь поспешно нагрянул в Москву, чтобы рецидивист Лис свел его с «нужным» человеком, то есть с экстремистом Салмановым, то сейчас Яров мог напрочь откинуть эту версию. Теперь он почти на все сто был уверен, что взрывные устройства находятся в руках Тимофея Капралова, на худой конец, он действует в одной связке с подполковником. Но для Ярова уже совершенно не важно, «кинул» ли Рядно этого продажного начальника штаба точно так же, как «кинул» и его, Ярова, или они сговорились толкнуть похищенные из арсенала «чемоданчики» на пару. Главное было, что взрывные устройства у Рядно и он пытается как можно скорее избавиться от них.

Почему он спешит? Ну, это вполне понятно. Такой товар, как взрывные устройства с ядерной начинкой, не может слишком долго залеживаться в каком-нибудь тайничке, с таким «кладом» и посидеть можно... Почему именно чеченцы?.. Ответ на этот вопрос тоже лежал на поверхности. Да потому что на международных террористов Рядно просто не мог выйти — не того полета птица, да и какой бы серьезный заказчик стал связываться с откровенным уголовником, который проходит буквально по всем картотекам? Потому-то он, вполне естественно, рыпнулся к чеченцам. Вернее, ринулся к такому же уголовнику, как он сам, который к тому же был чеченцем. А что, мудрое даже, можно сказать, решение. Когда-то Рядно на зоне корешил с Лисом, пользующимся теперь в Москве соответствующим авторитетом, а тот, в свою очередь, уже вывел его на возможных покупателей.

Логично? Вполне. Тем более что эти самые потенциальные покупатели на каждом углу вопят о том, что объявляют России «священную» войну и скоро потопят ее в крови. Так что, по логике Рядно, именно чеченские экстремисты в первую очередь и могли бы купить у него компактные взрывные устройства такой страшенной разрушительной силы. А уж в каком русском городе рванет эта огромная бомбочка — Рядно нисколько не колышет...

Да, все это похоже на правду, думал Яров. Но если его предположения верны, то времени у него уже совсем не остается. Ведь если Рядно уже сговорился с Салмановым, то взрывные устройства вот-вот перекочуют к чеченцам. И если сейчас у него есть еще хоть какая-то надежда заполучить эти проклятые «чемоданчики», то потом...

— Вот же тварь! — выругался Яров, невольно вздрогнув от звука собственного голоса. Надо было что-то срочно предпринимать, но что?

Итак, Рядно. Можно было бы, конечно, выкрасть его из-под носа охранников, замочить, если надо, этих его отморозков с куриными мозгами, но это не выход. Во всяком случае, всех проблем такое похищение может и не снять. К примеру, хорошо бы уяснить совершенно точно, идет ли в спарке с этим уголовником начальник штаба арсенала. И если окажется, что это действительно так, то взрывные устройства могут храниться и под присмотром Гринько. Так что если даже похищенный Рядно и признается в том, что «кинул» Ярова, «чемоданчики» в этом случае все равно останутся для него недосягаемыми. И чтобы нащупать их, ему, вернее, Максиму нужно будет время. Но именно времени у Ярова сейчас и нет. Сделка Рядно с чеченцами могла завершиться в любой момент, в любой час.

— Хорошо, пусть будет так, — бормотал Яров. — Тогда что же еще можно придумать?

Решение пришло неожиданно, его вдруг словно озарило. Да, только так! Надо срочно поломать сделку Рядно с чеченцами. Это здесь, в Москве. Что же касается Сухачевска, то там тоже надо ускорить события. Рядно он пока трогать не будет — спугнуть можно, а вот начальника штаба... Надо заставить Гринько заволноваться и хотя бы немного раскрыться. Вот тогда и видно будет: в спарке он с этим волком-сучарой или же и его самого «кинули» точно так же, как Ярова.

Да, только так. Но если в Сухачевске было все более-менее ясно — не зря там у него Максим с боевиками, то здесь придется повозиться самому. Та братва из команды Максима, которая осталась в Москве, годна была для охраны, ну а могла еще сгодиться для слежки или наружного наблюдения. А вот если что посерьезнее... В какой-то момент мелькнула было мыслишка вызвать на денек-другой Крымова, — все-таки вдвоем было бы сподручнее, да неплохо бы и проверить мужика в деле, но Яров тут же отбросил этот вариант. Зря, что ли, он заделывал Крымову летную книжку и другие необходимые документы, разрешающие ему взлет и посадку, зря, что ли, положено столько усилий, чтобы Антон восстановил навыки пилота-вертолетчика, — словом, сделано все, чтобы быть абсолютно готовым к часу «Х». (Мимоходом Яров подумал, что теперь уже и не знает, как скоро пробьет этот самый час, как заказчики ни требуют ускорить события...)

Шел третий час ночи, а Хамзат все еще тусовался в казино, просаживая баксы в рулетку и наслаждаясь прочими прелестями вполне цивилизованной жизни. Яров даже позавидовал ему в какой-то момент, представив залитый неоновым светом зал, длинноногих девочек в коротких юбчонках, готовых «обслужить» тебя в любую минуту, стойку бара с дорогими напитками, но тут же взял себя в руки, отгоняя это видение. Научившийся выслеживать свои жертвы, привыкший подолгу вести их, выжидая и выбирая тот единственный миг, когда можно без особого риска сделать решающий выстрел или взять кого-то живьем, Яров на собственной шкуре познал, что самое худшее во время такой охоты — это расслабиться и дать возможность заиграть чувствам. Зависть, злоба, любовь и угрызения совести, ненависть и прочая ахинея — это все на потом, а во время «работы» — только он, Андрей, и намеченный объект, который еще задолго до того, как нажат спусковой крючок, перестает для него существовать. Просто объект. Мишень. Манекен. А он робот. И это умение вовремя отключать свои чувства от реальной жизни частенько помогало Ярову, превращая его мозг и тело в единую систему, жестко направленную на достижение какой-то конкретной цели. Вот и сейчас он сидел в своей машине и, откинувшись на податливую кожаную спинку, терпеливо ждал, когда же «проснется» его мобильный телефон и басовитый голос наблюдателя, который сейчас крутится в том же казино, выдаст долгожданную информацию.

Однако телефон пока что молчал, и Яров уж в который раз за то время, что он торчал неподалеку от дома, где жил лагерный корефан Рядно по кличке Лис, потянулся за лежащим на сиденье термосом, свинтил пластиковую крышку-стаканчик и буквально выжал по каплям остатки крепко заваренного чая. Почти что чифиря. Потянул носом настоявшийся запах и отпил глоток. Терпкая горечь распаренного листа мгновенно прочистила уставшие мозги, заставила взбодриться и отогнала сонливость.

Собственно говоря, сейчас Яров думал об одном: правильно ли он выбрал объект для блокировки той сделки, которую задумал Рядно. Он уж и так и эдак прикидывал, на ком лучше остановиться, и в конце концов решил, что наиболее подходящий вариант — это все-таки Лис. Во-первых, именно к нему навострил свои лыжи этот старый уголовник, и уже тот вывел его на Салманова. А во-вторых... Во-вторых, еще не все было доказано в этой распасовке, и, здраво рассудив, Яров вполне мог допустить и такую возможность, что лагерный корефан Лис срочно потребовался Рядно по каким-то совершенно другим делам, а появление в их компании Салманова — чистая случайность.

Возможен такой вариант? Вполне. Хотя с большой натяжкой. И расставить точки над «и» в этой непростой задаче мог только сам Лис. А поэтому нечего больше и голову ломать.

Яров неторопливо допил чай, выплеснул оставшийся глоток в открытое окно, и в это время включился зуммер телефона.

— Андрей? — Боевикам из команды Максима он разрешил называть себя просто по имени, обходясь без отчества. — Андрей, чеченец закончил игру и вышел из казино. Сел в машину. Они только что выехали со стоянки и сейчас направляются в сторону проспекта Мира.

«Ну наконец-то!» — облегченно вздохнул Яров и моментально подобрался, окончательно сбросив с себя недавнюю сонливость.

— Кто еще в машине?

— Только он и его хачик. Водила.

— Ясно, — буркнул Яров и посмотрел на часы. Без десяти три. Время, как говорится, позднее, и вряд ли измотанный изменчивой фортуной Лис попрется куда-нибудь еще. Ему сейчас самое время домой ехать. Это, конечно, был идеальный для Ярова вариант, однако надо было и подстраховаться. — Значит, так, — приказал он звонившему. — Доведете машину до проспекта Мира и, когда убедитесь, что он уже никуда не свернет, еще раз прозвоните мне. После этого — отбой и можете быть свободны.

— Вас понял, — басовито ответила трубка, и Яров положил телефон подле себя.

Вновь посмотрел на часы. Если Хамзат действительно приказал своему холопу везти его домой, то здесь они будут минут через десять — пятнадцать. И это было хорошо. Даже очень хорошо. Яров включил зажигание, убрал ненужный теперь термос в бардачок и медленно въехал под арку дома, где жил Хамзат. Мысленно прикинул, где бы ему лучше припарковаться, и остановился неподалеку от нужного подъезда. Все так же не торопясь, выключил зажигание, убрал ключи в карман, достал из-под ветровки пистолет, качнул его на ладони, вновь полез в бардачок, вытащил оттуда глушитель и начал накручивать его на ствол...

Телефон забренчал так неожиданно громко, что Яров даже чертыхнулся, хватая трубку.

— Ну? — выдохнул он отрывисто.

— Все в порядке, шеф, — ответил тот же, что и прежде, голос. — Хачик свернул на проспект Мира и скоро будет дома.

— Хорошо. Всем отбой, — распорядился Яров и, сунув пистолет с навернутым глушителем за пояс, открыл дверцу, дожидаясь, когда же засветятся под аркой фары «опеля».

Теперь он был совершенно спокоен. Убаюканная теплой летней ночью, отдыхала набегавшаяся за день Москва, спал и этот огромный кирпичный дом, погруженный в предутреннюю, уже не темную, но еще и не серую рассветную мглу.

Ждать пришлось недолго. Сначала послышался приглушенный шум мотора, затем далеко бьющий луч фар, и Яров выбрался из машины. Когда его осветил выруливший из-под арки «опель», он пьяно качнулся, потом изо всех сил хлопнул дверцей и так же пьяно шагнул к освещенному тусклой лампочкой подъезду, в который через минуту-другую должен был войти Хамзат со своим телохранителем. Впрочем, если у парня счастливая звезда, то Лис отпустит его сразу же, как только выберется из своего «опеля».

Покосившись на парковавшуюся иномарку, Яров вздохнул обреченно: видимо, все же не суждено этому молоденькому хачику жить долгой земной жизнью. Не выпуская машину из поля зрения, он начал пьяно тыкать пальцем в кнопку домофона. Потом уперся лбом в массивную металлическую дверь и забубнил что-то нечленораздельное, из чего можно было все-таки разобрать, что, мол, заперлась, сука, и домой не пускает.

Наконец водила припарковал «опель», хлопнули обе дверцы, и Яров спиной почувствовал, что Хамзат со своим охранником двинулись в его сторону. Остановившись в двух шагах от него, они о чем-то заговорили по-своему, потом оба засмеялись, и Хамзат, видимо на правах старшего, спросил:

— Ну что, так и ночевать здесь ляжешь?

Голос у него был грубый и чуточку гортанный. Словно клекот какой-то огромной птицы.

Яров обернулся и пьяно уставился сначала на ухмыляющегося охранника, потом на Лиса. Спросил, едва раздвигая губы, но, видимо для верности, уперевшись спиной в дверь:

— А-а ты еще хто?

— Ладно уж, хрен с тобой, — видимо смилостивившись над загулявшим мужиком, проговорил Хамзат и быстро набрал свой код. Потянул на себя скрипнувшую дверь и обернулся к своему холопу: — Езжай! Теперь я и сам доберусь.

— Не! — так же гортанно откликнулся хачик и крутанул головой. — Сначала доведу. — И он, теперь уже подозрительно, покосился на Ярова.

«Ну и мудак!» — невольно подумал Яров и, все так же изображая пьяного, боком протиснулся в дверь. За ним вошли Хамзат с охранником, и все трое почти одновременно подошли к лифту. Видимо успевший немного протрезветь, а может быть, и выспаться, пока его везли в машине, Хамзат нажал кнопку лифта и, пока открывались створки кабины, спросил, засветившись в улыбке целым рядом золотых зубов:

— Где это ты нажрался? Этаж какой?

— С...с-седьмой. — Седьмой — это было на два этажа выше квартиры Хамзата. Яров понадеялся, что чеченец может и не знать, кто там живет. Впрочем, если бы даже и знал, можно было бы придумать еще что-нибудь.

Однако Хамзат, видимо, вполне удовлетворился этим ответом, и выжидавший до сих пор охранник ткнул пальцем в цифру «пять».

Пока кабина лифта поднималась на нужный этаж, молодой хачик еще раз ощупал глазами подпирающего стенку Ярова и, пропустив своего хозяина к двери, встал позади него.

«Молодец! — мысленно похвалил его Яров. — Поди, школу охранников закончил».

Он расслабил кисти рук и в тот момент, когда створки лифта раздвинулись и Хамзат шагнул на лестничную площадку своего этажа, обрушил рукоять пистолета на голову парня. Тот издал какой-то утробный звук и стал медленно оседать на пол. Хамзат резко обернулся, но в эту же секунду Яров достал его прямым в челюсть, и тот, буквально перелетев лестничную площадку, врезался затылком в стену и сполз на пол.

Снова сунув пистолет за пояс, Яров вышел из лифта, достал наручники, сцепил вместе запястья Лиса и охранника. Быстро обшарив карманы чеченца, он вытащил из его кармана большую связку ключей и распахнул двери квартиры. Сигнализации он не боялся, зная по многолетнему опыту, что люди, подобные Хамзату, обычно надеются на собственные силы.

В отличие от Рядно, который, привыкнув к аскетизму лагерных бараков, так и не сумел адаптироваться в новой для него жизни, Хамзат жил на широкую ногу. Видимо, фильмов американских насмотрелся или хотел походить на итальянских мафиози, но дорогостоящие ковры ручной работы у него начинались прямо от порога просторной прихожей, которая плавно переходила в огромный, просторный холл, завешанный картинами, а уже из холла в комнаты вели три застекленные двери. За одной из них просматривалась шикарная, цвета слоновой кости спальня, с огромной, не иначе как арабской кроватью, за двумя другими — все те же ковры ручной работы, сверхсовременные стенки, удобные мягкие кресла, в каждой — по журнальному столику, в каждой — по телевизору, и прочая мутота, которая предназначена для скрашивания угрюмых будней.

Что и говорить, умел жить этот чеченец. Видимо, понимал, что пока он на воле, то надо и женщин поиметь красивых, и шампанского попить из хрустальных бокалов. Главное — успеть. Ведь случись что — и опять серые камерные стены, жесткая шконка, едва прикрытая не менее грязным, рваным одеялом, затем этап, колючая проволока, лай остервенелых собак и отрядные бараки, на стенах которых вместо картин с пышными красавицами висят осточертевшие плакаты, призывающие к честному труду и новой жизни.

Перетащив Лиса с охранником из прихожей в холл и по достоинству оценив явно не зековские претензии чеченца на красивую жизнь, Яров бросил обоих на толстенный ковер, по красному полю которого шли разноцветные круги, а сам рухнул в глубокое кресло. И, положив пистолет на колени, принялся терпеливо ждать, когда же наконец очухается Хамзат. Охранник его практически не интересовал.

Прошла минута, а может быть, и три или пять. Понятие «время» словно исчезло для Ярова в этой вязкой предутренней тишине, и он, давно научившийся выжидать, ловил момент, когда раздастся первый натужный стон и на ковре зашевелится распластанный Лис. А там уж... Ярову было не впервой допрашивать людей, он был обучен этому искусству еще в спецшколе да и практику затем поимел такую, что знаменитым спецам из какой-нибудь колчаковской контрразведки подобное даже не снилось, а посему и оставался совершенно спокоен, прекрасно зная, что отсюда он уйдет только после того, как узнает все, ради чего и затеял этот балаган с загулявшим пьянчужкой.

Наконец-то зашевелился Хамзат. Промычав что-то нечленораздельное, он чуть приподнял голову от ковра, бессмысленным взглядом уставился сначала на своего охранника, из рассеченной головы которого сочилась кровь, заливая дорогой ковер, перевел взгляд на сидящего в *его* кресле мужика, который даже код не мог вспомнить и который ехал вместе с ними в кабине лифта. Он еще не понимал, что к чему, но уже, видимо, почувствовал ту для себя опасность, которая объявилась в *его* доме вместе с сидящим теперь в кресле человеком, на коленях которого покоился пистолет с накрученным глушителем.

Яров ждал, наблюдая за Хамзатом, словно кошка за мышью.

В голове чеченца, видимо, что-то стало проясняться, и он уже более осмысленно посмотрел на Ярова — наверное, пытался понять, почему это вдруг он, Лис, лежит на полу, а этот алкоголик сидит в его кресле. Он попробовал было подняться, уперся одной рукой в ковер, потянул на себя другую — и вдруг замычал, скрежетнув зубами. Наручники! Он только сейчас понял, что прикован наручниками к своему собственному охраннику и что тот тяжело ранен, если, конечно, не убит.

Матерно выругавшись и не спуская налитых кровью глаз со спокойно сидящего незнакомца, Лис все-таки сумел сначала встать на колени, а потом и сесть на ковре, привалившись к совершенно безжизненному парню. Свободной рукой провел по лицу, словно хотел удостовериться, что на нем нет крови, и только после этого спросил гортанно:

— Мент?

Продолжая все так же спокойно и даже безразлично рассматривать чеченца и думая о том, как долго он может продержаться в допросе, Яров молча пожал плечами и отрицательно покачал головой.

Лис пробормотал что-то по-своему и злобно хрюкнул:

— Беспредельник?[1]

И опять Яров отрицательно качнул головой, проговорив негромко:

— Не гадай! Все равно не угадаешь.

Хамзат сощурился, в глазах его наконец появилось осмысленное выражение. Похоже, начал догадываться, что этот незваный гость, настолько искусно сработавший под загулявшего алкаша, никакого отношения не имеет ни к МУРу, ни к спецназу, ни к ФСБ, а это значит...

И вновь он скрежетнул зубами, метнув на Ярова яростный взгляд:

— Да я ж тебя, пидормота!..

Яров усмехнулся. Ожил чернявый гость столицы. А это значит, что сейчас можно будет по душам поговорить...

---

[1] Беспредельник — сотрудник ФСБ, уголовного розыска.

— Закройся, — как-то слишком уж спокойно произнес он и, взяв в руку пистолет, качнул его на ладони. Потом так же спокойно добавил: — Говорить будешь тогда, когда я буду тебя спрашивать. А пока что советую...

— Срать я хотел на твои советы! — скаля зубы, процедил Хамзат, забыв о наручниках, он в какую-то секунду попытался было рвануться к незнакомцу и тут же со стоном завалился на задницу, не в силах даже с места сдвинуть безжизненное тело своего охранника. Потом затих на какое-то время, видимо уже всерьез осмысливая свое положение, и наконец поднял на Ярова глаза. Произнес совсем без нервов: — Ты хоть знаешь, в чей дом завалился?

Яров ухмыльнулся:

— Знаю. Кстати, тебе привет от Рядно. — И, увидев, какое впечатление произвела эта негромко произнесенная кличка, добавил: — Передай, говорит, привет Лису. Все-таки баланду из одной плошки хлебали...

Это был хорошо рассчитанный удар, и Яров с удовлетворением увидел, как меняется лицо Хамзата.

— Рядно?..

— Да, Рядно, — подтвердил Яров, сбрасывая ухмылку. — Ладно, кончай базар и переходим к делу! Кто ты — я знаю, а кто я — этого тебе знать не положено. Теперь дальше. Я не штопорило и шерсть с тебя сдирать пока что не собираюсь. Если сговоримся и будешь отвечать на вопросы, останешься живой. Если нет...

И он повел удлиненным глушителем пистолета, весьма доходчиво давая понять тем самым, что пустые разговоры закончены и времени на дальнейшую болтовню у него нет.

Хамзат молчал, угрюмо уставившись на непонятного гостя. Говорит, что не грабитель и шкуру с него сдирать, то есть грабить, не собирается. И в то же время по фене ботает так, будто два срока отмотал на зоне. Все это было непонятно, а потому и оставляло надежду на жизнь.

— Стало быть, ты Рядно знаешь? — для затравки спросил Яров.

Чуть подумав, Лис молча кивнул.

— Когда видел в последний раз?

Хамзат задумался и метнул на незнакомца настороженный взгляд. К чему бы этот вопрос? Еще подумал и ответил на всякий случай:

— Давно. На зоне.

Яров тяжело вздохнул.

— Давно, говоришь? Ах, Лис ты мой, Лис! Мы же с тобой договаривались — правду, и только правду! Как у прокурора. А ты мне талдычишь: «на зоне». — И вдруг рявкнул, вскинув пистолет: — Ну?!

Видимо, до Лиса всерьез дошло, что шутки с этим страшным визитером плохи и что пора спасать свою собственную жизнь. Он вновь пробормотал что-то по-своему и, не спуская глаз с пистолета, признался с гортанным клекотом:

— Недавно видел. Два дня назад.

— Где?

— В Москву приезжал, ко мне.

— Зачем?

И вновь воцарилась гробовая тишина. Молчал Лис, в душе проклиная этого козла Рядно, завалившегося к нему со своим предложением, от которого сразу же повеяло смертью, молчал и Яров, понимая, что Хамзату надо собраться с мыслями.

— Ну? — хмуро напомнил о себе Яров.

Хамзат дернулся, будто его ударили, и неуверенно проговорил:

— Дело предлагал.

— Что за дело?

Опять долгое молчание.

— Ну?

— Должника одного замочить. Здесь, в Москве.

— Ясно, — хмыкнул Яров и снова вскинул ствол. — А ведь я же тебя предупреждал...

Смуглое лицо Хамзата побледнело, будто стало обескровленным, и он, завороженно уставившись на черную дырку глушителя, прошептал едва слышно:

— Чего... чего ты хочешь?

— Одного. Чтобы ты колонулся.

— Об этом пидоре?

— Естественно. Если ты имеешь в виду Рядно. Тем более что он подставил не только тебя, но и Салманова.

При упоминании о Салманове лицо Хамзата вновь стало наливаться кровью, наконец он выдохнул злобно:

— Ты и это...

— Да, знаю.

— Ох же с-сучара! Пидор утрамбованный! — совсем уж по-лагерному застонал Хамзат, хватаясь свободной рукой за голову, и Яров вдруг почувствовал себя словно в каком-то вневременном пространстве, ему вдруг показалось, что эта богатая квартира словно бы не имеет ничего общего ни с человеком, тупо раскачивающимся на полу, ни с пистолетом, ни с наручниками, ни с чуть шевельнувшимся парнем, который, видимо, тоже начал приходить в себя... — Ох же пидор, — все с тем же клекотом продолжал не то стонать, не то рычать Хамзат. И вдруг словно встрепенулся и уставился на незнакомца: — Ты что... насчет подставки? Серьезно?

Яров молча пожал плечами. Мол, думай как хочешь. А я тебе уже все сказал.

— И что — скажу... и ты... Ты тогда уйдешь? — через силу выдавил из себя чеченец.

Яров все так же молча кивнул.

— Хорошо, — согласился Хамзат, но тут же встрепенулся вновь: — А что с Салмановым? Они же договорились!

— О взрывных устройствах? — моментально спросил Яров.

Хамзат открыл было рот, но мог бы ничего уже не говорить. По тому как забегали его глаза, стало ясно, что Рядно приезжал в Москву именно за этим, и он, Яров, был совершенно прав в своих подозрениях.

— Ну?! — требовательно надавил он.

— Да, — односложно ответил Лис.

— И цену обговорили?

— Пока что нет. Договорились сначала их посмотреть.

— Когда и где?

— Еще не знаю. Рядно сказал, что обдумает место и назначит время.

— Хорошо. Через кого связь у Рядно с Салмановым? Или напрямую?

— Нет. Договорились через меня.

— А почему не напрямую?

Разговорившийся Хамзат вновь покосился на ствол пистолета с глушителем. Теперь ему отступать было некуда и надо было спасать свою жизнь.

— Салманов — человек умный, осторожный и хитрый. А такое предложение... В общем, засомневался немного.

— Ну и правильно сделал, — усмехнулся Яров и вдруг почувствовал, как его начинает медленно отпускать все то страшенное напряжение, в котором он был последние двое суток. Он даже на мгновение пожалел, что через минуту-другую этот уголовник с богатым прошлым теперь уже навсегда покинет грешную землю и «паровозиком» потянет за собой и своего водилу-охранника.

Яров чуть повел дулом пистолета, и за ним, словно нитка за иголкой, двинулись широко раскрытые глаза Хамзата.

— Он будет звонить или сам приедет?

— Кто? — почти беззвучно шевельнул обескровленными губами Хамзат.

— Не валяй дурочку! Рядно.

— Звонить.

— Когда?

— Сказал, что как только с этими бомбами определится.

— Это как — «определится»? — не понял Яров.

Лис пожал плечами, и Яров поверил ему на этот раз. «Определится» — это, наверно, означает переправить «чемоданчики» в более надежное место, усилить их охрану и сделать все возможное, чтобы обезопасить эту нешуточную сделку.

«Ах, Рядно! Ну и перевертыш! Ай да кумовской

работник. Все правильно рассчитал, гаденыш! Да малость подзабыл только, с кем дело имеет».

— Что он предлагал еще? — спросил Яров.

— Только это, — моментально ответил Лис, видимо почувствовав, что именно в эту минуту решается его судьба.

— Хорошо, — кивнул Яров. — Значит, он должен звонить тебе через несколько дней? Как определится?

— Да, — вскинул голову Хамзат, и в эту секунду Яров нажал на спусковой крючок.

Сухо щелкнул негромкий хлопок, и Хамзат начал медленно заваливаться на бок, словно прикрывая собой еще живого охранника. Брызнувшая горлом кровь моментально залила ковер — Яров даже ноги приподнял, чтобы не запачкаться. Затем встал с кресла, равнодушно, словно это были не люди, а набитые ватой манекены, произвел еще два выстрела — один в охранника, другой, контрольный, в Хамзата. Затем, тщательно протерев те места, где он мог оставить отпечатки пальцев, Яров потушил свет и захлопнул дверь квартиры.

Спустился к своей машине, включил зажигание. Теперь, когда он уже точно знал, кто конкретно решил «кинуть» его с адскими машинками, надо было спокойно обдумать создавшееся положение и попытаться найти оптимальный выход.

Панков пробежал глазами оперативную сводку происшествий по Москве и области и вдруг словно споткнулся, увидев фамилию Яндиева. Внимatельно перечитал это место еще раз — нет, никакой ошибки не было.

Хамзат Яндиев. Кличка — Лис. Найден убитым в своей собственной квартире. Два выстрела, один из которых, очевидно, контрольный. Там же, в квартире, обнаружен труп его водителя, который одновременно служил и охранником. Тот самый Лис, к которому приезжал провинциальный российский авторитет по кличке Рядно и за которым вел слежку Яров, включив впоследствии в круг своего внимания и Лиса с Салмановым. Неужели его оппоненты опять станут утверждать, что это случайное совпадение?.. Если это совпадение — то точно такое же, как в Минске...

Панков достал телефонную книжку, набрал номер МУРа. Задал вопрос о ночном убийстве. Выслушал обстоятельный ответ и, поблагодарив, опустил трубку на рычажки. Задумался. Оказывается, оба чеченца скованы наручниками. Видимо, подловили где-то, узнали у них что-то или попытались узнать, а потом уже... Так что же это — очередная мафиозная разборка или все-таки Яров? И если Яров, то что именно он пытался выведать у матерого рецидивиста чеченской национальности?

V

«Всевышний, помоги и спаси!»

Единая молитва, единая просьба у всех племен и народов, независимо от того, как зовут этого бога...

Готовый денно и нощно стоять на коленях, лишь бы замолить свои грехи и скрыть содеянное от суда людского, Иван Мартынович Гринько метался, словно загнанный зверь, не зная, как ему теперь быть. И если раньше ему хоть водка безотказно помогала забыться, то теперь и это средство перестало действовать. Забываясь тяжелым, пьяным сном с вечера, он просыпался среди ночи, тянулся рукой под кровать, где у него всегда стояла наготове дежурная поллитровка, и пил прямо из горлышка, пока на какое-то время не наступало облегчение. Тогда он вновь забывался коротким больным сном, а утром надо было во что бы то ни стало подниматься, наводить лоск на похмельную, опухшую морду, старательно чистить зубы, чтобы не так несло перегаром, и ехать на службу. И так каждый день, и этому, казалось, не будет уже конца...

Презирающая Ивана Мартыновича жена попробовала было бороться с этим тихим пьянством, даже как-то наорала на него, но он послал ее так далеко, что она, обидевшись насмерть, навсегда перебралась из спальни в большую комнату. Впрочем, он даже был рад этому, по крайней мере, не надо было объясняться перед этой алчной, вконец обленившейся дурой, которую, казалось, уже ничто, кроме денег, не интересовало.

Да и что толку с ней объясняться...

Как объяснить расплывшейся дуре, что неизвестно где отлеживаются взрывные устройства с ядерной начинкой, которые могут взорваться и полыхнуть страшным «грибом» в любую секунду хоть в Москве, хоть в Краснодаре, хоть в каком-нибудь Тель-Авиве? Как объяснить ей, что именно на его совести, на совести начальника штаба ракетно-артиллерийского арсенала, *три трупа* его сослуживцев? А вдобавок ко всему его еще и «кинули», как сопливого пацана, и еще неизвестно, чем вся эта история кончится...

А кончиться она могла более чем хреново, и, кажется, совсем скоро. Вчера вечером, когда он возвращался домой, Иван Мартынович вдруг почувствовал, что за ним следят. Именно почувствовал, а не заметил. Видимо, он уже ждал этого, был готов к такому повороту событий, да и нервишки были напряжены до предела. Впрочем, в таком-то его состоянии, когда каждый воробей кажется вороной, слежка ему могла и померещиться. Он повернулся назад, пытаясь вычислить машину, которая висела у него на хвосте, однако ничего путного из этого не вышло, и подполковник, вновь откинувшись на потертую спинку заднего сиденья, постарался было переключить свои мысли на что-нибудь более приятное. Увы, из этого тоже ничего толкового не получилось — его так и тянуло вновь и вновь смотреть в стекло заднего обзора в попытках понять, что же заставило его так волноваться.

Позади его служебной «Волги» тянулись два «жигуленка» и «Москвич». За рулем «Москвича» сидела какая-то женщина, а вот в «Жигулях»... Тот, что был ближе к нему, вел довольно молодой мужик, а тот, что подальше...

И тут вдруг Гринько понял, почему у него разгулялись нервы. Эти самые «Жигули», на переднем сиденье которых видны были два парня в ярких кепочках с длинными козырьками, уже попадались ему на глаза сегодня утром, когда он ехал на службу. Они пристроились за его «Волгой» где-то на полпути к арсеналу и вели его почти до контрольно-пропускного пункта. Но если утром он просто скользнул по ним глазами, даже не подумав о возможной слежке, то сейчас...

То, что преследование этого «жигуленка» не могло быть простой случайностью — в этом Иван Мартынович не усомнился ни на секунду. И все-таки, видимо надеясь на чудо, он приказал сержанту-водителю остановиться около магазина «Универсам» и с робкой надеждой, готовый уступить место страху, посмотрел в заднее стекло.

Однако чуда не случилось. Едва армейская «Волга» встала, в хвост ей припарковались и «Жигули» с двумя парнями. Гринько бросило в пот. Однако он все же нашел в себе силы выбраться из машины. Он на всякий случай немного потолкался по «Универсаму», отоварился двумя бутылками водки, сунул их в свой кейс и вышел на улицу. Сердце билось, как у кролика; стараясь не выдать все возрастающего волнения, он направился к своей «Волге». Уже открывая дверцу, воровато покосился на «Жигули» и быстро нырнул в салон. Однако, когда «Волга» тронулась с места, проклятые «Жигули» снова последовали за ней, пропустив впереди себя две машины.

Иван Мартынович закрыл глаза и, будучи уже не в силах совладать со своим страхом, попросил у водителя походный пластмассовый стаканчик и, когда тот нашел его, прижавшись к обочине, мгновенно скрутил бутылке головку, набулькал и дрожащей рукой поднес стакан ко рту.

Итак, за ним следили! Но кто и почему?

Почему? Господи, да можно ли придумать более дурацкий вопрос, невольно подумал Гринько. Почему? Да потому! Гораздо непонятней было бы, если бы за ним не следили. Тем более что сейчас на арсеналах и спецскладах начались какие-то страшные инспекционные проверки. А может, уже и стукнул кто-то насчет заказных «чемоданчиков»? Или засветились где-нибудь *его* «чемоданчики»? И теперь особисты прощупывают возможные места хищения?

«Господи! — снова воззвал про себя Иван Мартынович. — Спаси и помоги!»

После всех этих мыслей, от которых нельзя было больше ни о чем думать, стало трудно дышать, и Гринько безвольной рукой стащил с себя галстук и расстегнул две верхние пуговицы форменной рубашки. То ли действительно дышать стало легче, то ли стакан водяры сделал свое дело, но его и впрямь немного отпустило, настолько, что он даже решил попытаться осмыслить создавшееся положение более спокойно.

На светофоре вновь обернулся назад и угрюмо усмехнулся. Ситуация практически оставалась прежней, с той только разницей, что «Жигули», видимо в целях конспирации, пропустили вперед себя еще один «Москвич» и теперь стали как бы незаметными в цепочке застывших перед светофором машин.

«Суки!» — мысленно выругался Иван Мартынович и закрыл глаза, стараясь привести мысли в порядок. Однако в голове хоть и просветлело немного, но окончательной ясности еще не было, и Гринько решил пока что не мучить себя, тем более при водителе, который, почувствовав что-то неладное, то и дело мельком посматривал в зеркальце на расхристанного подполковника.

Почему-то подумав о сержанте, который, наверно, хоть и знал, что начальник штаба арсенала попивает втихую, но никогда до того не видел его в столь неприглядном виде, Иван Мартынович вдруг засуетился, начал было застегивать пуговицы на форменной рубашке, однако тут же озлился, поймав себя на мысли, что мельтешит перед каким-то деревенским парнем, и, уже окончательно расстроившись, взмокшей от липкой испарины спиной привалился к потертой спинке сиденья и закрыл глаза.

То, что за ним следили, — это факт. Но думать сейчас об этом совершенно не хотелось. Впрочем, одна паскудно-спасительная и в то же время настораживающая мыслишка пронзила его сознание.

«Если только следят, но еще не решились на арест — значит, пока не уверены в его сговоре с преступниками. Это уже хорошо. Да и какие, собственно говоря, к нему могут быть предъявлены обвинения в хищении взрывных устройств, если на его складах еще не было *никакой* инспекционной проверки! И если вся эта слежка только из-за того, что где-то засветились «чемоданчики» или, возможно, кто-то капнул на него как на соучастника хищения...»

От этих «если» голова вновь пошла кругом, и Гринько глубоко вздохнул, потеряв нить так подбодривших его рассуждений.

Итак, за ним следят. Хорошо. То есть плохо, конечно, но с чего, собственно, он решил, что это связано именно с хищением взрывных устройств? Только потому, что эта кража со склада была последней в длиннющей цепочке других хищений? Или все-таки потому, что исчезнувшие «чемоданчики» были строго засекреченными взрывными устройствами страшенной силы? Или потому, что именно из-за них лишились жизней трое его сослуживцев-подельников, и эти три смерти прямо лежат на его совести, на совести начальника штаба ракетно-артиллерийского арсенала подполковника Гринько? Да... крыть нечем — эти смерти не дают ему покоя точно так же, как и уплывшие из рук доллары, которые, по словам того нахрапистого московского покупателя, должны были обеспечить ему и его семье всю дальнейшую жизнь...

При воспоминании о баснословных деньгах, которые так и остались для него призрачным миражем, Иван Мартынович тяжело вздохнул. И вдруг почувствовал, как острой болью пронзило сердце!

«Господи, этого еще не хватало!» — с тревогой подумал Иван Мартынович и влажной от пота рукой потер грудную клетку. Впервые его кольнуло еще в прошлом году, тогда врач-кардиолог сказал ему, что, мол, неплохо бы, товарищ подполковник, сердечко свое и поберечь — все-таки возраст. Да и сама жизнь порой преподносит такие сюрпризы, что... После того разговора его кольнуло еще раз, однако сразу же и отпустило. И вот теперь...

— Проклятье! — беззвучно прошептал Гринько, стараясь расслабиться на широком сиденье «Волги».

Теперь он старался совсем не думать о проклятых «чемоданчиках», которые болтались сейчас неизвестно где; он даже попытался было переключиться на что-нибудь более приятное, но из этого так ничего путного и не получилось. Мало того, он вновь совершенно невольно обернулся назад.

Ненавистные «Жигули», будто привязанные на

длинной цепочке, все так же неотступно следовали за его «Волгой».

И тут его снова осенило. Да случись, что эти проклятые взрывные устройства действительно засветились где-нибудь — тут бы давно уже столько инспекционных проверок и комиссий понаехало, так бы стали трясти арсенал и его начальника штаба, что...

И довольный Иван Мартынович почувствовал, как начинает светлеть в мозгах, как проходит зудящее ощущение паскудного, мешающего жить и думать страха.

Итак, дело не в «чемоданчиках»! Тогда в чем же? В драгметаллах, которые он довольно выгодно толканул через этого козла Рядно и которые теперь, не дай бог, всплыли где-нибудь, высветив не только этого уголовника, но и его, начальника штаба арсенала? Возможно такое? Вполне! Если это так — тогда, конечно, военная прокуратура или ФСБ будут следить за ним, выявляя его связи с уголовным миром Сухачевска...

А мог кто-то донести о строительстве его коттеджа в Подмосковье, и теперь заинтересованные органы пытаются выявить его криминальные связи и возможные каналы столь сказочного обогащения. Вся армия даже не живет, а существует на последние крохи, а подполковник Гринько дворцы себе строит!

М-да, эту возможность тоже нельзя было сбрасывать со счетов. Тем более что трехэтажный кирпичный коттедж — это ведь не бриллианты или золотишко, которые до поры до времени можно спрятать в коробочку. Здесь ты — как блоха на лысине. Всяк видит, и всяк убить хочет.

Конечно, неприятно, если дело именно в этом. Хотя, если трезво разобраться, ну что уж такое страшное ему может грозить? Вот хищение взрывных устройств с ядерной начинкой — это да, за это могут осудить на всю катушку, запрятав его лет на десять, а то и на все пятнадцать в лагерь особого режима. А за такую-то мелочь, как те же драгметаллы или строительство трехэтажного коттеджа... Ну, отделается, скорее всего, легким испугом — и порядок. Взысканием. Досрочным увольнением в крайнем случае... А большего за это быть не может. Мало ли генералов, даже из тех, которых он лично знал, понастроили себе такие коттеджи в том же Подмосковье, какие ему и присниться никогда не смогут. А уж раз у генералов рыло в пуху — и его строительство раскручивать никто никому не позволит. Так что в этом отношении можно жить более-менее спокойно, даже если кто-то из завидующих сослуживцев и накатил на него бочку. Правда, чуть подумав, Иван Мартынович решил, что и здесь могут быть подводные камни. Причем очень даже серьезные. Такие, что, ковырни их...

Если он и впрямь засветился где-то, скажем, с тем же коттеджем или с проданными через Рядно драгметаллами, то вскоре обязательно последуют инспекционные проверки, и вот это, конечно, было для него очень и очень нежелательным. Начнется учет и переучет, а там, глядишь, коснется дело неизвестно куда исчезнувших изделий МЧС-518... О дальнейшем и думать не хотелось.

И все-таки думать надо было. И что-то делать, чтобы окончательно не загреметь под фанфары.

Когда подъезжали к пятиэтажной хрущевке, принадлежавшей ракетно-артиллерийскому арсеналу, Иван Мартынович напоследок посмотрел в стекло заднего вида и невольно вздохнул с облегчением — «Жигули» куда-то исчезли, да и вообще вся улица была пустой. Однако он тут же осадил себя. Чего, собственно, радоваться и надеяться, что проклятые «Жигули» — всего лишь совпадение и у него просто вконец разболтались нервы. Эти ребята-топтуны небось давно уже знают, где и с кем живет начальник штаба ракетно-артиллерийского арсенала, вот им и не надо было вести его до самых дверей квартиры. И действительно, зачем, когда есть возможность прослушивать все его телефонные разговоры да и «жучками» электронными можно нашпиговать квартиру так, что каждый его вздох и кашель будет слышен где надо и записан на магнитофонную ленту.

Об этом Гринько подумал впервые и даже содрогнулся при одной только мысли, что кто-то уже прослушивает его квартиру. Напряг память, чтобы припомнить, не сболтнул ли чего-нибудь лишнего жене, когда собачился с ней из-за очередной бутылки водки, но так ничего и не вспомнил.

Надо было что-то делать! Причем срочно. Но что? Не рапорт же с чистосердечным признанием подавать! Но и подвергать себя риску быть арестованным он тоже не хотел. В конце концов, не один же он и драгметаллы воровал, и взрывные устройства с территории арсенала вывозил, верно? Целая команда работала. Правда, трое из этой команды уже на том свете, однако если подумать здраво, то это даже хорошо. Чем меньше останется людей, которые замешаны в хищении проклятых «чемоданчиков», тем лучше. А с теми, кто остался, всегда договориться можно.

«Да, конечно, только так», — принял окончательное решение Гринько, и, когда сержант-водитель встал около его подъезда, он тронул парня за плечо, спросил уже совершенно бодрым голосом:

— Знаешь, где прапорщик Шибанов живет?

Сержант подумал немного, утвердительно кивнул:

— Так точно, товарищ подполковник.

— Тогда разворачивайся и дуй к нему!

Смышленый сержант повел плечами, что, видимо, означало: «Понятно, товарищ подполковник! Оно конечно, и в одиночку водяру хлестать можно, но вдвоем все-таки веселее», — и выжал газ.

Когда подъезжали к перекрестку, Иван Мартынович вновь обернулся, уставился в заднее стекло, однако «Жигулей» видно не было. И он усмехнулся злорадно, подумав, что на каждую хитрую задницу есть и... Выпив, он старался ругаться матом как можно меньше, а потому опустил концовку этой народной мудрости, произнесенной даже мысленно.

...Ближе к ночи, когда уж и солнце давно опустилось над городом, Иван Мартынович Гринько второй раз за этот вечер подъезжал к своему дому. Теперь он был более спокоен и собран. И хотя выпито было немало, чувствовал он себя довольно бодро да и мыслишки в умиротворенных водочкой мозгах не метались больше испуганными птахами.

Решение принято, и это было главным для

Гринько. Правда, ни он, ни Шибанов еще не знали, на каком варианте остановятся, но это, как говорится, уже дело десятое. Способов сокрытия следов на арсенале было великое множество, надо было только выбрать самый лучший. То есть максимально надежный и безопасный.

VI

Начальник службы безопасности туристического агентства «Андрей и К°» мог быть доволен своей работой. За те несколько дней, что его команда находилась в Сухачевске, он не только довольно плотно сел на хвост Тимофея Капралова, нашпиговав его деревянную резиденцию электронными «жучками» и установив за ним постоянное наружное наблюдение, но и смог довольно грамотно и оперативно выполнить последнее задание Ярова — засветиться перед подполковником Гринько. Причем засветиться так, чтобы у него даже не возникло сомнений в том, что за ним следят ребята в штатском. С чисто технической стороны задание было в общем-то несложным, но с психологической... Эту засветку надо было провести так тонко и аккуратно, чтобы затаившийся в своей берлоге подполковник начал волноваться, метаться в поисках выхода и даже предпринимать какие-то ходы. Максиму надо было выяснить, замешан ли Гринько в пропаже людей Ярова, которые были посланы в Сухачевск за взрывными устройствами, и если не замешан — оставить его в покое.

Вывод, к которому пришел Максим, был однозначен: хотя у подполковника действительно рыло в пуху и он находится в постоянном нервном напряжении, опасаясь разоблачения, к убийству посланных в Сухачевск ребят и пропаже взрывных устройств он никакого отношения не имеет. Во всяком случае, если бы подполковник был в сговоре с Рядно, то, заметив слежку, он обязательно позвонил бы ему или даже встретился, чтобы обговорить ситуацию, однако он не сделал ни того, ни другого, а тут же помчался к своему сослуживцу, по всей видимости тоже замешанному в хищении со складов арсенала, и они, скорее всего, на пару обдумывали создавшуюся ситуацию, чтобы замести следы и уйти от ответственности.

Итак, надо было полностью переключаться на Рядно.

Максим вполне мог бы оставаться довольным выполненным заданием, если бы не одно «но». Он до сих пор не мог найти концы исчезнувшего вместе с его пацанами джипа, хотя и был уверен, что машина где-то в городе и, возможно, ее уже перекрашивают в другой цвет, перебивая номера и оформляя на нее поддельные документы. Прекрасно зная психологию старых уголовников, Максим был убежден, что не мог, ну никак не мог воровской авторитет Рядно освободиться от этой улики, вот так, ни за понюх табаку сбросив дорогостоящую красавицу иномарку в какую-нибудь местную речку вместе с трупами посланных Яровым ребят. Не мог он этого сделать! Во-первых, такой джип стоил огромных денег и был пределом мечтаний любого уголовника, который, кроме «воронка» для перевозки заключенных, и машин-то никаких не знал. А во-вторых, что было, пожалуй, не менее важно,

10-2

Рядно, ощущая себя на своей территории полновластным хозяином, давно поверил в полную безнаказанность. И это, пожалуй, было самой большой его ошибкой.

Раздумывая над этим, Максим подкатил к автосервисной мастерской, куда поставил на профилактический ремонт свою «девятку», и, вытащив из гнезда ключ зажигания, откинулся на спинку обшарпанного, лоснящегося от старости и въевшейся грязи сиденья. Четыреста седьмой «москвичок», на котором он сейчас мотался по городу, был местный, и взял он его напрокат в этой же самой мастерской — договорился, чтоб дали на время, пока сухачевские умельцы будут возиться с его тачкой. Эта рокировка была искусственной, вынужденной и, кроме лишней траты денег, ничего ему не давала, но Максим вынужден был пойти на нее, чтобы не засветиться, случаем, перед Рядно своими московскими номерами. На этой же рухляди, которую ему временно дали вместо его «Жигулей», номер был областной, и Максим мог совершенно свободно разъезжать на ней по Первомайской улице и ставить у дома Зинаиды, нисколько не опасаясь, что этот драндулет привлечет чье-либо пристальное внимание. Мало ли у незамужней продавщицы мужиков бывало! А теперь, вишь, и богатенький появился, с машиной.

Вспомнив аппетитную, нежную, как пух, и сдобную, как свежеиспеченная булочка, белокожую Зинаиду, Максим даже глаза сощурил от удовольствия. Податливая, исходящая бабьим соком и нежностью, Зина страстно хотела мужика, и Максим даже не понял, кто кого завалил в постель в первый же вечер их знакомства. Это было в тот самый день, когда Рядно со своими отморозками уехал в Москву и Гена-электронщик успел до появления охранника проникнуть в его дом, вмонтировать «клопа» в телефон и запрятать по микрофону в каждой комнате. Когда все было закончено, они завалились в дом к истомившейся в ожидании Зинаиде, подле которой суетилась и ее подруга, также желающая хотя бы более-менее приличного мужика, и они начали пир. Благо стол был накрыт на славу!

Когда проснулись утром, по паре в каждой постели, и Максим словно ненароком бросил несколько фраз об опостылевшей гостиничной жизни, Зина моментально сообразила, что к чему, и тут же предложила ему бросить, на хрен, эту гостиницу и переехать к ней. Максим тут же закинул удочку насчет Гены-электронщика — ему, мол, без Геннадия и смысла нет никакого съезжать с гостиничного номера, что в общем-то было правдой, и Зина вновь моментально сориентировалась, по-хозяйски предложив Гене снять у нее свободную комнату. Смекалистой бабенкой была Зинаида. Заполучив себе на постой сразу двух довольно богатеньких парней, она и деньжат поимела, и ежедневный выпивон с приличной закусью, да и по женской своей линии осталась в выигрыше. Как заваливались они в постель, так и не выпускала она Максима из своих пухлых ручек до самого утра, когда ему пора было уходить на работу. Словно ошалела бабенка от любви сладострастной и неги.

Да и подруга ее тоже не упускала своего, ночами выматывая из Гены все его силы и соки. И без того длинный и немного нескладный, он по утрам был похож на выпущенного из карцера заключенного, у которого и сил-то осталось, чтобы только ложку до рта донести...

— Слушай, ты днем-то не спишь, случаем? — с тревогой спрашивал Максим, боясь, что измочаленный ночными ласками парень, вместо того чтобы прослушивать разговоры Рядно, вырубится, заснет на посту. Сразу же, как только Зина уходила на работу в магазин, Гена доставал из объемистого чемодана свою электронику и подсаживался к окну, выходившему на улицу. Деревянный домище Рядно с великим множеством узорчатых окон находился почти напротив, по другую сторону Первомайской.

— Будь спок, командир! — бодренько отвечал Гена, и Максим только диву давался, откуда у этого тщедушного на вид выпускника московского института радиоэлектроники берутся силы.

М-да, что и говорить, эта командировка по заданию Ярова оказалась хоть и довольно длительной, но не лишенной приятности. В прежних вылазках Максим вел со своими боевиками аскетический, а главное — трезвый образ жизни. И сам не расслаблялся, и другим не позволял. Иначе реакция и острота мышления притупляются настолько, что и жизнь ни за грош потерять можно.

Выбравшись из накалившегося под солнцем салона «Москвича», Максим вдохнул полной грудью и, сунув ключи в карман, направился к небольшому кирпичному домику, в котором находился офис автосервисной мастерской. Если все сложится именно так, как он задумал, то наступающий день может даже принести конкретные результаты в поисках джипа. Автомеханик мастерской по имени

Валентин, с которым он уже выпил не одну бутылку водки, на его вопрос, сможет ли он сам или кто-нибудь из его корешей-умельцев не только перебить номера на иномарке, но и достать на нее надежные документы, сказал, что должен, мол, покумекать, — дело-то не простое. И вот вчера, когда Максим заехал к нему в мастерскую, этот самый механик сообщил, что человек такой есть и сегодня он его с ним сведет.

Расчет у Максима был простой. Сухачевск не Москва, где в каждом районе подобных умельцев пруд пруди. Тем более с комплексным сервисом — и новой красочкой машину покрыть, и номера на ней перебить, и надежные документы под эти номера заделать. Здесь не один человек должен работать, а целая группа, и дай-то бог, чтобы таких групп в этом городишке нашлась хотя бы парочка. Именно в такой подпольной мастерской Рядно должен был перелицовывать и держать на отстое яровский джип. И если ему, начальнику службы безопасности агентства, удастся выйти на эту мастерскую и пощупать мастера, который колупался с джипом...

Максим верил в свою звезду и удачу.

Валентин, автомеханик сервисной мастерской, уже опохмелился первым стаканом и, увидев на пороге своего богатенького клиента, радостно воздел руки к потолку:

— Ну наконец-то! Опаздываешь, голубь! А нас уже ждут. Так что с тебя еще один стакан. За неустойку, — радостно заржал он и тут же спросил деловито: — На колесах?

— Естественно.

— Тогда поехали.

— Человек-то надежный? — для порядка спросил Максим.

— Железо. Не одну уж тачку оформил.

Когда сели в арендованный Максимом «москвичок» и тронулись с места, радостно-возбужденный Валентин заставил остановиться у ближайшего магазина и купить литр водки с закуской, и уже минут через тридцать они подъезжали к огороженному высоченной изгородью дому, рядом с которым красовался сложенный из красного кирпича довольно вместительный гараж. Все такой же радостно-возбужденный от предстоящей выпивки, Валентин несколько раз нажал на гудок, и, когда на высоком крыльце появился крепко сложенный мужик в застиранной майке, видимо хозяин этого дома и кирпичного гаража, Валентин высунулся в открытое окно и заорал радостно:

— Ну чего рот раззявил? Открывай ворота!

Пробормотав что-то себе под нос, хозяин не торопясь спустился с крыльца, забренчал щеколдой, открывая калитку, пробасил недовольно:

— Заходите. А свой аппарат здесь оставьте.

Видимо, знал себе цену, а потому мог позволить с клиентами любой тон.

Вылезая из душного салона «Москвича», Максим почувствовал, как екнуло сердце. Неужто он сейчас выйдет на их джип?

Они прошли в калитку, которую хозяин тут же закрыл на щеколду, кивнув в сторону распахнутого гаража, из которого слышались голоса.

«К чему бы лишние свидетели?» — невольно подумал Максим, ступая по аккуратно посыпанной дорожке вслед за Валентином. Впрочем, голоса могли принадлежать и подельникам хмурого мужика в застиранной майке; ведь не один же он угнанные тачки перелицовывает. Если он хозяин этого дела, то ему и подмастерья нужны.

Он шагнул в прохладу вместительного гаража, рассчитанного не иначе как на две машины, сощурился, позволяя глазам привыкнуть к полутьме, и когда открыл их...

Такое могло присниться только в кошмарном сне.

В глубине по-хозяйски оборудованного гаража, где все было разложено по полочкам и каждая вещь знала свое место, красовался свежевыкрашенный, будто только что сошедший с заводского конвейера джип «ниссан», а подле него толковали о чем-то два мужика. Еще два мордоворота, молодые и явно отмороженные, сидели за небольшим колченогим столиком, на котором высвечивалась робким солнечным бликом початая бутылка водочки. Видать, хозяин со своими гостями только что махнули по граммульке и даже не успели толком зажевать нарезанной колбасой с черным хлебом, ополовиненная буханка которого лежала тут же, на грязной столешнице, рядом с длиннющим ножом, которым сподручнее было бы кабанов колоть, а не хлеб с колбасой резать.

Все это — и джип, и толковавших подле него мужиков, и парней за колченогим столиком — Максим схватил одним мимолетным взглядом и даже опешил на мгновение, остановившись в наспех распахнутом дверном проеме.

Этот красавец «ниссан» местные славяне-умельцы могли перелицовывать во что угодно и красить в какой угодно цвет, но начальник службы безопасности столичного туристического агентства «Андрей и К°» мог бы узнать его где угодно, даже ночью. Именно он перегонял его из Владивостока в Москву и за то время, что был в дороге, сроднился с каждой выемкой на кожаных подушках сиденья, знал каждую царапину на блестящих, матово поблескивающих колесах. Да и разводы-паутинки в левом углу лобового стекла говорили о многом.

Да, это был тот самый «ниссан», который словно испарился вместе с тремя его боевиками и который был столь необходим Андрею Ярову, чтобы уже наверняка загнать в угол пахана Тимофея Капралова, посягнувшего на чужое. Стало быть, именно сюда и перегнали джип после того, как Рядно замочил посланцев Ярова, здесь же и доводили его до ума, стараясь придать машине неузнаваемый вид.

Но даже не эта, столь неожиданная встреча с японским красавцем ошеломила Максима, нет. Около свежевыкрашенного джипа стоял... сам Рядно и о чем-то неспешно толковал с костистым мужиком, руки которого были покрыты несмываемыми следами лака и краски!

Рядно! Собственной персоной! А за столиком, стало быть, сидела его охрана — вон как настороженно вскинули на вошедших свои тупорылые морды. Словно два широкогрудых бульдога ощерились на освещенных солнцем людей, появившихся в дверном проеме.

Мгновенно схватив эту картинку и так же мгновенно проанализировав ее, Максим было замер настороженно на какую-то долю секунды, но тут же взял себя в руки. Только предательски екнуло что-то в подвздошье.

«Вот так влетел!» — мимолетно подумал Максим. Вот оно, Зинкино-то гостеприимство. Расслабился! А мог бы, мог бы вовремя раскинуть мозгами — ведь любому ясно и понятно, что если этот умелец в застиранной и когда-то синей майке держит подпольную фирму по перелицовке угнанных тачек, то он обязательно, *обязательно* должен быть под «крышей» группировки, в которой паханит этот ублюдочный уголовник. На что он понадеялся-то? На то, что этот славянин-умелец не станет до поры до времени афишировать просьбу залетного москвича? «Ну ты идио-от!» — обругал себя Максим за глупость, которая еще неизвестно чем могла для него кончиться.

Правда, у него тут же мелькнула спасительная мыслишка, что, может, зря в панику вдарился. Может, эта нежеланная встреча в этом клятом гараже — всего лишь чистая случайность?

Как бы то ни было, надо было попытаться както выйти из создавшегося положения, да и пауза слишком затянулась. И Максим, многозначительно откашлявшись, обернулся на притихшего Валентина, который, видимо, тоже не ожидал увидеть здесь такое большое скопление дополнительных ртов. Правда, у них тоже была водяра, и даже с приличной закусью, но у него-то — целый литр! Литр на троих. А если с этими делиться — тогда полтора литра придется разливать на семерых, ну и что это получится? Всего-то по двести несчастных граммов?

И Валентин в свою очередь вопросительно уставился на хозяина гаража, как бы вопрошая его: «Чего же ты, мудило? Договаривались ведь, что только втроем разговоры разговаривать будем, а здесь...»

— Проходите, — хмуро кивнул хозяин и тут же добавил: — Если кто желает — пусть наливает сам.

И кивнул в сторону колченогого столика, за которым продолжали сидеть насторожившиеся отморозки из личной охраны Рядно.

Маявшийся с похмелья Валентин сунулся было к столику, но, наверно, один вид этих бритоголовых мордатых рож перебил у него всю охоту к дармовому опохмелу, и он пробормотал негромко, кинув настороженный взгляд на замолчавшего и прислушивающегося к ним Рядно:

— Слушай, Толян, мы ж с тобой договаривались. Вон я и парня того привел, — кивнул он на Максима. — Может, отойдешь переговорить? — Он замялся: — Ну а потом уж, после разговора, можно и того... Тем более что и мы с собой кой-чего прихватили.

— А чего же отходить? — неожиданно вмешался молчавший до этого Рядно. — Люди здесь все свои. Так сказать, на деле проверенные. Посторонних, кроме вас двоих, нету. Так что, голуби, могем и здесь потолковать. В холодке, да за бутыльцом белоголовой. А хозяин нам и зелени с огородишка принесет. А, Толян?

— Можно и здесь, — не очень-то любезно пробормотал хозяин гаража и кивнул своему напарнику, хмуро добавив при этом: — Слетай на рядки. Лучку зеленого да укропа с петрушкой пощипай.

Видимо привыкший подчиняться по первому слову хозяина гаража, тем более что о том же самом вроде как просил и сам Рядно, подручный умелец заторопился из полутьмы гаража на двор, и, когда его спина скрылась за хозяйскими постройками, Рядно спросил, уставившись прямым, пронзительным взглядом на Максима:

— Значит, говоришь, номера на тачке перебить надо и кой-какие бумаги на нее заделать?

Максим повернулся к притихшему Валентину, который, по всему было видно, тоже не ожидал такого поворота дела, потом перевел недоуменный взгляд на хозяина гаража, как бы спрашивая при этом: «А это, собственно, что за птица? И почему я должен отвечать ему на столь серьезные вопросы?»

Валентин промолчал, недоуменно пожав плечами, а хозяин, которого все величали Толяном, кивнул хмуро:

— Свой человек. Раз спрашивает — говори.

Успевший уже прийти в себя после столь неожиданной встречи, Максим пожал плечами, как бы говоря тем самым: мол, вам виднее, господа хорошие, и утвердительно кивнул:

— Можешь считать, что так. Номера и документы.

И еще подумал: «Главное сейчас — держать марку».

Рядно только хмыкнул, услышав такой ответ. Молча пососал нижнюю губу, уже более внимательно приглядываясь к самоуверенному парню, и вдруг спросил негромко:

— Знаешь, кто я?

«Этого еще не хватало!» — подумал Максим, а вслух произнес:

— Если назовешься, узнаю.

И с сожалением подумал о том, что сделал очередную глупость, не подстраховавшись своими ребятами. Но кто ж мог знать, что эта сволочь специально приползет в гараж, чтобы самолично прощупать неожиданного клиента с ворованной тачкой? После того как Гена-электронщик нашпиговал его резиденцию «жучками», Максим снял с Рядно наружное наблюдение, тем более что людей требовалось перебросить на подполковника Гринько, и вот итог... Впрочем, чего Бога гневить! Есть ведь итог? Есть. Да еще какой! Джип, словно только что выкрашенное пасхальное яйцо, матово поблескивал боками в глубине гаража, и теперь оставалось лишь позвонить в Москву и сообщить об этом Ярову. А уж тот найдет способ, как тряхнуть за грудки этого козла с синюшными от татуировки руками и заставить его расколоться насчет пропавших ребят и исчезнувших взрывных устройств. Но это в будущем. А сейчас надо продолжать держать марку.

Видимо отвыкший за время своего паханства в Сухачевске от столь непочтительного с ним обращения, Рядно хмыкнул, метнув на залетного фраерка обжигающий взгляд, и его изрытое оспой лицо перекосила улыбка, больше похожая на волчий оскал.

«Назовешься»... Ишь ты, голубок! Я-то завсегда назваться успею. А ты-то кто собой будешь?

Замолчал, словно затаился в ожидании ответа, и вдруг почти выдохнул:

— Московский?

Отпираться или гнать лабуду не имело смысла, тачка-то его с московским номером стояла на яме в автосервисе, и само собой разумеется, что раз об этом знал хозяин гаража, следовательно, знал и Рядно.

— Оттуда, — хмыкнул Максим, как бы удивившись прозорливости настырного мужика, который впился в него, будто дальневосточный клещ.

— Это хорошо, — посерьезнел Рядно. — А в наши края каким ветром занесло?

— Дела, — односложно ответил Максим, но потом, видно, решил расщедриться немного: — Столичный рынок уже переполнен, так что и с вами решили поделиться немного.

— Даже так? — вновь хмыкнул Рядно, которого задел не только вольный тон залетного фраерка, но и то, что кто-то из столичных осмелился без спроса покуситься на его владения. Это ведь если так пойдет и дальше, что будет с его авторитетом? И Рядно невольно покосился исподволь на свою охрану, боясь, как бы и отморозкам не пришло в голову то же самое. Однако отморозки шептались о чем-то своем, и Рядно вновь уставился на слишком самоуверенного парня, на руках которого не было ни одной татуировки, но прикид которого и поведение говорили сами за себя. Видать, из тех самых молодых да ранних, которые еще и нар на зоне своими боками не утюжили, а уже возомнили о себе как о самых крутых авторитетах и паханов вроде него, Рядно, ни во что не ставят.

От этой мысли у него вдруг окончательно испортилось настроение, и он проговорил угрюмо:

— Ладно, кончай базарить. Откуда тачка?

Покосившись на вконец притихшего Валентина, у которого на лице было написано, как он жалеет о том, что ввязался в это дело, Максим прицелился глазами в Рядно и так же угрюмо спросил:

— Про это что, обязательно знать надо?

— Отвечай, коли спрашивают.

Чуть подумав, Максим проговорил нехотя:

— Оттуда же, московская.

— Ясно, — кивнул Рядно. — А крови на ней, случаем, нет? Просто в угоне?

Максим лихорадочно прикидывал, как лучше ответить, одновременно мучаясь вопросом, чего ради сухачевский пахан притащился в этот гараж. Ведь не для того же, чтобы лишний раз напомнить Толяну, кто настоящий хозяин в этом городе? Вариантов было великое множество, но наиболее возможных — два. Первый. Раз заказчик на перелицовку залетный — можно просто наложить свою татуированную лапу на эту тачку, а самого залетного выкинуть из города несолоно хлебавши. И второй — этот уже по-настоящему начал тревожить Максима. Валентин трепанул хозяину гаража, что его клиент — москвич, тот доложил об этом своему хозяину, то есть Рядно. Не может этот козел не ждать мести Ярова, а стало быть, должен держать на подозрении каждого появляющегося в городе москвича. И если это действительно так...

И вновь Максим почувствовал холодок смертельного страха... Однако надо было отвечать что-то старому уркагану, и он сказал, облизнув мгновенно пересохшие губы:

— Машина чистая. В угоне.

— Тогда почему к нам решил пригнать? Или в златоглавой мастера перевелись?

На эту его шутку, которая, видимо, должна была разрядить сгустившуюся атмосферу, хихикнул сбоку Валентин, да и на лице самого Рядно изобразилось нечто вроде улыбки. Хмыкнул не без угодливости и Максим.

— Отчего же? В столице всего хватает. И только если б полгода назад — никто бы даже не подумал гнать тачку в такую даль. — И, заметив удивленный взгляд Рядно, пояснил: — Времена сейчас хреновые настали. Уголовка будто с цепи сорвалась. Чистка за чисткой по городу. За последнее время столько мастеровых в Бутырку загремело...

В общем-то это было чистой правдой, и Максим надеялся, что Рядно, поверив ему, закончит свой допрос.

И Рядно, кажется, поверил, тем более что в залитом солнцем проеме появился напарник Толяна с пучком свежей зелени в руке. Облегченно вздохнув, Максим сделал шаг вперед, и в этот момент...

Опасность он почувствовал моментально. Причем исходила она от крутолобого охранника, который вдруг поднялся из-за колченогого столика, едва не свалив его ногой, и подошел к хозяину. Что-то зашептал ему на ухо. Тот вопросительно и в то же время недоуменно уставился на москвича, но тут же отвел взгляд. Снова почувствовав, как обдало волной страха, Максим еще раз непроизвольно облизал запекшиеся губы. В голове мелькнула было мыслишка бежать, плюнув и на собственную «девятку», что стояла сейчас на яме в мастерской автосервиса, и на всю эту мутоту, которая, похоже, ничем для него хорошим не могла закончиться. Он уже напружинился, готовый сделать рывок в сторону и ударом кулака свалить любого, кто окажется на его пути, но в этот момент увидел направленный на него черный зрачок пистолета. Он даже не заметил, как вытащил свою пушку оставшийся за столиком отморозок, и это было, пожалуй, самой большой промашкой из тех, что он совершил за сегодняшнее утро. Изобразив недоумение, Максим перевел взгляд на Рядно и понял, что влип окончательно.

Слушая крутолобого охранника, Рядно не сводил с москвича глаз, ощерившись при этом звериноподобной улыбочкой, и по его знаку этот крутолобый отморозок тоже вытащил ствол.

В гараже наступила гробовая тишина, и Максим с какой-то жуткой ясностью в голове подумал, что, похоже, его песенка спета. Против двух стволов не попрешь, тем более в таком замкнутом пространстве. А то, что только дернись он, и эти отморозки положат его не задумываясь — в этом он даже не сомневался.

Этот его смертный страх прочувствовал и не сводящий с него угрюмых глаз Рядно, спросил, все так же криво скалясь и обращаясь неизвестно к кому:

— Значит, говоришь, у Зинки-продавщицы недавно поселился? И вдобавок ко всему — москвич!

Вторую фразу он произнес угрожающе-утвердительно и вдруг ощерился всеми своими стальными зубами, будто собираясь его загрызть.

— Хорошо-с. Ох, как хорошо! А я, мудак гороховый, мозги себе ломаю: с чего бы это Киплинг молчит да весточки о себе не подает? С чего бы, думаю, ему таиться да время тянуть? А он, оказывается, и не тянет вовсе. Ах ты ж пидор! Да я тебе...

Максим так и не услышал, что конкретно собирался пообещать ему сухачевский пахан. Страшенный удар металлическим прутом по голове заставил его охнуть, и начальник службы безопасности фирмы «Андрей и К°» стал медленно заваливаться на пол, ухватившись руками за окровавленную голову.

Вместе с кровью уходили и последние остатки сознания. Уходила жизнь.

Покосившись на Толяна, который вместо пучка зелени все еще сжимал в руке толстенный металлический прут, Рядно хмуро покачал головой и подошел к распластанному на грязном полу Максиму. Долго, очень долго смотрел на залитый кровью раздробленный затылок, ногой перевернул бездыханное тело, так же пристально вглядедся в застывшее, искаженное болью лицо и выругался матерно. Потом вдруг резко крутанулся к хозяину гаража, который за все это время не проронил ни слова, и зашипел ему в лицо:

— Мудак! С-сучара конвойная! Ты хоть врубаешься, чего наделал? Он мне живой, волокешь, живой нужен был!

И замолчал, остервенело сверля того глазами.

Видимо знавший себе цену, Толян безразлично пожал крутыми плечами, усмехнулся ленивой улыбочкой:

— Ничаво! Кто ж знал, што у него черепушка расколется?

— Мудак! — еще раз, но уже более спокойно бросил Рядно и перевел тяжелый взгляд на онемевшего и вконец протрезвевшего Валентина. — Ну а с тобой чего делать будем?

Валентин хотел было что-то ответить, но со страху слова не шли у него из горла, и он просящими глазами, в которых плескались мольба и отчаяние, уставился на хозяина гаража. Помоги, мол. Ведь ты же меня знаешь!

И вновь Толян усмехнулся своей ленивой улыбочкой:

— За этого я ручаюсь. Охолонь малость, Рядно!

— Ишь ты, охолонь, — выдавил Рядно и сплюнул под ноги вконец струхнувшему Валентину. — Хрен с тобой, козел! Живи.

Еще раз посмотрел на заострившееся, уже неживое лицо Максима, резко развернулся к готовым на любой подвиг отморозкам.

— Ну, чего застыли, как сопли на морозе? — И уже чуть спокойнее еще раз спросил, кивнув на распластанное тело: — Значится, у соседки моей, у Зинки, ошивался?

— Ну! — подтвердил крутолобый.

— Следил, значит. И местечко, сучара, хорошее приглядел. У бабы под боком.

— Ну! — вновь подтвердил крутолобый.

— Гну! — неожиданно взорвался Рядно. — Мне нужно точно знать, кто этот пидор и откуда! И еще: в одиночку работал или на пару с кем-то? Да и Зинка... Знала о чем-нибудь? Если знала...

— Не думаю, — осмелился перебить пахана и вставить свое слово крутолобый. — Зинка только на передок слабая, а так дура дурой. Он, видать, ее втемную использовал. Да и насчет того, чтобы он с кем-то еще был... Это вряд ли. Я его раза два или три засекал... ну-у, когда он к дому подъезжал. Всегда один.

— «Один»... «подъезжал»... — сплюнув себе под ноги, передразнил крутолобого Рядно. — А мне почему не доложили? Козлы! Сразу же проверить надо было.

На какое-то время в гараже наступила гнетущая тишина, пока наконец не осмелился вставить свое слово и второй отморозок:

— Так кто же знать мог? Что же, всю улицу проверять?

— Надо будет — и проверишь! — взревел Рядно. — Рылом своим будешь асфальт рыть!

— Охолонь, Тимофей! — тронул его за рубашку спокойный Толян. — Лучше скажи, что с этим делать.

Осатаневший Рядно зыркнул налитыми кровью глазами на хозяина гаража, перевел взгляд на убитого.

— В багажник — и за город! — коротко приказал он. — В овраг куда-нибудь. А закапывать будет этот! — кивнул он на затаившегося, притихшего Валентина. — Чтобы на нем тоже эта мокруха висела. Теперь дальше...

Он замолчал на какое-то время, соображая, как лучше поступить со своей соседкой, наконец пробормотал, развернувшись к своим отморозкам:

— Едем сейчас домой. Если эта блядешка на работе, пощупаем ее избенку. — И вдруг дернулся, будто от удара, уставившись на убитого. — Вы чего же, козлы?.. А карманы его кто прошлюпает?

Словно только и ждавшие этого приказа, охранники бросились к убитому, зашарили по его карманам. Однако ни документов, ни оружия при Максиме не было.

Когда Рядно пошел из гаража, еле живой Валентин спросил его, заикаясь:

— А... это... «девятку» его к-куда девать?

— Которая у тебя стоит? — хмуро уточнил Рядно.

— Ага.

— Пригонишь сюда и поставишь в гараж, — распорядился Капралов. — А потом забудь о ней! Как и обо всем остальном. Если что где прорежется — можешь считать себя покойником.

Мотаясь от вынужденного безделья по пустому, притихшему после вчерашнего вечернего застолья дому, Гена уже и телевизор досыта насмотрелся, и детектив почитал, вылеживая на кровати бока, а Максима все не было. Сегодня утром он приказал продолжать прослушивать дом Рядно, от примитивных разговоров которого Гену уже мутило, а сам уехал в автосервис, пообещав вскоре вернуться. Однако ходики на стене уже показывали начало первого, скоро должна была примчаться на обед Зинаида, а Максим словно провалился, чего с ним никогда раньше не было. Пунктуальный до тошноты, он и бойцов своих приучал к тому же, и вдруг...

Правда, он еще говорил, что сегодня, возможно, должно проясниться кое-что насчет пропавшего джипа, но все равно столь долгое отсутствие командира не могло не вызвать непонятного пока беспокойства, так что Гена уже ни книгу читать не мог, ни телевизор смотреть. Он то и дело поглядывал с тревогой на противоположный дом, где тоже будто все вымерло. Пожалуй, минут через пять после того, как уехал Максим и Гена остался в доме один на один со своей аппаратурой, он вдруг услышал, как

Рядно приказывает своим отморозкам готовить машину, а вскоре увидел, что машина выехала из ворот и скрылась в конце улицы.

Для Гены, успевшего за эти дни привыкнуть к домоседству старого уголовника, который выезжал из своей резиденции только для посещения ресторана «Заречье», а уж если, не дай бог, куда и собирался по делам, то обговаривал точное время и место встречи еще за сутки, столь резкий рывок Рядно оказался полнейшей неожиданностью. Он даже расстроился поначалу, понимая, что на этот раз упустил Рядно вместе с его охраной. Однако потом успокоился, утешив себя тем, что, судя по прослушке, ничего серьезного этим утром Рядно предпринимать не собирался. Вполне возможно, что на старого пахана наехала минутная блажь просто посидеть в кабаке, а не торчать затворником в своей деревянной халупе.

Однако утешение утешением, а чем чаще Гена поглядывал в окно на словно вымерший дом напротив, тем тревожнее у него становилось на душе.

Не выдержав, пошел в свою комнатенку, которую сдавала ему Зинаида, и прилег на кровать, сторожко прислушиваясь к звукам на улице. Прошла одна машина, потом еще одна, и вдруг он встрепенулся от характерного звука заглушенного двигателя. Обрадованно решив, что это наконец-то вернулся Максим, он вскочил с кровати, подбежал к окну, но тут же отшатнулся, словно отброшенный какой-то силой.

Машина действительно стояла у ворот дома, но это была машина Рядно, а сам он со своими дебильными отморозками уже входил в распахнутую Зинаидину калитку!

Не на шутку струхнув, Гена затаился в углу, чувствуя, как весь покрывается липким противным потом. Он мог ожидать всего, чего угодно, только не этого явления сухачевского пахана народу...

Раздался требовательный стук в дверь, и Гена облегченно вздохнул, припомнив, что, когда последний раз вернулся из уборной, захлопнул наружную дверь на английский замок. Вот и смейся над деревенскими удобствами во дворе! У него появилась было надежда, что Рядно постучит, постучит да и отвалит к себе, убедившись, что соседка еще на работе и дома никого нет. И действительно, в дверь стукнули еще раз, потом — тишина, потом чей-то голос, и вдруг...

За дверью что-то заскреблось, потом послышался характерный звук проворачиваемой в замочной скважине отмычки.

Начиная понимать, что визит таких непрошеных гостей, а тем более в отсутствие хозяйки, может означать все что угодно и даже смертельную опасность, Гена метнулся к небольшому серванту, за которым был припрятан его пистолет с полной обоймой, открыл выходящее в сад окно и моментально вскочил на подоконник. Перед тем как спрыгнуть на землю, прислушался еще раз к звукам в сенцах, окинул взглядом комнату, письменный стол. Господи, да на нем же вся его электроника! С заряженным пистолетом в руке он почувствовал себя увереннней и уже мог принимать решения более-менее спокойно.

Голову неотступно долбило одно и то же: «Зачем

они здесь? Неужто что-то пронюхали? На чем-то прокололся Максим?»

Ладно, даже если это и так — что делать ему? Пожалуй, самое верное — не светиться.

Он вновь покосился на стол с аппаратурой, которая могла бы вчистую разоблачить постояльцев Зинаиды, но тут же успокоился. В целях конспирации он все свои электронные навороты благоразумно спрятал от посторонних глаз, придав им вполне пристойный вид магнитолы с несколько громоздким приемником, так что если среди отморозков Рядно нет специалиста-электронщика — им ни в жизнь не догадаться об истинном назначении этой техники. А то, что среди этих наголо стриженных дебилов нет ни одного хоть мало-мальски смыслящего в электронике, — в этом Гена даже не сомневался.

Он вновь прислушался к звукам в сенцах. И по тому, как наконец негромко скрипнула дверь, понял, что ждать больше нечего, и спрыгнул на землю. Потом, осторожно прикрыв с улицы створки окна, притаился под ним, готовый при первой же опасности открыть огонь на поражение.

Довольно высокий ростом и в то же время худой и нескладный, он сидел на корточках под окошком и, превратившись в сплошной комок нервов, слушал, о чем говорили в доме. Голоса были хоть и приглушенные, но вполне можно было разобрать почти каждое слово, так что теперь он едва сдерживал себя, чтобы не заорать дурным голосом.

Лихорадочно работал мозг, переваривая услышанное.

Эти твари убили Максима и теперь шмонают

дом в поисках документов и оружия, которые бы подтвердили им, что Максим действительно работал на Ярова. Нашли! «Макаров» с пятью запасными обоймами, паспорт и служебное удостоверение, в котором Максим значился как консультант туристического агентства «Андрей и К°». Гена спохватился было, что Рядно отыщет в доме и его следы, но тут же заставил себя успокоиться, вспомнив, что ветровка с документами сейчас на нем и хоть пока с этой стороны ничего ему не грозит. Тем не менее смертельная опасность была всего лишь в двух шагах от него, и Геннадий продолжал судорожно сжимать рукоять пистолета, готовый выстрелить в любую секунду.

Но, кажется, пронесло.

Рядно просипел что-то вроде: «Кончать пора, а то щас Зинка придет», и вся кодла шмыгнула в сени, хлопнув дверью. Едва голоса непрошеных гостей послышались на крыльце, Гена мгновенно перебежал за дальний угол дома и вновь затаился, прислушиваясь к тому, что происходит. Теперь он опасался, как бы Рядно не приказал своим ублюдкам прошмонать и двор с сараем, но у визитеров, видимо, уже совсем не оставалось времени, и вскоре Гена с радостью услышал металлическое бряканье задвигаемой щеколды на калитке, а потом и звук отъезжающей машины.

Обошлось!

Хотя какое, к черту, «обошлось», если эти суки убили Максима и едва не завалилось все дело? Гена с трудом оттолкнулся от бревенчатой стены и, едва переставляя негнущиеся ноги, прошел в спасительный сарай. Надо было что-то срочно делать! Но что?

Ну, для начала дождаться Зину и умненько предупредить ее, что, мол, Максиму срочно пришлось уехать в Москву и чтобы она не болтала лишнего. Естественно, не болтала о них, своих постояльцах. И еще... Предупредить ребят в гостинице, чтобы срочно куда-нибудь переехали. Ведь кто его знает, как широко он забросил сеть, этот пахан гребаный? Во всяком случае, может с перепугу и городские гостиницы проверить...

VII

За то время, что Крымов провел на аэродроме, он настолько сжился со своей ролью управляющего «Чудью», что порой ему казалось, будто он создан для этой работы, а она для него. Если быть точным, даже не сжился с ролью (почему-то эти слова царапали, вызывали протест), а самым что ни на есть органичным образом проникся заботами и многочисленными проблемами небольшого коллектива и теперь по уши въехал в эти самые проблемы, пытаясь привести в надлежащее состояние технику и наладить работу вконец деморализованных людей. Включая пилотов и технический персонал.

Он просыпался ни свет ни заря, чтобы первым попасть на летное поле, а уходил с аэродрома позже всех, возвращаясь в неказистую комнатенку в двухэтажном деревянном доме диспетчерской, которую Антон ухитрился приспособить под временное жилье. Ему нравилась эта работа! Мирная и в то же время очень мужская — и это при том, что ему не надо было выслеживать очередного противника, гнаться за кем-то, бить, стрелять, убивать. Господи, а ведь он не умел вроде бы ничего другого, давно уже потерял надежду, что сможет еще пригодиться в мирной, то есть совершенно обычной жизни. Какое это, оказывается, счастье, когда не надо ни самому держать кого-то на мушке, ни постоянно чувствовать упертый промеж лопаток чужой ствол... Он начал находить себя! И вместе с этим совершенно новым для него ощущением вновь появилась вера в то, что, случись вдруг у него, секретного сотрудника Федеральной службы безопасности, майора Антона Крымова, какая-нибудь оплошность или осечка в работе, у него еще сможет открыться второе, вернее, третье дыхание и уже ни за что не станет, распустив сопли, пахать землю пьяным рылом, как это было в девяносто втором году, когда его пинком выкинули из бывшего КГБ.

И эту веру ему дала обрести «Чудь»...

Да, что и говорить, замечательно было бы откинуть от себя, похоронить, будто его не было, все прежнее и остаться просто управляющим «Чудью». Да только что сейчас об этом мечтать! Аэродром с его заботами — это, как говорится, его личные проблемы. А на первом плане... На первом плане ФСБ, Панков и Киплинг, он же — Яров. К тому же если с Панковым он связывался только по мере необходимости, то Киплинг названивал ему практически каждый день, справляясь, как продвигается ремонт самолетов, как у Антона идут дела с пилотированием вертолета. То ли действительно пекся о возрождении аэродрома, на базе которого вполне могла расцвести довольно прибыльная отрасль туризма, то ли имел в виду что-то еще, торопя Антона с восстановлением слегка подзабытых пилотских навыков.

Недаром же он ему и летную книжку схлопотал, и свидетельство об окончании летного училища заделал. Так что Крымову оставалась самая малость: напрячь как следует мозги, припомнив давно забытый спецкурс по летному делу, и налетать хотя бы минимальное количество часов, чтобы руки привыкли к штурвалу и он мог один, без бортмеханика, нормально взлетать и так же нормально садиться на предательски пружинящее шасси.

На этот раз Яров позвонил из Пскова, из офиса филиала своего агентства, где обычно брал машину, чтобы добираться в «Чудь» своим транспортом. Сообщив Крымову, что скоро будет, и приказав ему приготовить вертолет, Яров повесил трубку.

Успевший несколько расслабиться за то время, что осваивал свое летное хозяйство, Антон невольно насторожился. К чему бы такая спешка? С псковским филиалом что-то случилось и босс примчался улаживать дела? Чушь! Антон бы первым об этом узнал, так как его «Чудь» являлась составной частью этого филиала. Неожиданная инспекционная проверка? Еще большая чушь, так как Яров знал, кого берет на место управляющего.

Тогда, значит, что же — наступает тот самый час X, ради которого руководство ФСБ дало разрешение на внедрение Седого, то есть майора Крымова, в турагентство «Андрей и К°»? Ну что ж, если это действительно так, то, стало быть, Яров и есть тот самый Киплинг, которому заказаны проклятые «чемоданчики».

Лучше, конечно, было, если бы Яров решил заехать в «Чудь» просто так, чтобы навестить своего протеже и хотя бы морально поддержать его. Однако в такое мало верилось, и Антон, честно говоря, немного занервничал, поглядывая на огромные настенные часы, стрелки которых неуклонно приближали минуты приезда босса. Он знал, что должен срочно выйти на связного, через которого у него была связь с Москвой, и сообщить об этом нежданном визите Панкову. Но вот что дальше? Почему-то они с Панковым не предусмотрели возможность такой ситуации. Как ему, собственно, быть, если сейчас подтвердится, что Яров — тот самый Киплинг? Сплошная темнота. Значит? Значит, надо собраться, взять себя в руки и дальше уже действовать по обстановке.

Придя к такому выводу, Антон даже скривился. По обстановке — это как? Если Яров действительно тот самый Киплинг и везет с собой те самые «чемоданчики», чтобы переправить их через российско-эстонскую границу, а дальше уже по назначению, как именно надлежит поступить ему, майору ФСБ Крымову? Немедленно задержать Киплинга? Естественно. Но ведь это будет возможно только в том случае, если он едет один. А если с вооруженной охраной?

Впрочем, если Яров действительно привезет с собой взрывные устройства, то можно будет задержаться с вылетом, сославшись на очередную поломку вертолета, и дождаться помощи из Пскова. Ну а если...

Начиная злиться на себя за свою растерянность, Крымов еще раз бросил взгляд на часы — время неумолимо уходило — и решительно направился к выходу из диспетчерской. В первую очередь — сообщить связному. Ну а потом... Дальше будем посмотреть, как любил говорить генерал Проскурин.

...Яров объявился уже под вечер. Один, на темно-зеленых «Жигулях» шестой модели, которые посерели под слоем дорожной пыли. Сразу же проехав на взлетную площадку, где стоял вертолет, коротко поздоровался с Крымовым, спросил, кивнув на застывшие и оттого словно поникшие лопасти:

— Летает?

Антон неуверенно пожал плечами:

— Вроде бы. Если снова что-нибудь не сломалось. По крайней мере, вчера еще крутились, — кивнул Антон на лопасти. И спросил осторожно: — А что... срочное дело какое?

Теперь уже Яров пожал плечами, на его вопрос так и не ответил, однако сам задал новый:

— Освоил машину?

— Похоже, что да.

— Сможешь сейчас на озеро слетать?

Антон насторожился: вот оно! Надо было что-то отвечать, но что? Как бы не решаясь на категорическое «да», Антон покосился на огромную махину вертолета, перевел взгляд на посеревшие от пыли «Жигули». А тем временем мозги, словно мощный компьютер, искали единственно правильное решение.

«Если он — Киплинг и действительно привез взрывные устройства, то они у него должны лежать в багажнике. Это и ежу понятно. А что дальше? А дальше... Дальше перегрузка в салон вертолета и взлет. Возможно такое? Вполне».

Вполне...

«Господи, какое идиотское слово «вполне». Оно было похоже на огромный полированный шар, за который невозможно ухватиться. Ни «да», ни «нет».

Сплошные вопросы. И один из них: а что, если все это проверка Крымова на вшивость?

Ну что ж, и такое возможно.

И вдруг Антона словно осенило. «Сможешь... Ну да, Яров произнес слово «сможешь». А если бы он именно на сегодня назначил переправку «чемоданчиков» через границу, то заранее обговорил бы с встречающими точное время передачи контрабандного груза и отдавал бы своему управляющему приказы, а не... «Сможешь». Как же он сразу-то не зацепился за это слово?! Конечно сможет. В крайнем случае выход всегда найдется. Тем более что в небольшом тайничке, который Антон смастерил под сиденьем пилота, он припрятал заряженный пистолет. Сможет ли он? Да, конечно, сможет, оправдает возложенные на него надежды. Ведь здесь, на этом аэродроме, он никакой не Крымов. Он Седой...»

— Без проблем! — бодро ответил Антон, но все-таки спросил на всякий случай: — А то, может, с экипажем слетаешь? Ребята, правда, сейчас дома, но я их мигом вызову.

Яров отрицательно качнул головой:

— Нет. Сегодня мне ты нужен. — И вдруг засмеялся: — Думаешь, зря моя фирма потратилась на то, чтобы настоящую ксиву тебе заделать?

Антон невразумительно пожал плечами.

— Вот то-то и оно, — по-своему истолковал этот жест Яров. — Теперь ты не только управляющий «Чудью», но еще и пилот. Так что, Антоша, пора бы начать отрабатывать не только возложенное доверие, но и вложенные в тебя деньги.

«Это хорошо. Очень даже хорошо, — невольно

подумал Антон. Яров впервые говорил с ним столь властно, напористо и даже слегка по-хамски. — Значит, и его час пробил. И если даже *этот* Киплинг не причастен к заказным «чемоданчикам», то все равно он, майор Крымов, не зря болтается на этом аэродроме. «Чемоданчики» «чемоданчиками», но Чудское озеро и без них самое лакомое местечко для контрабандистов на границе с Эстонией. И не зря у Киплинга, или как его там, столь огромный интерес к этому аэродрому».

А вслух он произнес, сделав вид, что пропустил мимо ушей и «возложенное доверие», и «вложенные деньги»:

— Прямо сейчас полетим?

Он был Седым, уголовником и зеком, находящимся в бегах, и он действительно должен был отрабатывать и связанный с этим риск, и, естественно, вложенные в него деньги. И Яров этот его вопрос-ответ понял по-своему правильно. Удовлетворенно кивнув, он посмотрел на часы.

— Нет, чуть позже. В шесть. А пока что залазь к себе в кабинку, я тебе подам кое-что.

Антон снова насторожился. Спросил как можно равнодушнее:

— Что?

К счастью, Ярова этот вопрос нисколько не удивил — как копался в своих «Жигулях», повернувшись к Антону спиной, так и продолжал копаться.

— Так, мелочевка кой-какая, — не оборачиваясь, хмыкнул он. — Маленький бартер будем делать.

С этими словами он поднял сиденье, и вытянувший шею Антон увидел три вместительные коробки, герметично обтянутые полиэтиленовой пленкой.

В них вполне могли находиться и те самые взрывные устройства, что заказаны Киплингу террористами.

«Господи! — вновь обдала Антона жаркая волна. — Неужто все-таки привез?! Нет, нет и нет! Этого просто не может быть!

Если в этих коробках те самые «чемоданчики», то почему в таком случае Киплинг заявился совершенно один, даже не подстраховавшись парочкой боевиков из службы безопасности? — спрашивал Антон сам себя. А лихорадочно работающий мозг уже подбрасывал ему контраргументы: — А почему, собственно, многоопытный Киплинг должен тащить за собой лишний хвост? Чтобы привлечь тем самым к себе внимание? И что дает основание думать, будто Яров явился без охраны? Разве нельзя допустить, что кто-то из боевиков сопровождал его до Пскова, а здесь уж Киплинг решил обойтись и собственными силами, тем более что опыта ему было не занимать?»

Яров между тем безо всякого напряжения вытащил коробки из машины и вопросительно обернулся к продолжающему мешкать Антону:

— Ну?

Сбросив с себя секундное оцепенение, Крымов распахнул дверцу вертолета, поднялся в нагретый солнцем, гулкий салон и нагнулся, чтобы принять от Ярова таинственные картонные коробки. Взял в руки одну, вторую, третью, ощущая вдруг необычайное облегчение.

Несмотря на свой довольно приличный объем, коробки практически ничего не весили! И если даже сложить все то, что в них было, в один пакет, то и он потянул бы гораздо меньше, чем одно-единственное взрывное устройство той мощности, о которой говорил Панков...

Выходит, не «чемоданчики». Ну что ж, возвращаемся на исходную точку. Стало быть, либо Киплинг открывает для себя эстонское окно в контрабандном бизнесе, либо действительно решил проверить Крымова на вшивость. Ну что, значит, пришла его, Антона, пора.

Уложив коробки под откидную скамейку, Антон поднялся в кабину и, мысленно перекрестившись, запустил мотор. Вертолет задрожал мелкой гулкой дрожью, сначала медленно, затем все быстрее и быстрее пошли по кругу огромные лопасти, поднимая аэродромную пыль, и Антон покосился на примостившегося в соседнем кресле Ярова:

— Ну? Куда прикажете доставить?

Яров, конечно, уловил подначку в голосе своего управляющего и, усмехнувшись, негромко назвал курс.

...Возвращались они, когда закатное солнце уже спустилось к горизонту, окрасив небо и верхушки сосен в багровый цвет. Когда легли на обратный курс, довольный Яров перебрался с кресла второго пилота в салон, и взмокший от напряжения Антон наконец-то смог, не отвлекаясь на разговоры с шефом, более-менее спокойно проанализировать этот полет.

Строго следуя указанным Яровым курсом, Антон вывел вертолет на Чудское озеро и пошел вдоль невидимой российско-эстонской границы. Вечер был тихий и безветренный, на спокойной водной глади качались десятки, если не сотни катеров, яхт и лодок, и Антон, которому было приказано держаться курса, искоса поглядывал на сидящего рядом с ним Киплинга. А тот старательно, до рези в глазах всматривался в блестящую водную гладь, выискивая одному ему известную посудину. Наконец внимание его привлекла небольшая яхта под эстонским флагом, с которой им подавал какие-то знаки загорелый мужик с модной шкиперской бородкой, в кепке-бейсболке на голове. Удовлетворенно хмыкнув, Яров приказал Антону спуститься как можно ниже и зависнуть над этой яхтой. Сам же прошел в салон, подтащил поближе к дверце все три коробки и стал терпеливо ждать, когда вертолет, задрожав характерной мелкой дрожью, зависнет на одном месте.

Педантично выполняя все указания своего босса, Антон и радовался тому, как послушна его рукам машина, и с тревогой думал о пограничниках, которые могли появиться в любую минуту и поломать Киплингу весь его «бартер». Однако то ли сам Яров или эстонец с яхты заранее сумели договориться с погранцами об этом окне на озере, то ли проморгали славные защитники рубежей, то ли была еще какая-нибудь уважительная причина, но Яров довольно спокойно и без особой суеты спустил своему контрагенту все три коробки разом, обвязав их прочным капроновым шнуром, а вместо них поднял в раскрытую дверцу небольшую коробочку, так же герметически упакованную в плотный целлофан. После чего махнул эстонцу на прощание рукой, закрыл дверцу и приказал Антону возвращаться на аэродром.

Он был явно доволен проделанной операцией.

Бросив гудящую машину вперед, Антон резко набрал высоту и, когда развернулся к российскому берегу, покосился через плечо на Ярова, который, видимо, не утерпел, чтобы не проверить содержимое полученной от эстонца коробочки. Аккуратно высвободив ее из целлофановой обертки, он вскрыл картон, надежно обмотанный широченным скотчем, и осторожно лизнул содержимое.

«Наркота!» — догадался Антон.

Он хотел уж было отвернуться, но, обнаружив, что Яров заметил его взгляд, спросил как бы между делом:

— Порошок?

— Он самый, — мгновенно ответил Яров, и по его реакции и тону, с каким он произнес это, Антон понял, что Киплингу важно сейчас узнать отношение бывшего кагебешника Крымова не только к их контрабандному полету, но и к наркоте тоже.

— Удачный заход, — как бы одобряя действия своего хозяина, пробормотал Антон и показал большой палец.

Киплинг только хмыкнул на это. Причем с явным облегчением. И это тоже не ускользнуло от внимания Антона. Видать, Киплингу и впрямь было очень важно убедиться в положительной реакции Крымова. А это могло значить только одно: да, Яров, он же Киплинг, действительно имеет на него какие-то дальнейшие виды.

— А что за бартер был? — уже на правах доверенного лица и прямого подельника спросил Антон.

— Чепуха! Шкурки соболя.

Антон хмыкнул невольно и перевел взгляд на приближающийся берег. Теперь-то ему стало понятно, отчего те три коробки были настолько легкими.

«Но почему именно три? — засвербел в голове вопрос. — Коробок со шкурками три, взрывных устройств — тоже три. Что это: простое совпадение или же отработка Киплингом возможного переброса «чемоданчиков» через границу? Похоже, сегодня Киплинг делал хронометраж, засекал время на проведение всей операции».

Когда они приземлились наконец на взлетной площадке аэродрома, Яров произнес еще одну, заставившую Крымова задуматься фразу:

— С крещением тебя, Седой!

«Седой»... Этой кличкой, которую Крымов заработал еще в наркологической больнице и которая прочно утвердилась за ним и в следственном изоляторе, и на зоне, Яров назвал его впервые. И назвал почему-то именно сейчас, после удачно прошедшего «крещения». Случайность? Не похоже. Да и не тот человек Яров, который мог бы допускать в подобных делах случайности. Тогда как это понимать? Что Яров окончательно поверил в того самого Седого, который находится в федеральном розыске? Похоже. В таком случае какой он теперь, к черту, Яров? Киплинг!

А Яров между тем продолжал:

— Можешь с сегодняшнего дня считать, что ты у нас обкатку прошел. Полностью! Теперь будешь иметь с каждой операции свою долю. А пока на, держи.

И он достал из кармана плотную пачку сторублевок.

Ух, до чего же Антону хотелось, чтобы босса

задержали с этой наркотой где-нибудь на полпути к Москве! Срок за такое количество порошка Киплингу светил немалый, так что можно было бы разом обрубить все проблемы с заказными «чемоданчиками», но... Арестуют сейчас Киплинга — и дальнейшую операцию можно считать проваленной. Прямых улик о связи Киплинга с заказчиками взрывных устройств нет, а сам Яров, естественно, в таком никогда не признается. А это значит, что разом обрываются буквально все концы, которые могли бы вывести на всю цепочку с основным заказчиком во главе, и кто знает, где и в каком месте этот самый заказ проявится вновь...

Проанализировав ночной рапорт Крымова, в котором Антон в довольно сжатой форме докладывал о состоявшемся «крещении», Панков уже собрался идти на доклад к генералу, как вдруг забренчал телефон внутренней связи и Проскурин сам попросил подполковника срочно зайти к нему.

Генерал был явно озабочен чем-то. И встревожен. Молча кивнув Панкову на стул, что предвещало долгий и обстоятельный разговор, он все так же молча протянул ему оперативное сообщение. Едва взяв его в руки, Панков увидел ярко выделяющееся в убористом тексте слово «Сухачевск». Оно было дважды подчеркнуто жирным красным карандашом, и Панков уже знал: это прошлась рука генерала.

— Читай! — требовательно и в то же время озабоченно произнес Проскурин.

Быстро пробегая глазами строчки оперативного сообщения, Панков вдруг словно споткнулся. Преодолевая волнение, вновь вернулся к началу. «Господи, неужто Киплинг готовится к завершению своей операции?»

Сухие строчки оперативного сообщения о ЧП на территории ракетно-артиллерийского арсенала под Сухачевском. Взрыв на складе боеголовок и страшный пожар, который уже невозможно потушить из-за рвущихся боеприпасов.

Именно в Сухачевске живет тот самый уголовный авторитет по кличке Рядно, к которому проявлял повышенный интерес Яров. Так что ж, выходит, что именно на этом арсенале завязана операция Киплинга? Похоже, что именно так. В этом случае становится совершенно понятен и взрыв складов, и пожар! Все сходится, иначе чем еще объяснить такое количество совпадений? Случайность?

Панков невольно усмехнулся. Нет, в нем давно уже умер тот романтически настроенный лейтенант КГБ, который еще мог верить столь роковым случайностям. Сейчас в нем жил прагматичный, может быть, даже в какой-то степени циничный подполковник ФСБ, который давно уже уяснил, что любое случайное событие — это, по теории вероятностей, событие, которое может как произойти, так и не произойти и для которого имеется *определенная вероятность* его наступления.

Вот она, определенная вероятность, налицо — Киплинг, Сухачевск, арсенал! Правда, из этого ряда пока что выпадал пристальный интерес Ярова к уголовнику Рядно, тут еще, видимо, кое-что предстоит выяснять. Но в этот же ряд, в эту логически выстроенную цепочку прекрасно ложится и повышенный интерес Ярова к аэродрому в Псковской области, и проверка Крымова на вшивость, и его стремительное «крещение».

Панков вернул странички с сообщением генералу.

— Твое мнение? — спросил Проскурин.

Панков в сжатой форме доложил о ночном рапорте Крымова, о возвращении Ярова из Пскова и только после этого попытался ответить на заданный вопрос:

— Во всем этом многое еще требует уточнения, но логичнее всего предположить одно: хищение взрывных устройств произошло именно со склада этого арсенала. Кто-то заметает следы преступления, а наш Киплинг готовит надежный канал для переброски взрывных устройств через границу.

Выслушав подполковника, Проскурин кивнул утвердительно и тут же задал следующий вопрос:

— Предложение?

— Надо сконцентрироваться на разработке Сухачевска, взять Ярова под круглосуточное наблюдение и, как только он засветится с «чемоданчиками»...

— Хорошо, — остановил его Проскурин. — А что с Крымовым? Ведь если мы снимем его сейчас с операции...

— Ни в коем случае! — перебил генерала Панков. — Во-первых, это может насторожить Ярова. Во-вторых, крымовский аэродром — самое надежное место для того, чтобы взять Киплинга с поличным. Вместе с товаром, естественно. К тому же, Сергей Петрович, есть еще кое-какие мысли в пользу относительно... И если позволите...

Выслушав доводы подполковника, Проскурин вновь согласно кивнул, давая тем самым свое добро на проведение операции, и, когда все было обговорено, произнес глухо:

— Ну а напоследок десерт. Службе внешней разведки удалось вычислить посредника, который вел переговоры с террористами. Правда, прямых улик против него у нас пока нет.

Панков насторожился:

— И кто это?

Проскурин тяжело вздохнул:

— Некто Заворотный Петр Максимович. Полковник в отставке. Сейчас неплохо устроился в одной крупной совместной фирме. Консультантом. И почти не вылазит из-за границы. Связи, как сам понимаешь, неограниченные.

— Ясно, — хмуро кивнул Панков и тут же добавил: — Что-то именно в этом роде мы и предполагали. — Уточнил: — Кто будет вести его разработку?

— Ты! Таково решение начальства. Косвенные улики у нас есть, но надо доказать его непосредственную причастность к переговорам по поводу взрывных устройств. А это сподручнее всего тебе и твоей группе.

Часть четвертая

I

— Все! Шабаш на сегодня, — произнес Замятин и устало повел онемевшими плечами. — Как говорится, утро вечера мудренее.

Черный от жирной копоти и больше похожий на лубочного черта, только что вылезшего из печной трубы, нежели на майора группы оперативного реагирования ФСБ, Замятин прищурился на солнечный багряный диск, огромной сковородой висевший над обожженной кромкой лесополосы, совсем недавно окружавшей склады и хранилища ракетно-артиллерийского арсенала, и, кивнув своим пиротехникам, чтобы кончали работу, первым двинулся к служебному автобусу, подле которого его уже поджидал подполковник Гринько.

Поравнявшись с начальником штаба арсенала, Замятин только пожал плечами. Трехдневный страшенный пожар и не менее ужасающая канонада рвущихся снарядов превратили территорию арсенала в выжженный, развороченный взрывами марсианский пейзаж, над которым еще дымились почерневшие от копоти остовы бетонных сооружений.

Что и говорить, разрушения ужасные, но он, эксперт с пятнадцатилетним стажем, должен был найти и определить истинную причину первоначального взрыва, после которого полыхнул пожар и потянулась длиннющая цепочка этих страшных разрушений. Чья-то оплошность? Удар молнии? Впрочем, нельзя было исключать и запланированную диверсию.

Как всегда в подобных случаях, в комиссии народу было много, даже более чем достаточно, но основная тяжесть первоначального поиска ложилась лично на него, Павла Викторовича Замятина, и его экспертов-пиротехников, которые и должны были дать ответы на поставленные вопросы.

А вопросов было великое множество. И пока что ни одного точного и ясного ответа. Хотя после трехдневной кропотливой работы, когда пришлось просеять и подвергнуть спецанализу все то, что осталось в центре первоначального взрыва, у него появились кое-какие предположения — правда, еще довольно сомнительные, но и это уже было кое-что.

Замятин поднялся в автобус, следом за ним — подполковник Гринько. Спросил участливо:

— Душ примете или, может, в баньке грязь эту смоете? Вмиг организуем.

Прекрасно зная, что конкретно подразумевал начальник штаба под словами «банька» и «организуем», майор только вздохнул тяжело да невесело усмехнулся:

— Баньку бы, конечно, неплохо. И водочки тоже, но... Сегодня у нас нечто вроде предварительного совещания в двадцать два ноль-ноль. Дай-то бог душ успеть принять да перехватить что-нибудь.

Так что за предложение, конечно, спасибо, но банька — это потом.

— А что, уже есть какие-нибудь выводы? — осторожно спросил Гринько.

Замятин, подумав немного — говорить, не говорить? — кивнул утвердительно:

— Есть, Иван Мартынович. Кое-что есть.

Гринько вопросительно уставился на пиротехника и, не в силах сдержать себя, спросил свистящим шепотом:

— Неужто диверсия?.. Или все-таки оплошность чья-нибудь?

Знал бы кто-нибудь, как ему хотелось услышать утвердительный ответ на свой второй вопрос: «Да, товарищ подполковник, оплошность. Причем такая оплошность, что...» Тогда бы по шапке досталось всем, ну и, конечно, ему, как начальнику штаба ракетно-артиллерийского арсенала, но не в такой же степени, как будет, если эти чумазые козлы докопаются до истинной причины катастрофы. Впрочем, о том, что будет в этом случае, Гринько старался не думать.

Однако Замятин молчал, занятый, видно, какими-то своими мыслями. Наконец поднял глаза на подполковника, чуть прищурился и вдруг спросил негромко — так, чтобы не услышал сидящий за баранкой молоденький солдат-водитель:

— Вы достаточно хорошо знаете прапорщика Шибанова?

Всего, чего угодно, мог ожидать Гринько от этого майора-пиротехника, но только не такого вопроса. Да еще заданного в такой форме и с такой интонацией: достаточно ли хорошо... Да, он именно так и спросил: «Достаточно хорошо?»

Господи, что бы это значило? Неужто докопались?

Гринько мгновенно покрылся испариной, в глазах потемнело, стало трудно дышать.

Прошла секунда, другая. А может быть, и целая вечность. Надо было что-то отвечать дотошному майору, а Гринько все никак не мог найти в себе силы, чтобы выйти из своего столбнячного оцепенения. Наконец он заставил себя поднять на пиротехника глаза, но, увидев его удивленный взгляд, снова потупился, почувствовав, как от страха засосало где-то под ложечкой.

— Прапорщика Шибанова? — наконец автоматически повторил он, лихорадочно гадая, до чего все же смогли докопаться пиротехники. Недоуменно пожал плечами. — Шибанова... Да в общем-то по службе знаю неплохо. Характеристика...

Замолчал, словно вспоминая казенные строки характеристики на тридцатилетнего прапорщика, и вдруг не выдержал, спросил прерывистым шепотом:

— А что?.. Вы считаете, что...

— Упаси бог! — движением руки остановил подполковника Замятин. — Пока все версии полностью не отработаем, никто ничего считать, а тем более утверждать не может.

— А зачем же тогда...

— Шибанов? — уточнил пиротехник.

Все еще не в силах справиться с нахлынувшим страхом, Гринько безвольно кивнул:

— Да.

— Ну-у, — замялся майор, — есть кой-какие соображения. Но пока что только мои личные. Надо будет еще завтра покопаться в центре взрыва и кое-что перепроверить. Можете считать, что этого вопроса про Шибанова не было.

И вновь Гринько безвольно кивнул, лихорадочно соображая.

«Кой-какие соображения... Пока что...»

Эти слова, как бы мимоходом брошенные пиротехником, для начальника штаба ракетно-артиллерийского арсенала звучали страшным обвинительным заключением.

«Пока что... Соображения... Перепроверить...»

Это сегодня «пока что». А завтра, когда они и впрямь перепроверят эти самые свои «соображения»?

В душе у него ничего уже не осталось, кроме страха. Страх! Какой-то дикий, всепоглощающий, почти животный страх парализовал и волю, и сознание. Единственное, что еще мог сейчас заставить себя сделать начальник штаба ракетно-артиллерийского арсенала подполковник Гринько, — вяло пожать майору руку и перебраться из автобуса в служебную машину, водитель которой пытался ветошью протереть покрытые слоем грязи и жирной копоти, еще утром блестевшие чистотой бока.

Приказав солдату ехать в город, Иван Мартынович откинулся на спинку сиденья, которая тоже пропиталась вонью пожарища, и устало закрыл глаза. Надо было попытаться взять себя в руки.

Итак, у него здесь роет окружная следственная бригада, которая работает сейчас с личным составом арсенала, и эксперты по взрывам, которые прикатили сюда из самой Москвы. Но самое страшное — майор Замятин, сотрудник группы оперативного реагирования ФСБ. Этот ушлый пиротехник, пытаясь докопаться до истинной причины первоначального взрыва, въедливо лез во все дыры и закоулки развороченного, почти дотла сожженного арсенала, и этой его дотошности Гринько боялся более всего.

«Кое-что есть...»

Но что именно? И неужели этот Замятин действительно смог докопаться до чего-то такого, что не предусмотрели ни сам Гринько, ни прапорщик Шибанов? Но что? Что именно он мог раскопать?!

Гринько вздохнул поглубже, открыл воспаленные, покрасневшие от бессонных ночей глаза. Они уже выехали с территории арсенала (страшно, он даже не слышал, как они проехали КПП!), и теперь машина летела через березняк, отделявший воинскую часть от города. Вроде бы и далековато отъехали от пожарища, но и здесь деревья были сожжены и изуродованы рвущимися боеприпасами так, будто по этому леску прокатилась большая война.

Это зрелище отвлекало его, мешало думать, и Гринько вновь прикрыл воспаленные веки.

Итак, что мог узнать этот дотошный майор за те трое суток, что рылся в центре взрыва и на прилегающих к этому месту складах? Гринько знал: первое, что сразу же сделали эксперты, — запросили метеоцентр. Грозы над арсеналом не наблюдалось. Затем они определили место взрыва. Нашли. Стали на месте проверять возможность диверсии. Исследовали всю систему заграждений и допуска на территорию арсенала — проникновение «гостей» исключалось. Просеяли и подвергли анализу огромное количество всего, что было в центре взрыва, — ни одной молекулы какого-нибудь постороннего вещества. Вывод? Диверсия отпадала. Так же как и роковой удар молнии.

Не мог ли причиной взрыва стать случайный выстрел часового? Оказалось, не мог. Склады окружены земляным валом, ни с одного поста тот ангар, с которого началась канонада, не простреливался.

Что еще? Может, взрыв в ангаре подстроен расхитителями воинского имущества, чтобы уничтожить следы преступления?

Проверили и такую версию следствия, однако и здесь полный облом. Точность оценочного метода, которым пользовались эксперты, позволила им твердо ответить, что в ангаре жахнуло все, что должно было здесь храниться...

Страх мало-помалу отпускал Ивана Мартыновича, и теперь он мог уже более спокойно думать о своем более чем коротком разговор с майором-пиротехником, подполковник постарался как можно точнее воспроизвести в памяти интонацию заданного ему вопроса.

«Вы достаточно хорошо знаете прапорщика Шибанова?» — спросил Замятин.

Да, именно так! С ударением на слове «достаточно». И Гринько покрылся испариной.

«Господи, неужто они уже взяли Шибанова под подозрение?»

Чтобы заставить себя успокоиться, попробовал восстановить в памяти *тот* разговор с прапорщиком в *тот* вечер.

Тогда Иван Мартынович, размышляя, как лучше всего замести следы хищения ядерных взрывных устройств, прикидывал один вариант за другим, однако все они имели довольно серьезные изъяны. Он знал, что при кропотливой работе экспертов и следственной бригады на свет божий могли выплыть истинные причины возможного пожара на арсенале. Тем не менее один из этих вариантов все-таки привлек его внимание. Вариант был достаточно надежен, а кроме того, его непосредственным исполнителем должен был стать прапорщик Шибанов, довольно надежный тридцатилетний парень, которого в свое время рекомендовал подполковнику ныне покойный прапорщик Тимошкин и который уже провернул несколько удачных операций по сбыту взрывчатых веществ, отстегивая при этом определенный процент и своему начальству, то есть начальнику штаба. Обмусолив как следует этот вариант и взвесив на трезвую голову все «за» и «против», Иван Мартынович вызвал прапорщика к себе и сообщил ему, что на их арсенале ожидается проверка с дотошной инспекцией. И основная задача проверяющих — выяснить возможные каналы утечки взрывчатых веществ со складов и хранилищ арсенала. Мол, есть достоверная информация, что кто-то на них капнул.

Заметив, как у прапорщика изменилось лицо, Гринько произнес негромко:

— Надо, Коля, хвосты убирать. Если инспекция рыть начнет и что-нибудь раскопает...

Дальше он мог не продолжать — и так было ясно, что Шибанов схватил все на лету. По тому, как сначала побелело, а затем посерело его лицо, Иван Мартынович понял, что добился желаемого эффекта.

— Т-товарищ подполковник... — едва выдавил из себя прапорщик, — вы... вы же...

Он не договорил, и только судорожная гримаса перекосила его лицо.

— Успокойся. Да сопли не распускай! — прикрикнул на него Гринько. — Лучше давай покумекаем, как тебе из этого говна выбраться.

Он так и сказал тогда — «тебе», будто Шибанов без его личного ведома потрошил ракетные боеголовки, без его ведома вывозил взрывчатку с территории арсенала. Впрочем, Шибанов этого даже не заметил, а если и заметил, то, наверно, вовремя сообразил: случись более-менее серьезная проверка, и голову снесут ему — прапорщику, а товарищ подполковник всегда выйдет сухим из воды, на то он и начальник штаба.

— Да, конечно. Хорошо. Слушаюсь, товарищ подполковник! — словно попка, закивал Шибанов. И тут же спросил умоляюще: — Что я должен сделать, товарищ подполковник?

Гринько удовлетворенно улыбнулся:

— Узнаешь, но позже.

Разговор этот у них завершился позже, у вконец истомившегося от страха прапорщика дома. Они тогда проговорили до глубокой ночи, обкатывая и тщательно мусоля каждую деталь предстоящей операции, и буквально на другой день опохмелившийся Шибанов приступил к ее реализации. О том, что при этом будут человеческие жертвы, ни он сам, ни тем более подполковник Гринько не думали. И конечно, неведомо было Шибанову об истинной причине готовящегося на арсенале взрыва.

И вот взрыв этот жахнул. Да такой страшной

силы, что от него сдетонировали другие снаряды, заскладированные неподалеку ракетные боеголовки — и пошло-поехало. Огромное, окруженное лесом поле, на котором еще совсем недавно красовался ракетно-артиллерийский арсенал, лежало покрытое черными от пожара, исковерканными бетонными плитами да такими же черными, обуглившимися и изуродованными бетонными подпорками, на которых еще совсем недавно покоились эти плиты. Многотонное бетонное перекрытие, которое прикрывало собой спецхранилище с изделиями МЧС-518, также рухнуло на землю, похоронив под собой следы преступления подполковника Гринько. Так что расчет его был правильным и можно было бы уже не волноваться насчет самых разных последствий той проклятой сделки, и вдруг этот вопрос майора Замятина...

— Но что? Что они могли откопать? — едва слышно произнес Гринько, совершенно забывший, что он не один в машине, и вздрогнул от собственного голоса.

Бросил настороженный взгляд на напряженный затылок водителя, однако тот, похоже, ничего не слышал, и Гринько вновь погрузился в свои размышления, пытаясь найти в действиях Шибанова хоть какой-нибудь серьезный прокол, за который мог бы зацепиться в своем расследовании этот московский пиротехник.

...В тот день с ракет снимали боеголовки. Сняли тридцать пять штук, и предполагалось, что все они будут доставлены на склад. Однако прапорщик Шибанов, устроив так, что свободного места в тот момент на складе не оказалось, распорядился оставить боеголовки в ангаре, как раз неподалеку от спецхранилища, где покоились когда-то изделия МЧС-518. Выставил, как положено, для охраны солдата. А ближе к ночи...

После тщательного просеивания всего, что нашли на месте взрыва, эксперты обнаружили обрывок сукна да маленький обломок, похожий на человеческую кость. Все, что осталось от солдата.

Казалось бы, что еще они могли здесь найти? Какую улику, способную доказать злой умысел? Вроде бы никакой. А вот на ж тебе: «Вы достаточно хорошо знаете прапорщика Шибанова?»

Что, что стоит за этим «достаточно хорошо»? Какую ошибку мог допустить Шибанов и что конкретно есть против него у этого столичного эфэсбэшника?

На въезде в Сухачевск Гринько словно очнулся, как всегда приказал водителю тормознуть у ближайшего магазина и, едва взяв свой привычный набор — бутылку водки и три пива, тут же, не отходя от прилавка, высосал бутылку «Жигулевского», а стакан муторной водяры, как повелось у него в последнее время, пропустил уже в салоне машины. Благо что солдат, уже приученный к этому ритуалу, даже внимания не обратил на отрыгнувшего свежим пивом подполковника.

И уже когда «Волга» тронулась с места, Иван Мартынович почувствовал, как отступает сосущее, мешающее думать чувство «невостребованного стакана», да и мыслишки кой-какие начали копошиться в голове.

«Вы достаточно хорошо знаете прапорщика Шибанова?»

«Господи, к чему бы этот вопрос?! Где, на чем конкретно смог засветиться этот болван, жадности и всеядности которого не было предела?» — упорно думал Иван Мартынович, уставившись в бритый затылок своего водителя. И вдруг будто вспыхнуло что-то в его воспаленных, измотанных нервотрепкой мозгах.

Засветиться...

Да, конечно, только это! Следственная бригада военной прокуратуры округа, которая работала сейчас с личным составом арсенала, видимо, накопала на Шибанова что-то интересное, а ушлый пиротехник из Москвы тут же сопоставил это со своими первоначальными выводами. Эх, еще бы докопаться, что же такое смогли они узнать про Шибанова, чем вдруг с ходу заинтересовался Замятин?

Вконец обессиленный непривычным умственным напряжением подполковник откинулся на спинку сиденья и уже до самого дома старался думать о чем угодно, но только не о Шибанове и том вопросе, который задал ему майор. Отпустив водителя, он поднялся к себе в квартиру, мимоходом кивнул жене, хотел было прилечь на диван, но, понимая, что не будет его душе покоя, пока он не узнает истинной причины заданного майором вопроса, снял телефонную трубку и набрал домашний номер командира части, который мог быть в курсе всех следственных тайн.

То, что он услышал, породило в его душе новую волну паники, и, едва опустив безвольной рукой трубку на рычажки, он тут же полез в свой «дипломат», достал початую бутылку водки и жадно присосался к горлышку. Заглянувшая в комнату жена попыталась было его осадить, но Иван Мартынович так рявкнул на нее, что струхнувшая бабенка тут же убралась на кухню, а Гринько, продолжая держать в руке ополовиненную бутылку, лихорадочно соображал, что же ему теперь делать.

Впрочем, выход из создавшейся ситуации был. И кажется, единственно надежный. Хотя... Хотя меньше всего подполковник Гринько хотел бы сейчас обращаться именно к этому человеку. И в то же время Иван Мартынович прекрасно понимал, что только ему под силу разрубить этот затягивающийся удавкой страшный узел.

...Вчера рано утром ему позвонил Яров, принес свои соболезнования по поводу пожара на арсенале и сообщил, что он уже несколько дней находится в Сухачевске. Сказал, что изучает обстановку и что ему необходимо срочно встретиться с Гринько. Поначалу возмутившийся было от такой наглости, Иван Мартынович спросил: «Зачем?» — на что Яров спокойно ответил: «Надо бы ясность внести в наш тройственный союз и расставить точки над «и». К тому же, товарищ подполковник, это в ваших интересах».

Они встретились через полчаса, в лесу, на полдороге к арсеналу, и Яров спокойно и убедительно выложил опешившему Гринько свою версию убийства людей, исчезновения из расстрелянной машины кейса с деньгами за взрывные устройства — теми самыми деньгами, которые предназначались ему, Гринько, и, наконец, про исчезновение своих людей вместе с иномаркой и «чемоданчиками». После чего задал подполковнику несколько вопросов, сказал, что теперь действительно верит ему и снимает с него все свои подозрения, и оба разошлись по своим машинам. Яров вернулся в Сухачевск, а Иван Мартынович должен был ехать на пожарище, где уже, как сказано, работали эксперты и следственная бригада военной прокуратуры округа. Перед тем как забраться в салон служебной «Волги», Гринько закрыл глаза и с силой втянул в себя пряный лесной воздух. Он был ошеломлен услышанным. Привыкший только приказывать, повелевать и брать, он был почти шокирован откровенным грабежом и наглостью Рядно, этого проклятого уголовника с рябым лицом.

Господи, вот бы кого он пристрелил не задумываясь!

Однако это были только мечты. Яров приказал Гринько даже виду не подавать, что теперь он знает истинную правду о Рядно, а также сказал ему, что останется еще на несколько дней в городе и чтобы он, подполковник Гринько, держал его в курсе всех следственных мероприятий, которые ведутся на арсенале. Что же касается исчезнувшего кейса с долларами, то Яров пообещал в ближайшие дни разобраться с Рядно и, если это, конечно, получится, вернуть «чемоданчики», а деньги передать Гринько.

Догадываясь о возможностях столичного гостя, Иван Мартынович Ярову поверил. А насчет связи между собой договорились так: Яров сам будет звонить ему каждый вечер. Вот он ему сегодня же все и выложит.

Окончательно утвердившись в своем решении, Гринько открыл еще одну бутылку пива и прошел на кухню, где колготилась надувшаяся на него жена. Хлопнув ее в знак примирения по расплывшейся заднице, он пробурчал, что можно было бы теперь и поужинать, и, когда жена загремела посудой, накрывая на стол, устало опустился на диванчик. Яров обещал звонить в одиннадцать, и у Ивана Мартыновича еще оставалось время, чтобы как следует обмозговать ту информацию, которая пришла к нему от командира части и которую он непременно должен передать этому столичному лощеному бандиту.

II

Было уже довольно поздно, когда Яров вернулся в Сухачевск. Чтобы не засветиться перед Рядно, который после убийства Максима должен был ждать появления в городе и самого Киплинга, причем ждать во всеоружии, Андрей снял для себя небольшую двухкомнатную квартиру в центре города и теперь мог не опасаться, что тот же Рядно вычислит его в одной из городских гостиниц. Отыщет, чтобы раз и навсегда расквитаться с человеком, который знал его подлинное прошлое и который тем самым держал его на смертельном поводке.

Квартирка была небольшая, скромно обставленная, впрочем, Ярову было на это наплевать. Телевизор с холодильником работали, а самое главное — был телефон, так что он мог держать постоянную связь со своими боевиками и Геной-электронщиком, который на свой страх и риск продолжал жить у Зинки-продавщицы и прослушивать дом Рядно, превратившийся после убийства Максима в настоящую крепость. Вместо двух охранников теперь здесь обретались едва ли не целый десяток вооруженных отморозков, а уж без четырех человек сопровождения этот ублюдок из дома не выходил.

Боже, как же ненавидел его Яров! Именно он, этот рябой недоносок, помешал ему сорвать сказочный куш, и еще неизвестно, чем закончится вся эта затянувшаяся эпопея с «чемоданчиками». Заказчики требовали, чтобы он представил наполовину уже оплаченные взрывные устройства, а он все никак не мог начать действовать. Сухачевск вдруг словно оказался во фронтовой полосе: рядом с утра до вечера рвались снаряды и боеголовки, вся округа была наводнена ментами, сыскарями и эфэсбэшниками, так что Яров даже подумывал порой, не уехать ли ему на время из этого вонючего города в Москву. Переждать, пока все утихнет, а там... Но уезжать было нельзя, и он прекрасно понимал это.

Время! Уходило драгоценное время, а вместе с ним могли раствориться в неизвестности и «чемоданчики». То, что взрывные устройства пока что здесь, в самом городе или где-нибудь в окрестностях, — в этом Яров не сомневался. И его главная и наипервейшая задача — найти их.

И вот сегодня ему, кажется, повезло.

Около десяти утра раздался телефонный звонок и в трубке прорезался тревожно-возбужденный голос Гены-электронщика:

— Андрей? Похоже, Рядно проклюнулся! Я только что засек любопытный звонок.

Слово «проклюнулся» было у них ключевым, и поэтому Яров мгновенно насторожился.

— Говори! — потребовал он.

— Только что ему звонила какая-то падла. Видимо, откуда-то с почты. Мужской голос, сильно взволнованный. Спросил, что за канонада доносится со стороны арсенала. И еще одно, буквально следующее: «Ихний взрывала шибко волнуется и требует тебя для переговоров. Говорит, что *они* и сдетонировать могут». Причем сделал сильное ударение на слове «они».

Гена замолчал и прислушался к тишине трубки, чувствуя, как все внутри него ликует.

«Господи, неужто действительно проклюнулся?» — пронеслась в голове радостная мысль, но он заглушил эту радость — рано, уточнил у Гены:

— Что ответил Рядно?

— Ну, поначалу вроде как онемел, а потом приказал любыми способами успокоить взрывника, велел ему передать, что к обеду приедет. Мол, разобраться, что к чему, самолично.

— Что еще? — быстро спросил Яров.

— Вроде как все.

— Хорошо, Гена. Очень хорошо! Теперь слушай меня внимательно. Срочно звони ребятам в гостиницу, прикажи им от моего имени подтягиваться в твою сторону. На машине. Я минут через десять тоже буду. Встречаемся на перекрестке у магазина. Все. Отбой!

...Они вели Рядно с его охраной на двух машинах, вели по всем правилам оперативной слежки, искусству которой специально обучал своих ребят Киплинг. И когда Рядно вывел их к небольшой деревеньке, с околицы которой в бинокли просматривались буквально все дома, Яров понял — именно здесь Рядно хранит столь опасные «чемоданчики», начиненные адским зарядом.

Никаких сомнений у него больше не оставалось. Да и вряд ли стал бы тертый уркаган прятать в такой глухомани, чуть ли не на границе области, какую-нибудь безделицу. Пусть даже очень дорогую. И охрану бы к ней не приставлял из пяти вооруженных мордоворотов, которые всем кагалом высыпали встречать своего пахана прямо к воротам.

Судя по телефонному перехвату, их взрывник был жив. Видимо, этот ссучившийся ублюдок оставил его в живых для обеспечения собственной безопасности. Что же касается двух боевиков из команды Максима... Судя по рассказу о гибели самого Максима, от которой все еще не мог прийти в себя впечатлительный Гена-электронщик, этих парней давно уже не было в живых.

«Ну что же, и на самую хитрую жопу найдется инструмент с винтом!» — угрюмо подумал Яров, наблюдая в бинокль за почти безлюдной улицей, в пыли которой копошились деревенские куры, и за домом, где улаживал сейчас свои дела уголовный авторитет по кличке Рядно.

В огромном бревенчатом доме, защищенном от посторонних глаз сплошным дощатым забором, Рядно пробыл минут двадцать, и столь скоротечное пребывание в этой деревеньке лишний раз убедило Ярова, что именно в этой глухомани Рядно и прячет «чемоданные» устройства, и больше того, откровенно боится своей непредсказуемой добычи, спрятанной в погребе или в подвале дома.

Когда Рядно появился на крыльце, его опять провожали пятеро рослых отморозков. Правда, Яров не сумел точно определить, в доме остались все те же охранники или пахан произвел кое-какую замену. Впрочем, это было не важно. Главное — теперь у него была точная информация, где конкретно Рядно припрятал взрывные устройства, а кроме того, он знал, что жив его взрывник. Оставалось действовать сообразно обстоятельствам. И как можно быстрее. Переполошившийся Рядно, у которого добавилось страхов — ведь теперь он опасался уже не только ответных действий Киплинга, но и последствий жуткой канонады на территории арсенала, — этот перепуганный и ничего в своей дремучести не понимающий Рядно мог выкинуть сейчас любую глупость. И вот именно этого-то больше всего и опасался Яров. Надо было лишить Рядно времени на глупости.

Время — деньги, любил говорить один умный человек. Но сейчас для Ярова на эту карту было поставлено буквально все — и деньги, и свобода, а возможно, и сама жизнь.

Между тем Рядно загрузился со своими отморозками в машину, и они запылили в сторону Сухачевска. Проводив машину глазами и приказав насторожившимся парням следить в оба, Яров лихорадочно соображал, что должен делать.

Попытаться ночью незаметно пробраться в дом и вырезать или перестрелять засевших там отморозков? Эта мысль первой пришла ему в голову, и поэтому он тут же отбросил ее. Она лежала на поверхности, а это значило, что точно так же мог думать и Рядно. Тем более что он знал возможности Киплинга. И вполне мог предположить, что он, Киплинг, уже знает о пожаре в арсенале, уже встречался с перетрухнувшим Гринько и, естественно, давно уже вычислил, кто конкретно расстрелял армейскую машину с людьми и увел не только кейс с баксами, но и взрывные устройства. И, зная настырность и возможности Киплинга, он мог бы догадаться и о том, что Яров уже проведал о его схроне в этой деревне, и, естественно, о том, что он вооружил своих отморозков по-настоящему, приказав им стеречь взрывника с бомбами пуще своего ока.

И если все это принять во внимание, то о ночной операции нечего было и мечтать. Мало того что он, Яров, мог положить там всех своих людей, так вдобавок ко всему он еще и не знал, какие указания оставил охране Рядно на случай внезапного нападения. С этого идиота, пожалуй, станется в случае особой опасности уничтожить не только взрывника, но и... Ярова передернуло от такой возможности, и он решительно отмел вариант со штурмом, оставив его на крайний случай. Но что еще?

Пытаясь сосредоточиться и найти единственно правильное решение, Яров с тоской смотрел на небольшую, утопающую в зелени садов деревеньку, где в одном из неказистых домов лежали сейчас сотни тысяч его *личных* баксов, а у него не было возможности их взять. Как в той поговорке: хоть и близок локоток, да не укусишь. Однако ничего путного ему в голову так и не приходило, и он невольно покосился на своих боевиков. Они ждали его приказа, чтобы отомстить за своего командира, они были готовы на любую сверхдерзкую акцию, готовы рвать, убивать и пытать, но они не знали истинного положения вещей и даже догадываться не могли, *что именно охраняют* сейчас люди Рядно и из-за чего затеян весь этот сыр-бор. Хорошо тренированные, умеющие драться, стрелять и грамотно вести наружное наблюдение, они были просто *исполните-*

лями и в данном случае практически ничем не могли ему помочь.

— Значит, так, — принял наконец решение Яров. — Трое с машиной остаются здесь, будете вести наблюдение за домом. И если все тихо-мирно, никаких самостоятельных шагов не предпринимаете. Я возвращаюсь в город.

...Теплой воды в доме не было — энергетический кризис бушевал не только на Дальнем Востоке, но и по всей России, — Яров принял холодный душ, докрасна растерся полотенцем и, взбодренный, хотел уж было ставить на плиту чайник, как вдруг заверещал телефонный звонок. Говорил подполковник Гринько. Говорил громко, сбивчиво и торопливо.

Отодвинув трубку от уха и вникая в этот встревоженный монолог, Яров сразу понял, что начальник штаба арсенала уже ополовинил свою вечернюю дозу водяры, лакируя ее пивком, но даже и из такого не вполне связного рассказа Яров сумел уяснить, что дела на арсенале складываются хреновые и что комиссия, отрабатывающая истинную причину первоначального взрыва, вместе со следственной бригадой через день-другой может выйти на правильный след. А там... А там уж потянется ниточка и дальше. Прапорщик Шибанов, подполковник Гринько, местный пахан по кличке Рядно, и кто его знает, оборвется ли цепочка на этом...

Пообещав подполковнику что-нибудь придумать, Яров задал ему несколько уточняющих вопросов и, буквально приказав Гринько успокоиться и взять себя в руки, положил трубку.

Да, срочно надо было начинать действовать. Но как? И в его ли еще силах изменить что-то?

Взрыв на складе и пожар, уничтоживший половину арсенала. Погибший солдат, от которого осталось две или три косточки, и живой прапорщик Шибанов — вот та самая ниточка, за которую могут потянуть либо здешние армейские следаки, либо столичный пиротехник Замятин. Но ведь не потянул же пока этот майор ФСБ, побоялся. Как же, а вдруг он опорочит ни в чем не повинного прапорщика, побоялся — и спросил у начальника штаба, хорошо ли тот знает Шибанова. Но если он начнет раскручивать эту линию, да еще ушлые следователи из военной прокуратуры по-настоящему прижмут засветившегося прапора...

Ну и где гарантия, что струхнувший Шибанов не расколется и не назовет своего подельника, то есть подполковника Гринько? А тут как раз и убитые в машине офицеры могут всплыть. И где гарантия, что начальник штаба не расколется под давлением неопровержимых улик? К тому же могут всплыть и его прежние делишки, которые он обделывал вместе с Рядно. И пошло, и поехало...

Он еще раз прокрутил в голове то, о чем ему только что рассказал Гринько. Чтобы уничтожить следы хищения трех комплектов изделия МЧС-518, то есть намертво завалить спецхранилище, сделав из него бетонный саркофаг, начальнику штаба пришлось обзавестись еще одним подельником — вороватым прапорщиком, который сидел у подполковника на крепком крючке. Задумка была более чем проста. Как раз в это время с ракет на складах снимали боеголовки. Вот Гринько и придумал одну платформу с боеголовками разместить на ночь неподалеку от спецхранилища и приставить к ней караульного, дав ему соответствующее задание и снабдив, естественно, плоскогубцами и отверткой.

Все остальное было делом техники, времени и ловкости Шибанова.

Вороватые солдаты, особенно из тех, кто готовился к дембелю, обычно не упускали случая, чтобы не воспользоваться столь откровенной халявой, тем более с благословения прапорщика. Взрывчатое вещество, запрессованное в боеголовки, было довольно расхожим товаром, и караульному требовалось всего лишь снять крепежные болты с головки и отверткой вырубить из болванки дорогостоящую взрывчатку. Начинка запрессовывалась в боеголовку очень сильно, ее необходимо было именно *вырубать,* и ушлому прапорщику надо было сделать совсем немногое, чтобы боеголовка рванула, то есть возник бы первоначальный взрыв. Еще до того, как вороватый солдатик полезет в эту боеголовку, прапорщик должен был вскрыть ее сам и произвести кое-какие действия, чтобы потенциальный смертник *обязательно* ударил отверткой по критическому кристаллику. А дальше... детонация, страшной силы взрыв и... пошло-поехало.

О том, что от солдата не останется даже косточек, ни сам Гринько, ни Шибанов тогда не думали. Да и до того ли, когда речь идет о собственной шкуре!

Да, хорошо задумал подполковник, недаром его выдвинули на должность начальника штаба, и Шибанов все грамотно сделал, но...

Опять это «но»!

Вот уж правду люди говорят: знал бы где упасть, соломки бы подстелил. И разве мог тот же подполковник Гринько или прапорщик Шибанов подумать, что отобранный для этого дела солдат окажется той самой арбузной коркой, на которой они оба и поскользнутся. Оказывается, покойный солдатик, царство ему небесное, еще на первом году службы был замечен в подобном воровстве, парню грозил штрафбат, но тогда за него вовремя заступился — кто бы вы думали? Да, прапорщик Шибанов, поддержанный начальником штаба! Дело спустили на тормозах, парня оставили дослуживать на арсенале. Шибанов, видимо, продолжал пользоваться его услугами, и когда потребовалось в срочном порядке произвести этот взрыв, то Шибанов, естественно, обратился именно к нему.

Короче говоря, послал прапорщик парня на верную смерть. И все бы ничего, если бы майор-пиротехник не узнал о результатах розыска следователя, который все эти дни работал с личным составом, опрашивая арсенальцев о погибшем, и не соотнес бы свои личные выводы и первоначальные наметки с характеристикой погибшего. И естественно, что тут же всплыло имя прапорщика, который занарядил солдата в последний для него караул.

Шибанов не имел права делать этого, так же как не имел права оставлять на ночь платформу с боеголовками в непосредственной близи от спецхранилища. И вот, когда пиротехник сопоставил все эти накладки, у него тут же возник вполне естественный вопрос, который он и задал начальнику штаба: «Вы достаточно хорошо знаете прапорщика Шибанова?»

Господи, спасибо еще, что сразу не приказал арестовать этого придурка, а решил поначалу посоветоваться с тем же Гринько! Видимо, Всевышний еще благоволил к нему, Ярову, если дает время замести следы.

Словно очнувшись ото всех этих мыслей, Яров посмотрел на часы — скоро одиннадцать. А Гринько сказал, что завтра к обеду комиссия должна дать свои выводы и предположения о причинах взрыва. А это значит, что завтра и майор Замятин доложит свое личное мнение. И после этого...

Только один Бог мог знать, как развернутся дальнейшие события.

И вдруг Ярова словно осенило. Поначалу он даже слегка растерялся от столь неожиданно пришедшего решения, подумал еще и понял, что, кажется, нашел самый оптимальный ход. Как тогда, в не такие уж и давние восьмидесятые годы, когда надо было уничтожить группировку Креста, созданную в колонии строгого режима.

III

Сколько воды утекло с тех пор, сколько всего изменилось! Давно уже перестало существовать вместе с Союзом Советских Социалистических Республик знаменитое КГБ, трансформировавшись в ФСБ, а он, бывший засекреченный сотрудник спецподразделения КГБ Андрей Яров, до мельчайшей подробности помнил начало восьмидесятых и все моменты той многоходовой операции, в результате которой вместо ордена на груди и повышения звания он едва не поимел деревянный бушлат...

Да, конец восьмидесятых... Веселые времена, когда откровенно зашевелился, поднимая голову, уголовный мир, а угодливые законники все продолжали кричать с газетных полос и по радио, что в «стране победившего социализма» нет и не может быть организованной преступности. И все это в то время, когда оргпреступность уже откровенно и хамовито заявляла о своем существовании. Честные профессионалы знали о том, что происходит на самом деле, пытались сказать что-то с газетных полос, но им с подачи умников из ЦК КПСС тут же затыкали глотки. Конечно, идеологи ЦК, собственными руками выпустившие джинна из бутылки, лучше других жителей страны знали, что происходит на самом деле, но поскольку каждый из них трясся в первую очередь за свою ж... вместе с креслом, трясся от одной мысли о гневе Политбюро и соответствующих «оргвыводах», то есть об отлучении от цековской кормушки, — все продолжали дуть в одну дуду, волей-неволей связывая тем самым руки профессионалам из правоохранительных органов. Итог — победное шествие поднявшейся из пепла организованной преступности и ее дальнейшее слияние с продажными чиновниками, а потом и с политическими деятелями.

Бороться с этим многоголовым драконом можно было только самыми изощренными методами. И те, кто знал, как обстоят дела в реальности, не просто поддерживали, но голосовали двумя руками за меры, принимаемые по инициативе Юрия Владимировича Андропова, тогдашнего председателя КГБ. Именно он, Андропов, в самом начале восьмидесятых годов создал строго засекреченные подразделения по борьбе с особо опасными преступными группировками, что уже к этому времени начали формироваться в колониях строгого режима.

Иного выхода, видимо, просто не было. Тем более что после смерти Брежнева и МВД СССР, и Московский уголовный розыск, и Главное управление внутренних дел крупнейших городов страны до такой степени погрязли в собственных разборках и разоблачениях, которые порой были похлеще самых жутких детективов, что вполне естественно самая активная борьба с возрождающейся организованной преступностью легла на плечи бывшего теперь КГБ...

Именно тогда один из оперативных источников настойчиво несколько раз сообщил, что в «семерке», одной из колоний строгого режима, уже сформирована очень мощная преступная группировка из особо опасных рецидивистов и возглавил ее местный авторитет и лагерный пахан по кличке Крест. Задание внедренного в колонию лейтенанта Комитета государственной безопасности Ярова, который уже отработал одну секретную операцию и среди уголовников имел кликуху Киплинг, было «простое». Проникнуть в эту группировку, войти в полное доверие к Кресту, а затем попытаться взорвать группировку изнутри. Впрочем, такого слова, как «попытаться», не было. Киплинг, то есть лейтенант КГБ Андрей Яров, *должен* был ликвидировать как самого Креста, так и его ближайших сообщников, которые, если верить тому же оперативному источнику, уже готовили массовый побег из колонии и готовились навести «небольшой шмон» в отделениях Сбербанка и ювелирных магазинах.

Внедрение Киплинга провели через рецидивиста Тимофея Капралова по кличке Рядно, который хоть и считался авторитетным зеком, однако уже давно сидел на крючке у начальника оперчасти и был, что называется, кумовским работником. А если говорить проще, то обыкновенной сукой — человеком, который продался лагерному начальству и втихую доносил на братву.

Правда, успешное внедрение в «семерку» и не менее удачное внедрение в высокопоставленное окружение лагерного пахана, взявшего грамотного и смышленого, физически крепкого парня под личное покровительство, было лишь начальным этапом той многоходовой операции, которую в дальнейшем практически самостоятельно должен был провести Яров. А задумал он адский план, в котором главные роли были отведены не самому Кресту с готовящейся в побег братвой, а совсем другим «героям». Во-первых, тридцатилетнему вору по кличке Псих, который, если не считать своего психопатства, ничем особо среди остальных блатных не выделялся, если, конечно, не считать того, что после трехлетней отсидки в Бутырке именитые сокамерники признали его вором в законе, а во-вторых, южанину Мирабу, который также мечтал заиметь это сверхпочетное в воровской среде звание и, пожалуй, имел на него гораздо больше прав, чем отмороженный Псих.

Через лагерного кума и уголовника Рядно Яров уже знал о совершенно дикой и почти патологической неприязни, которую испытывали Псих и Мираб по отношению друг к другу. Знал и о том конфликте, который подобно чирью назревал между ними и который мог закончиться только кровью.

В побег, задуманный Крестом, уходила только его группировка и часть заключенных из мужиков, которыми Крест решил прикрыться в случае, если погоня начнется мгновенно. Так что в случае удачи паханом на зоне становился Псих, о чем он раньше и мечтать не мог. То есть становился, если бы... Если бы не одно «но». Кандидатуру Психа активно поддерживал сам Крест, как истинный русак, активно боровшийся с усилением влияния «южных воров», однако совершенно иного мнения придерживался Мираб и его многочисленное окружение из «черных», которые из-за своих довольно плотных связей с дельцами теневой экономики составляли довольно могущественную группу в лагерной элите. Вполне естественно, Мираб сам хотел стать лагерным паханом и имел к тому основания не меньшие, чем Псих. Он был авторитетный вор, и хоть и не в законе, но его беспрекословно слушались все земляки, а главное — за ним были деньги и наркотики, которые Мираб имел с воли.

Вот именно на этом назревающем и иначе чем кровью не разрешимом конфликте и решил сыграть Яров.

После того как он сблизился с Крестом, ему не стоило особого труда «закорешевать» и с Психом. Тем более что тот в предчувствии близкой развязки откровенно занервничал, подтверждая тем самым свою кличку, и Ярову только и оставалось, что подливать масло в огонь, разжигая ненависть Психа не только к самому Мирабу, но и ко всем южанам, которых в «семерке» было человек двести. Правда, основной контингент в общей массе из полутора тысяч заключенных составляли все-таки славяне.

Когда Псих дозрел до такой степени, что его стало бросать в дрожь при одном только упоминании о лаврушниках, азерах, трефовых или хачиках, дело осталось за малым: спровоцировать его на откровенное выступление против южан, а также убедить Креста в том, что более удачного прикрытия для побега, чем массовая драка на зоне, может и не представиться. А о том, что такое дело назревает, знал даже последний, загнанный под нары петух. Крест этот план одобрил, чем и подписал самому себе смертный приговор.

Теперь выходило, что вроде бы и не Киплинг, а сам Крест дирижировал тем, что должно было превратиться в кровавую бойню. Единственное, что успел сделать Яров за оставшееся время, — убедить Креста не брать с собой в побег лагерных мужиков. И доводы для этого у него нашлись довольно веские. Мол, если во время эксцессов из колонии мотанется большая группа заключенных, за ними тут же снарядят погоню, организуют что-то наподобие войсковой операции. Если же незаметно скроется сравнительно небольшая группа, то, пока их хватятся, они успеют добраться до областного центра и раствориться там в многотысячной массе большого города. И Крест согласился.

Теперь дело оставалось за «малым».

...Утро того памятного дня окрасилось на зоне кровью. В бараке четвертого отряда, где жил со своим окружением Мираб, избили со страшной жестокостью одного из молодых воров, который по своей славянской натуре тянулся к Психу, и не только избили, но и опустили в уборной, куда затащили, набросив мешковину на голову. И когда измочаленного и изувеченного парня, лицо которого теперь можно было сравнить разве что с куском сырой говядины, нашли на полу уборной в луже собственной крови, он только мычал бессвязно, выплевывая крошево зубов. Правда, кто его гвоздил, беря базаром[1], а потом еще и трамвай[2] устроил, оставалось поначалу тайной за семью печатями. И только когда этот неопытный баклан пришел в себя до такой степени, что смог вытолкнуть вместе со сгустками крови первые слова, славянская братва взревела.

— Хачики Мираба, — с трудом шевеля разбитыми губами, выдавил несчастный баклан, а чуть погодя, собравшись с силами, добавил: — Кто-то меня в уборную вызвал, а там... Сначала чем-то тяжелым сзади по тыкве, а потом, когда вырубился, мешок накинули и...

О дальнейшем он мог и не рассказывать.

— Кто? — жутко прохрипел Псих, прорвавшийся сквозь плотное кольцо мужиков, обступивших окровавленного парня.

И пока несчастный баклан пытался сказать что-то, давясь сгустками крови, Псих уже орал во все горло:

— Кто-о-о? Назови с-суку!

— Н-не з-з-знаю, — заикаясь, пробормотал парень. — Только... Только, когда били... в самом начале еще... я это... акцент слышал...

— Ну, бляди-и-и! Курвы рваные! — раскачиваясь из стороны в сторону, заводил себя все больше звереющий Псих. — Попомнят... попомнят они меня! Это Мираб, с-сучара черножопая!

При упоминании имени Мираба баклана вдруг

---

[1] Гвоздить, брать базаром — избивать.

[2] Трамвай — групповое изнасилование.

словно электрический разряд прошиб, — он, дергаясь, вновь разлепил страшно разбитые губы.

— Точно! Ми-раб! — Видно было, как ему трудно говорить, но баклан все-таки продолжал: — Мираб... С-сука... Они когда уходили уже, он говорит, что... что они и тебя, Псих...

Баклан замолчал, набираясь новых сил, пока он молчал, над толпой висела почти мертвая тишина. Наконец несчастный вдохнул побольше воздуха и выдавил самое страшное:

— И еще... Кто-то из них сказал, что... что это, мол, только предупреждение...

Услышав про этот откровенный вызов черножопых, толпа буквально взревела. Орал что-то вместе со всеми и Тимоха Капралов, ссучившийся вор по кличке Рядно. Хотя только он со своими, также ссучившимися подручными, да еще Киплинг знали всю правду об этом страшном избиении с изнасилованием, о том, как именно он, Рядно, коверкая слова на кавказский манер, пытался заставить баклана поверить в то, что он оказался жертвой разборки между Мирабом и Психом.

Вконец осатаневший Псих, в голенище сапога которого была припрятана заточка, заорал было, чтобы ему для немедленной разборки привели «падлу Мираба», как тут кто-то тронул его за плечо и прошептал на ухо:

— Остынь малость! Ближе к ночи разборку начнем.

Это был Киплинг.

Как ни странно, Псих его послушал. После чего оклемавшегося баклана отвели в санчасть, а зона поутихла. Подобные случаи избиения с изнасилованием не были здесь ни новинкой, ни тем ЧП, из-за которого нужно было поднимать на ноги вооруженную охрану с командой спецназа (как, впрочем, и во всех российских зонах), и, если бы не прямой вызов южан славянской братве, об этом случае можно было бы вскоре забыть. Однако здесь был совершенно иной коверкот, и Псих, готовящийся стать наместником уходящего в побег Креста, должен был ответить Мирабу гораздо большей кровью. Чтобы не только свои собственные мужики и братья славяне, но и хачики с лаврушниками и прочие кавказцы знали, кто в «семерке» останется настоящим хозяином.

Весь рабочий день прошел как обычно, но уже ближе к вечеру, когда до ужина оставалось еще два часа, а ранние осенние сумерки спустились на зону, началось...

Когда спустя несколько дней Андрей Яров анализировал эту операцию, он и сам толком не смог разобраться, — случайно все вышло или все-таки приложил здесь свою руку лагерный кум.

В тот вечер дневальным в административном здании был тоже хачик, по имени Султан, и, когда он появился в жилой зоне и потребовал, чтобы Псих немедленно прибыл в кабинет начальника оперчасти, то есть лагерного кума, славянское население барака застыло в немом ожидании. Пристяжным Психа только что удалось успокоить своего пахана, который, размахивая финкой, весь день орал, что «порежет всех черножопых, к едрене матери!», и вдруг...

Немигающим, осатаневшим взглядом уставился на дневального и сам Псих. Затем медленно, будто его давили страшенные вериги, поднялся с кровати, неторопливо натянул сапоги на ноги, привычным движением сунул за голенище заточку, накинул на плечи черную зековскую телогрейку. За все это время в бараке не раздалось ни звука — все знали, что-то будет, если вдобавок к финке, которую Псих всегда носил с собой, он взял еще и заточку. И Псих медленно, продолжая сверлить глазами дневального, направился к выходу.

Те из заключенных, кто видел эту сцену, рассказывали, что Псих с Султаном уже подходили к административному зданию, как вдруг из жилой зоны вышла еще одна пара и тоже направилась в сторону двухэтажного корпуса, в котором размещалось лагерное начальство. Это были Мираб еще с одним дневальным!

Шедший позади Султана Псих остановился словно вкопанный, сунул правую руку в карман, всем корпусом развернувшись в сторону своего врага. Остановился и Мираб. Что-то крикнул Султану гортанным голосом. Дневальный крутанулся в сторону Психа, но в руке того уже сверкнуло лезвие финки.

Что-то кричал второй дневальный, видимо пытаясь остановить Психа, но осатаневший преемник Креста уже сделал выпад, и остро заточенное лезвие вошло в живот Султана так легко, словно это было не человеческое тело, а податливое масло.

Южанин невнятно хрюкнул, выкатив глаза, и, зажимая рану окровавленными руками, медленно осел на мокрую от прошедшего дождя землю.

Диким голосом закричал Мираб, бросаясь в сторону напружинившегося Психа, кинулся ему навстречу дневальный. Но Псих, продолжая держать в руке окровавленную финку, сделал навстречу своему врагу сначала один шаг, затем еще... Расставил пошире ноги, готовясь встретить ударом набегавшего дневального, но тот на какую-то долю секунды опередил его выпад, выбил финку из его рук ударом сапога. Замахнулся второй раз, видимо пытаясь сбить обезумевшего зека с ног, но Псих вовремя уловил его замысел и неожиданной подсечкой опрокинул дневального навзничь. Краем глаза наблюдая за идущим на него Мирабом, он ударом сапога заставил дневального малость остыть, и, когда искореженное ненавистью лицо Мираба оказалось в каком-то метре от него, когда к горлу уже тянулись ухватистые, иссиня-черные от наколок пальцы, Псих слегка наклонился вправо, сделал почти невидимое движение, выхватывая из-за голенища заточку...

Точно так же, как и Султан, Мираб промычал что-то невнятное и, зажимая руками окрасившуюся кровью телогрейку, стал медленно оседать на землю.

Дневальный, сопровождавший кавказского авторитета, затаив дыхание смотрел на эту кровавую расправу и, видимо опасаясь подняться на ноги, молча отползал в сторону, подгребая под себя осеннюю грязь.

А в Психа, который и до этого особой уравновешенностью не отличался, словно бес вселился. Не дожидаясь, когда его скрутят выползающие из административного корпуса офицеры, он снова сунул окровавленную заточку за голенище сапога, поднял с земли финку и рысцой заторопился в производственные мастерские, в окнах которых горел свет и где еще работали люди. Ворвавшись в пошивочный цех, в котором заключенные мастерили нехитрые комбинезоны с рукавицами, он взбежал на второй этаж и бросился к бригадиру-южанину, который незадолго до этого отказался оформлять фиктивные наряды на пополнение общака русских воров.

Ничего не подозревавший азербайджанец, который как раз в это время поднимался из-за стола, недоуменно уставился на осатаневшего Психа, видимо подумав, что тот вновь приперся качать свои права...

Поначалу цех замер, еще не осознав происшедшего, и вдруг взревел полусотней мужских глоток. Кто-то кричал от страха, поддавшись общей панике, а кое-кто и от радости, увидев, как схватился за живот ненавистный бугор, как он заваливается грудью на стол со швейной машинкой и как Псих вытирает о его черную робу матово поблескивающую финку, с лезвия которой стекает кровь. Но уже через мгновение кто-то из зеков заверещал пронзительным голосом «Бей черных!» и весь пошивочный цех в одно мгновение превратился в оруще-кричащий клубок из человеческих тел, в котором уже невозможно было понять, кто кого молотит и кому сейчас хуже: братьям славянам или яростно отбивающимся южанам.

Окровавленные южане бросились было по лестнице вниз, пытаясь пробиться к своему бараку, чтобы там уже найти спасение от озверевшей толпы, мстившей сейчас даже не этим несчастным, а всей системе исправительно-трудовых учреждений, где любого человека можно было опустить до положения безропотной скотины, окончательно потерявшей свое лицо, но у дверей их уже ждали мужики, а дико орущая мутузка разливалась по всем мастерским.

Кто-то высадил табуреткой окна, и несколько южан бросились со второго этажа на землю, надеясь хоть таким образом уйти от резни.

Взревела сирена, сигнал тревоги поднял на ноги всех офицеров и гражданских сотрудников колонии. Свет прожекторов с вышек полоснул по зоне, в нем задергались десятки, если не сотни черных фигурок, грозя кулаками опешившим от неожиданности краснoперым. В хриплом лае зашлись в вольерах остервеневшие собаки. Эти серые, натренированные твари всегда чувствовали непорядок и первыми реагировали на него, стремясь в клочья разорвать любого, от которого несло зоной и кто был одет в черную стеганую телогрейку, в черные штаны и такие же черные, оглушающие вонью сапоги.

Десятка два офицеров бросились к толпе заключенных, посреди которой стоял Псих и, размахивая руками, кричал что-то, брызгая слюной и призывая братву бить «черных». Офицеры, видимо, хотели локализовать наиболее агрессивных заключенных, которые под воздействием осанатевшего от собственной значимости Психа могли таких дров наломать, что... Однако эта попытка им не удалась, и злобствующая, яростно орущая толпа, оттеснив жиденький рядок офицеров, рванула в жилую зону, где их уже радостно встречала славянская братва, науськанная Тимофеем Капраловым.

Что же касается группировки лагерного пахана, самого Креста и Киплинга, которые в одночасье могли прекратить это кровавое побоище, то они спешно собирали уже подготовленные для побега манатки, слушая, как под окнами ревет разъяренная, жаждущая крови и мести толпа, пытающаяся прорваться к бараку, на втором этаже которого забаррикадировались ближайшие подручные Мираба и сотня его земляков. Между толпой и бараком стояло с десяток офицеров во главе с начальником колонии, которые пытались уговорить зеков «не делать дальнейших глупостей». Вооруженные резиновыми палками красноперые представляли довольно убогое зрелище, которое можно было смять и сломать в любую минуту.

— Господи! — невольно пробормотал Киплинг, наблюдая из окна барака, как разворачиваются события. — Поубивают ведь мужиков, к такой матери...

И действительно, картина была более чем жалкая. Вооруженные резиновыми палками офицеры даже не могли применить их в критический момент, так как были бы тут же растерзаны и затоптаны беснующейся толпой. Эти проклятые резиновые палки — «изделие ПР-73» только раздражали и без того взвинченных зеков, что же касается реальной от них пользы... Одним словом, срамотища!

К Киплингу подошел Крест, спросил угрюмо:

— Ну?

— Пожалуй, вмешаться надо, пока не разнесли все, к чертовой матери. Заодно и на людях покажемся. А как только красноперые к бараку подтянутся...

— Тогда и рванем огородами! — гоготнул кто-то из зеков, стоявших позади, и одобрительно похлопал Ярова по спине. — Молоток, Киплинг! Тебе бы про Штирлица кино тискать, а не по зонам мыкаться...

— Кончай базлать! — оборвал подельника Крест, и Яров вдруг почувствовал, как промеж лопаток пробежал неприятный холодок страха. Этот авторитет хоть и благоволил к нему, однако терпеть не мог, когда кто-нибудь из его пристяжных или тем более шестерок хвалил кого-то в его присутствии.

В «семерке» Крест был паханом и хозяином, а следовательно, и слово его должно быть последним и желательно — единственным. Тем более в столь ответственный момент.

В бараке моментально зависла тишина, и Крест голосом уже чуть ниже добавил:

— Сейчас выходим к этим баранам. — Он кивнул в сторону окна, из-за которого доносились невнятные команды «папы», то есть начальника колонии, перебиваемые криками возбужденных зеков. — Надо перед ними посветиться малость, ну а уж потом... Как говорится, с Богом!

Старого законника в этот момент, видимо, потянуло на лирику — Бога даже вспомнил.

— Без моего ведома не суетиться. Но как только дам команду, тут же прорываемся с мужиками в промзону, затем отсекаем их и выходим к подкопу. Дальше — по обстановке. Встречаемся на хавере у моей Глашки. Но смотрите, если кто за собой хвост ментовский притащит! — добавил Крест с откровенной угрозой, видимо совершенно не сомневаясь в успехе побега. — А теперя...

Он замолчал, словно на чемоданы садился перед дальней дорогой, и снова произнес:

— С Богом!

Два десятка вооруженных ножами и заточками людей, признанных судом особо опасными преступниками, энергичной цепочкой выбрались из барака, мгновенно смешавшись с матерно орущей толпой. Стоя среди озверевших зеков и разевая рот вместе со всеми, Яров исподволь наблюдал за начальниками отрядов и «папой», который все еще пытался образумить разъяренную толпу. Однако Крест со своими приближенными подлил нового масла в огонь, так что вконец осатаневшие зеки уже не желали слышать никаких обещаний и увещеваний, требуя одного — немедленной выдачи черножопых. Иначе...

Еще немного — и тысячная толпа вооруженных заточками и железными штырями зеков бросится на штурм барака. «Папа» обещался честным офицерским словом убрать из зоны всех южан, но в противовес ему Тимоха Капралов вновь и вновь рассказывал в толпе, как хачики устроили беспредел — сначала измордовали, а потом и трамвай заделали ни в чем не повинному баклану.

Яров поискал глазами начальника оперчасти. Однако кума среди офицеров не было.

Пока что все шло по задуманному плану, если не считать, конечно, небольших накладок вроде того, что Мираба, бугра пошивочной бригады и Султана, которым финка Психа не оставляла даже малейшего шанса, уже не было в живых.

А в это время начальник оперативной части поднимал на ноги взвод внутренних войск, который был закреплен за «семеркой», и обсуждал последние нюансы секретной операции с командиром спецназовцев, приданных в помощь красноперым; им была отведена особая роль в подавлении этого кровавого мятежа. Командир спецназовцев был смышленым капитаном, мечтал о погонах майора, а поэтому о том, что конкретно требуется от него и его подчиненных, сообразил довольно быстро. Только спросил, все-таки побаиваясь за свою задницу:

— Руководство области в курсе?

Лагерный кум посмотрел на него, словно на больного.

— Ну ты даешь, капитан! Ты что же, меня за полного мудака держишь? И думаешь, что я сам на себя такую ответственность возьму? Естественно, в курсе! И думаю, что кое-кто в Москве — тоже.

Больше у командира спецназовцев вопросов не было. Тем более что такие слова, как «зона встала!» и «папа» в заложниках!», которые уже сами по себе заставляли каждого работника спецучреждения принимать далеко не ординарные решения, могли привести в чувство любого служаку, будь он даже самым последним буквоедом.

...Киплинг стоял рядом с Крестом, который качал права, бросая дикую матерщину и оскорбительные слова в мертвенно-бледные лица офицеров, и с невольным страхом думал о том, что же он натворил. Сотни вооруженных рецидивистов, остервеневших от возбуждающего ощущения собственной значимости, когда с их требованиями пришлось считаться даже ненавистным пастухам[1], хаблу[2] и рабовладельцу[3], уже, видимо, забыли, из-за чего начался этот кровавый бунт, и теперь каждый орал о своем наболевшем, стоя напротив крошечной кучки офицеров. Казалось, еще мгновение, какая-то искорка — и озверевшая толпа бросится на лагерное начальство, сомнет его и начнет мутузить тяжелен-

[1] Пастух — начальник отряда.

[2] Хабло — начальник режима.

[3] Рабовладелец, «папа» и пр. — начальник колонии.

ными сапогами, превращая людей в кровавое месиво.

Стараясь оставаться спокойным и не поддаваться даже на малейшую провокацию со стороны блатной отрицаловки, что-то верещал «папа». Но большинство офицеров и особенно хабло, беспокойно поглядывающий на двухэтажный корпус, в котором располагался взвод внутренних войск, кажется, все-таки здорово струхнули, а кое-кто, видимо, и обмочился малость, если, конечно, не случилось с ним чего-нибудь похуже.

Остервеневший лай рвущихся из вольеров собак, превратившийся в сплошной яростный хрип, сгустившиеся осенние сумерки, разрываемые шарящим светом прожекторов, темная стена барака, в котором затаились, приготовившись к страшной смерти, две сотни южан, жалкая кучка офицеров, а надо всем этим — страшный лагерный мат и глоточный ор жаждущих крови и «справедливости» людей.

— Господи! — пробормотал Яров, невольно передернув плечами. Ничего подобного он не видел даже в учебных фильмах, которые показывали курсантам в качестве наглядных пособий, объясняя при этом, как следует вести себя в сходных обстоятельствах. То, что сейчас происходило в «семерке», наверно, не снилось его учителям и психологам даже в страшных снах.

Однако надо было продолжать свою роль, и Киплинг всем корпусом развернулся к ухмыляющемуся Кресту.

— Ну? — выдохнул Киплинг. — Рвануло?

— Погодь малость. Рано еще, — любуясь происходящим, небрежно бросил пахан.

— Как знаешь, — пробурчал Яров и в это время увидел, как распахнулись ворота и в лучах прожекторов высветились вбегающие на территорию зоны солдаты.

В бронежилетах, с автоматами наперевес.

Орущая толпа мгновенно затихла и, забыв про «папу» с офицерами, крутанулась в сторону взвода красноперых, впереди которого бежал совсем еще молоденький старший лейтенант.

— Ох, бля-я-я!.. — простонал Крест, хотя явление вооруженной охраны ни для кого не явилось чем-то неожиданным. Наоборот, было бы странно, если бы солдаты не появились.

Краем глаза наблюдая за приближающимся взводом, Киплинг увидел, как мгновенно ретировались в задние ряды толпы несколько наиболее смышленых, а может быть, и наученных страшным опытом зеков. И в этот момент раздался надрывный голос Рядно:

— Ша, братва! Они же пустые! Без патро-о-о-нов!

— А и то правда, — пробурчал кто-то из стоявших рядом с Яровым зеков, и вдруг истеричный смех толпы накрыл все пространство зоны.

— Суки! — орал кто-то. — Падлы трухлявые! На понт, с-с-суки пидермотные, берут!

«Неужто поверят?» — промелькнуло в лихорадочно-возбужденном сознании Ярова.

Впрочем, ничего удивительного не было бы и в этом. Даже самый последний петух, загнанный под нары, знал о том, что по инструкции вносить в зону заряженное оружие запрещено. А это значило, что автоматы — для понта. И что у этих двадцати придурков в бронежилетах — ни единого патрона.

Мгновенно сообразив все это, толпа взревела вновь, но уже диким ором оскорбленных людей, круто разворачиваясь лицом к взводу. Крест, как и положено лагерному пахану, тут же выдвинулся в первый ряд. Рядом с ним встали, образовав замкнутый круг, его приближенные и Киплинг. За ними, то на мгновение затихая, то вновь взрываясь диким ором, колыхалась черная, возбужденная близостью крови толпа. Все ждали, что скажет Крест. И все жаждали крови. Крови и только крови! И все равно чьей.

Видимо почувствовав идущее спасение, к окнам барака прильнули лица южан, и весь черный рой наливающихся ненавистью людей во дворе заголосил с новой силой. Понять слова было невозможно, и только изредка прорывалось единое: «С-с-суки!»

Киплинг покосился на угрюмо насупившегося Креста, который при виде взвода ненавистных ему, как, впрочем, и каждому зеку, красноперых, видимо, захотел перед побегом вволю поизгаляться над сопливыми сосунками, в руки которых ушлые офицерики сунули автоматы без единого патрона, и подивился происшедшей с паханом перемене. До предела жестокий и расчетливый, при виде этих беззащитных солдат он, кажется, потерял голову. Вот он, случай, устроить и на его улице праздник. Тем более что случай представлялся беспроигрышный.

Любой красноперый, будь он офицером, прапорщиком или простым рядовым, ассоциировался у зеков с ненавистным вологодским конвоем, у которого шаг в сторону считался побегом. Нет, не мог Крест упустить этого момента, нежданно-негаданно подаренного ему судьбой. Черная, озлобленная толпа была готова ринуться на этих сопливых малолеток, но без его, лагерного пахана, приказа зеки не могли себе позволить сделать этого. Нужен был приказ — его крик или просто движение руки...

Оттеснив мужиков на задний план, выдвинулась в первые ряды блатная отрицаловка. Какой-то баклан, видимо не выдержав нервного напряжения, зашелся в истерике и, рванув на груди телогрейку, бросился к замершему в нескольких метрах взводу. Однако кто-то из братвы успел подставить ему подножку, и истеричный придурок, кувырнувшись несколько раз, ткнулся мордой в холодную осеннюю лужу.

А Крест все не отдавал и не отдавал приказа, будто наслаждаясь той минутой почти животного страха, который сгустился над зоной. Да, это был его праздник. И он желал, чтобы это прочувствовала каждая собака. Сейчас он отдаст команду, братва с мужиками навалится всем скопом на этих обоссавшихся козлов, и уже завтра о нем будет говорить вся братва по России. Смять краснoперых и после этого уйти в побег — это знатно, это не бока на нарах пролеживать... И уж если сейчас он был авторитетным вором, то завтра... Завтра на любой российской сходке он будет первым из самых крутых.

Исподволь наблюдая за Крестом, Яров будто читал его мысли; сейчас он боялся одного: как бы лагерный пахан не опередил старшего лейтенанта. Он невольно покосился в сторону вышки, с которой пучком света бил прожектор и на которой должны были засесть два спайпера, и невольно поежился, представив, как они выцеливают сейчас живые мишени...

Негромкая команда старлея примкнуть штыки и магазины на мгновение словно отрезвила медленно надвигающуюся толпу зеков. Она остановилась было в замешательстве, однако чей-то визгливый крик «на понт берут, падлы!» опять всколыхнул толпу; зеки снова двинулись вперед. Очень медленно и угрюмо. Впереди шел оскалившийся в звериной ухмылке Крест; теперь казалось, что уже ничто не сможет остановить эту угрюмо-черную, движимую единым желанием силу.

Рядом с Крестом шел и Яров, чувствуя, как промеж лопаток бегут струйки холодного пота. Он не знал, что ощущают в эту минуту совсем еще сопливые мальчишки в шинелях, но мог догадываться, что им тоже не очень-то весело.

— Оружие под сорок пять градусов! — неожиданным дискантом отдал вторую команду старлей. И тут же: — Первый выстрел в воздух! Второй — на поражение!

Яров увидел, как чуть приподнялись стволы автоматов, кто-то из зеков заверещал про понт. И в этот момент Крест, видимо, решился. Он развернулся лицом к толпе, которая в этот миг была похожа на единый остервеневший, сжавшийся, словно пружина, организм, и что-то крикнул. Зеки взревели, толпа качнулась в сторону солдат...

Первая автоматная очередь, веером пущенная над толпой, заставила зеков замереть и сжаться. Однако обратного хода уже не было, и, как только какой-то баклан снова заорал про холостые патроны, толпа рванула на солдат.

Затрещали прицельные короткие очереди, совсем нестрашные хлесткие выстрелы из снайперских винтовок. Но когда после них с десяток заключенных ткнулись в окровавленную землю, ошеломленная толпа остановилась и, будто наткнувшись на непреодолимое препятствие, медленно подалась назад.

Сотни глаз с ужасом смотрели на убитых и раненых, лежавших между ними и взводом солдат. Кто-то выдавил едва слышно:

— Крест!

Упустивший момент, чтобы упасть на землю во время первого залпа и притвориться убитым или раненым, Киплинг покосился туда, где только что стоял лагерный пахан. Крест как ткнулся после снайперского выстрела спецназовца лицом в грязную землю, так больше и не двигался. Рядом с ним лежала почти вся братва, готовившаяся в побег. Вся группировка из рецидивистов, которую сколотил на зоне теперь уже покойный Крест и которая должна была пощупать несколько крупных ювелирных магазинов и сберкасс в богатенькой российской столице, в Ленинграде и еще в нескольких зажиточных городах. Задание было выполнено. Однако Киплинг почему-то не чувствовал от этого никакого удовлетворения.

Неизвестно почему, но на душе было тошно и паскудно.

Кто-то вновь заголосил истошным бабьим воем. Яров увидел, что остервеневший старлей готовился отдать следующую команду, и, видимо, опять на поражение, хотел было мотануть за чью-нибудь спину, но в это время оглушительный автоматный стрекот заставил заорать еще с десяток глоток, толпа бросилась врассыпную и споткнувшийся Киплинг почувствовал, как его плечо обожгло горячим. Краем сознания понимая, что его зацепило пулей, он рухнул лицом в осеннюю слякотную землю и потерял сознание.

А когда пришел в себя и понял, что остался-таки жив и всего лишь ранен, остался, как и было условлено, лежать, притворяясь убитым. Он терпеливо снес пару увесистых пинков краснопогонной вохры, когда убитых зеков забрасывали в кузов открытого «ЗИЛа», благо штабелировали мордами вниз, и открыл глаза лишь тогда, когда «упакованный» грузовик по приказу лагерного кума загнали в тупик и начальник оперчасти стал самолично проверять «наличие» убитых и раненых.

К этому времени, как впоследствии узнал Яров, усмиренных зеков спецназовцы загнали в бараки. Пришедшие в себя пастухи, озверевшие от пережитого страха, рассортировали всех по отрядам и начался пересчет голов.

В чем эта процедура заключалась, Киплинг мог только догадываться. Его самого этой же ночью вывезли с территории зоны, и он на долгое время осел в Москве. По официальным документам он считался убитым и якобы был захоронен в общей могиле на лагерном погосте. Вернее, даже не он — Яров, а некий «осужденный Язов А. К., кличка — Киплинг».

...Не любил он вспоминать эту спецоперацию по ликвидации бандгруппы Креста, однако сейчас — вот поди ты! — всплыло все это в памяти будто наяву. Будто вчера все было, а не много лет назад. С малейшими деталями и подробностями. Он не задумывался, с чего бы это память подкинула ему воспоминания тех лет. Впрочем... Сейчас он проводил не менее ответственную операцию — вот тренированный мозг и подкидывал ему наиболее правильные ходы, анализируя весь прошлый опыт...

IV

Телефонный звонок, раздавшийся в отделении милиции, заставил дежурного офицера сделать охотничью стойку — он весь подобрался, привстал и свистяще выдохнул в трубку:

— Чего, чего? А ну повторите!

— Слушай, мусор, — с явным раздражением произнес все тот же глухой голос, — ежели ты тупой, то срочно меняй работу. А если еще можешь хоть что-то смыслить, то слушай меня внимательно. Больше повторять не буду. Нынче утром в «Руслан» заложили бомбу. В общем, ты меня понял. Что же касается моего звонка, то здесь очень просто. В отличие от наших беспредельщиков, мы не хотим войны и крови. Уразумел? Так что торопитесь. А то, не дай бог, кто-нибудь еще лапать ее начнет.

— Чего-о? — почти заорал дежурный, переполошив дожидавшихся своей участи алкашей, что сидели на обшарпанной дубовой скамье. И тут же, но уже тоном ниже: — Кто? Кто это говорит?

— Дед Пихто! — огрызнулась трубка, но чуть погодя все тот же голос добавил: — Можешь считать, что звонил доброжелатель. Усек? Так что потораппливайтесь.

Раздались гудки отбоя, и дежурный ошалело шваркнул трубку на рычажки. Тупо уставился на сержанта-водителя и тут же перевел взгляд на часы, чтобы записать в журнал точное время звонка.

Девять двадцать. Рабочий день еще только начинается, а здесь уже такое сообщение...

— Чего? — сочувственно поинтересовался сержант. — Серьезное что?

— А-а, — отмахнулся от него дежурный, соединяясь с заместителем начальника по уголовному розыску. — Товарищ майор? Только что звонил какой-то неизвестный и сообщил, что в «Руслан» заложена бомба. Что? Нет, звонивший не назвался. Сказал только, что в отличие от беспредельщиков какие-то они — ну, которые предупреждают — не хотят войны и крови. Не знаю, товарищ майор, но если это действительно так, то это, наверно, кто-то из братвы.

Положив трубку, он ошалело уставился на притихших алкашей, будто только их заметил. И вдруг заорал, громыхнув кулаком по деревянной стойке:

— А ну все к е... матери!

Не ожидавшие такого подарка со стороны дежурного офицера, помятые алкаши дружно рванули к входной двери, а на втором этаже и по ступенькам уже грохотали десятки ног и слышно было, как отдает резкие команды заместитель начальника по уголовному розыску. И тот, кто был в курсе оперативной обстановки, сложившейся в городе, прекрасно понимал, что телефонный звонок неизвестного «доброжелателя» взаправдашний и поволноваться сегодня придется многим. «Руслан» был довольно крупным автомагазином, и принадлежал он довольно известному в Сухачевске бизнесмену, который отказался платить установленный оброк отморозкам Рядно. Об этом прекрасно знали не только в отделении милиции, которое обслуживало этот криминальный район, но и в управлении. И все ждали развязки, не зная, как поступит местный пахан, чтобы раз и навсегда отучить особо строптивых от неповиновения. И вот, кажется, дождались, едрена корень! Хорошо еще, что у кого-то из местной братвы, которая тоже была приручена этим уголовным беспредельщиком, хватило мозгов, чтобы предупредить милицию о кровавой развязке. Хотя какой там, к черту, развязки! Взрыв заложенной в «Руслане» бомбы означал бы начало длинной и кровавой общегородской войны.

Небольшой закуток дежурного и предбанник мгновенно заполнились вооруженными людьми, кто-то из оперативников возился с бронежилетом, а заместитель по уголовному розыску уже висел на телефоне, пытаясь связаться с дежурным офицером по городскому управлению ФСБ. Хотя автомагазин «Руслан» с его криминальными проблемами и висел на шее майора, однако сообщение о заложенном взрывном устройстве — это уже совершенно иной коленкор, прерогатива антитеррористического отдела ФСБ, так что им и распутывать этот клубок. К тому же, по счастью, на арсенале сейчас работали столичные эксперты-пиротехники, которые, по мнению майора, могли без особого труда разобраться с любым взрывным устройством, и это тоже было прерогативой местного управления ФСБ.

Наконец-то он связался с нужным человеком, в двух словах ввел его в курс дела и попросил квалифицированной помощи.

— Без проблем, майор! — отозвался тот и тут же начал звонить на арсенал, требуя, чтобы его немедленно связали с майором Замятиным.

Было одиннадцать ноль-ноль, когда Павел Викторович Замятин подъехал к «Руслану». Разминая затекшие мышцы, выбрался из служебной «Волги» арсенальцев, сказал солдату-водителю, чтобы тот ждал его в машине, и направился к милицейскому оцеплению, окруженному возбужденным кольцом горожан. Чуть поодаль несколько человек в штатском, видимо оперативники, опрашивали сотрудников магазина.

Мгновенно оценив обстановку, Замятин невольно усмехнулся. Все было до неприличия привычным и знакомым. Старое здание городского кинотеатра, который из-за полного отсутствия зрителей превратился в довольно прибыльный магазин, торгующий не только машинами, но и запчастями с прочими сопутствующими товарами, довольно ухоженная автостоянка, обнесенная невысоким штакетником. Будка охранника. На асфальтированной площадке стояло несколько стареньких «Жигулей», прошедших перед продажей косметический ремонт, одна «Волга» и три «Москвича».

Охранника в будке не было, да и сама стоянка словно вымерла, а это могло означать только одно — тот телефонный звонок в милицию, видимо, имел под собой серьезные основания и сотрудники милиции или тот же охранник уже обнаружили взрывное устройство или нечто похожее на таковое в одной из машин, поставленных здесь на временный отстой.

Обычное дело, если, конечно, тут уместно такое определение. Взрывные устройства, а то и просто гранаты с привязанным к чеке шнуром, в подобные магазины закладывали в двух случаях: когда владелец магазина отказывался платить своей «крыше» и требовалось срочно его наказать или же когда передравшиеся между собой группировки не могли поделить лакомый кусок городского пирога. Бывали, конечно, и другие варианты, но здесь, скорей всего, имел место тот самый классический случай — отказ владельца платить зарвавшимся бандитам.

Господи, сколько же он обезвредил взрывных устройств в подобных случаях! Сотни? Или десятки сотен? В одной только Москве оперативных выездов было столько, что в нормальном государстве этого хватило бы на целую жизнь. Это сейчас родная столица поутихла немного, а в начале и середине девяностых... Даже вспоминать страшно.

Зато каких спецов породило это время!

Замятин невольно усмехнулся. За эти годы он досконально изучил не только самые различные виды взрывных устройств, но и психологию преступников, которые закладывали их. Вот и сейчас... Он еще не видел, какой сюрприз ожидает его в одной из машин, облюбованной преступниками для своего черного дела, но уже знал практически наверняка: это, по-видимому, самодельное взрывное устройство натяжного действия, которое рванет, как только очередной покупатель или хозяин машины потянет на себя дверцу. Чего-то более хитроумного здесь просто не могло быть. И этому тоже есть свои причины. Во-первых, у преступника обычно нет времени, чтобы спрятать взрывное устройство более надежно, и во-вторых... Впрочем, в данном случае вполне достаточно и временного фактора. То есть отсутствия времени.

Все эти отрывочные мысли промелькнули в голове Замятина, пока он шел к группе оживленно разговаривающих офицеров в милицейской форме, которые замолчали при его приближении, а человек в штатском, видимо сотрудник городского управления ФСБ, спросил настороженно:

— Простите, вы...

Служебная «Волга», тревожное ожидание столичного спеца-пиротехника и уверенное поведение невысокого сорокалетнего человека в затасканных джинсах и такой же куртке позволяли сделать соответствующее предположение.

— Так точно, — отрекомендовался подошедший. — Майор Замятин. Павел Викторович. Группа оперативного реагирования ФСБ. — И неожиданно улыбнулся весьма располагающей улыбкой: — Ну что тут у вас? Надеюсь, вызов не ложный? Не зря хоть приехал?

— Старший лейтенант Четкин, — в свою очередь представился сотрудник городского управления ФСБ и бросил вопросительный взгляд на «Волгу» с одиноким солдатиком на водительском месте. Спросил неуверенно: — А вы что, один, товарищ майор?

Привыкший к подобным вопросам Замятин лишь пожал плечами:

— Вроде как один. Надо бы ознакомиться со взрывным устройством. Если ничего сложного — справлюсь и сам. Ну а ежели серьезная машинка заложена, в чем я очень сомневаюсь, тогда... тогда видно будет. — Он кивнул в сторону стоянки и уже в свою очередь спросил: — Взрывное устройство в машине?

— Так точно! В «восьмерке». Вон та, крайняя справа.

— Вы осматривали машину?

— Чисто визуально.

— Ну и?.. — поторопил старшего лейтенанта Замятин.

Тот неуверенно пожал плечами:

— Или граната, упакованная в коробку, или же самодельное устройство.

— Натяжного действия?

— Похоже. По крайней мере, к дверной ручке со стороны водителя привязана проволока.

— Хорошо, — удовлетворенно произнес Замятин, хотя ничего хорошего, как казалось старшему лейтенанту, он ему не сказал, и тут же задал новый вопрос: — Охранник со стоянки где?

Старший лейтенант махнул кому-то рукой, и тут же к ним подошли три человека, как оказалось — владелец магазина, охранник со стоянки и майор, заместитель начальника по уголовному розыску отделения милиции, куда звонил «доброжелатель». Охранник автостоянки, довольно крепкий мужичок примерно одних с майором лет, явно трусил и лихорадочно соображал, что ему говорить и как получше выкрутиться из создавшегося положения. Напарника он сменил в восемь утра, предупреждающий звонок в милицию раздался в начале десятого, и выходило, что это именно он проморгал закладку взрывного устройства в эту проклятую «восьмерку». А это для него было откровенной катастрофой. Виновен по всем статьям! Сухачевск ведь не Москва, и работу здесь найти, тем более после такого прокола...

Обо всем этом прекрасно знал и Замятин, а потому спросил для проформы, безо всякой надежды получить честный ответ:

— Вы отлучались куда-нибудь?

Охранник отрицательно качнул головой и покосился на директора магазина:

— Нет. Честное слово, нет!

Замятин ухмыльнулся:

— Так что же, святой дух взрывчатку в машину заложил?

Тупо уставившись на невзрачного мужичка в потертой джинсе, охранник состроил скорбную мину и виновато пожал плечами:

— Не знаю. Честное слово, не знаю. Но я никуда не отлучался.

От него за версту несло сивухой, и Замятин невольно поморщился. Спросил, повернувшись к директору магазина:

— Охранники пьют на работе?

— Да вы что! — оскорбился владелец «Руслана», но, покосившись на милицейского майора, поправился: — Раньше, конечно, бывало. Но сейчас... Нет, нет и нет. Мы с этим делом боремся.

Директор явно врал, спасая престиж своего заведения, но это уже мало интересовало Замятина. Время шло, и надо было делать дело. К тому же этот перепуганный охранник мог действительно быть здесь ни при чем. Охранники, видимо, ставили на отстойную площадку и левые машины, беря за это наличными и заставляя владельцев по утрам забирать свои машины, а это значило, что любой человек мог проникнуть на огороженную территорию и ночью и совершенно свободно вскрыть любую из стоявших на отстое машин, чтобы начинить ее взрывчаткой.

Обычное дело, обычные приемы. А то, что

13–Гайдук

«доброжелатель» позвонил только утром... Видимо, на то были свои причины.

— Сколько времени стоит эта «восьмерка»? — спросил Замятин.

Было видно, как владелец магазина напрягает память.

— Точный день, конечно, не упомню, но... В общем, с неделю.

— Ее открывал кто-нибудь?

— Естественно. Вчера даже прицениваись.

— Ну и?..

— Хозяин дороговато просит.

Замятин молча кивнул — понял, мол. Говорить здесь больше было не о чем, и так все было ясно, и он, приказав, чтобы зевак оттеснили подальше, направился к обозначенной машине, ветхость которой не мог скрыть даже свеженанесенный лак, играющий бликами на ярком солнце.

Подходя к машине, удовлетворенно хмыкнул. «Крыша», решившая наказать строптивого владельца магазина, не хотела его полного разорения и, наверно, именно поэтому заложила взрывчатку не в «Волгу», продажная цена которой была вдвое больше, а именно в эту рухлядь.

А это значило, что заложенное в машину взрывное устройство не так уж сильно по своей мощности — с таким расчетом, чтобы не пострадали предназначенные для продажи стоявшие рядом машины, это также означало, что в «восьмерке» установлена простенькая самоделка или в лучшем случае — граната на растяжке. И с тем, и с другим, и с третьим, а еще с пятым, десятым и двадцатым видом взрывных устройств сотрудник группы оперативного реагирования ФСБ майор Замятин мог справиться даже с завязанными глазами. Многолетний навык Афганистана, Чечни и сверхкриминальной Москвы давал ему право так думать.

Осторожно обойдя «Жигули» со всех сторон, Замятин заглянул под днище. Здесь все было чисто — ни малейшего намека на то, что доморощенный, сухачевской выделки взрывник решил подложить «козу», снабдив свое смертоносное детище хитроумной ловушкой. Впрочем, иного и быть не могло. Еще утром в штабе сожженного арсенала, когда он говорил по телефону с дежурным офицером городского управления ФСБ, ему буквально в двух словах объяснили возможную причину появления взрывного устройства на отстойнике автомагазина, и ему уже тогда стало ясно, что этот самый Рядно, местный пахан, обидевшийся на владельца «Руслана», желает просто попугать строптивого мужичка, предупредив тем самым, что шутки с ним плохи. Но это, как говорится, уже дело местной уголовки и городского ФСБ, а его задача...

Его задача была проста и понятна. Определить тип взрывного устройства и как можно быстрее обезвредить его. Этот незапланированный вызов отрывал не только его самого, но и всю команду пиротехников и экспертов от арсенала, дело по которому, кажется, шло к завершению, а потому надо было разделаться с «Русланом» как можно быстрее и как можно быстрее вернуться на арсенал.

Выбравшись из-под «восьмерки», Замятин еще раз обошел машину и остановился со стороны переднего пассажирского сиденья. Нацепив очки на нос, всмотрелся в боковое стекло. Удовлетворенно хмыкнул. Между сиденьем водителя и левой панелью была зажата небольшая картонная коробка, а от нее к дверной ручке тянулся серенький провод. Под цвет обшивки и с водительской стороны совершенно незаметный. Так что открой кто-нибудь эту дверцу — и...

В общем-то здесь было все ясно и понятно — чтобы обезвредить эту пакость, даже специальной техники не потребуется. Проводок, соединяющий картонную коробку с дверной ручкой, чуть провисал, и это Замятину говорило о многом. «Бомба» представляла собой примитивное взрывное устройство натяжного действия, и ничего сверхопасного для Замятина не таила. Несколько минут работы — и...

Он полез в карман джинсовой курточки, достал оттуда небольшие кусачки с набором отмычек, ковырнул одной из отмычек замок правой дверцы и осторожно, стараясь не делать лишних движений, забрался внутрь. Впрочем, за эту часть операции он был совершенно спокоен — точно так же выбирался из салона и человек, заложивший сюда адскую машинку. Еще раз, но уже более внимательно всмотрелся он в серенький проводок, тянувшийся к коробке, и на секунду закрыл глаза, мысленно готовясь к самому опасному моменту. Выдохнул, мысленно перекрестился и потянулся кусачками к проводку...

Затерявшись в глазеющей толпе, которая неизвестно по какому мановению палочки стеклась к «Руслану», как только здесь появились милицейские машины и облаченные в бронежилеты менты стали рыскать вокруг магазина и внутри его, Яров терпеливо ждал приезда взрывотехников, которые и должны были приступить к обезвреживанию зарядного устройства. Был момент, когда ему казалось, что все пропало: «бомбу» случайно обнаружил молоденький лейтенант, рыскавший по автостоянке, и едва не взлетел на воздух, решив заглянуть внутрь салона. Спас этого сопляка в погонах панический окрик какого-то милицейского подполковника, а иначе бы... Откровенно говоря, Яров, закладывая хорошо сработанную мину в эту тачку, на подобный пассаж совсем не рассчитывал. Однако, что называется, пронесло, и потом он еще какое-то время с нетерпением поджидал автомобильный эскорт с воем сирен со стороны арсенала, краем уха прислушиваясь к гомонящей, возбужденной толпе. Вовремя пущенное словцо про обнаглевших бандитов, которые нормальным людям житья не дают, сделало свое дело, и теперь тут и там только и судачили про это. Так и летало над толпой: «бандиты», «крыша», «отморозки», «оброк» — приевшийся и оттого ставший обычным и повседневным набор слов, из которого любой аналитик мог сделать соответствующие выводы о криминальной обстановке не только в городе, но и во всей области. И еще: «Когда же наконец власти начнут наводить в городе порядок?»

Вслушиваясь в этот перепев, который то затихал, то возникал с новой силой, когда кое-кто уже поносил матерком и ожиревших на казенных харчах ментов, и зажравшуюся Москву, Яров мог бы гордиться собой. Половина дела сделана — в любом случае ссучившийся Рядно будет вырублен на довольно длительный срок. Но этого Ярову было мало.

Мало, мало и еще раз — мало!

Главная цель задуманного им спектакля — хотя бы на время тормознуть ход расследования на арсенале, и если удастся — то и на совсем. Впрочем, об этом можно было только мечтать.

Именно это простое и в то же время столь неожиданное решение пришло ему в голову вчера вечером, после звонка запаниковавшего и уже обделавшегося со страха Гринько. Но если быть честным, он и сам было струхнул не на шутку. И вдруг это простое до гениальности решение, подсказанное неизвестно кем!

Впрочем, почему «неизвестно кем»? Дьяволом! И в этом Яров почти не сомневался.

Не откладывая дела в долгий ящик, он полез в небольшую встроенную кладовку, куда хозяева квартиры позволили ему сложить свои вещи, и, порывшись под кучей рухляди, достал небольшой неказистый портфель, в котором до поры до времени покоилось предусмотрительно припасенное им взрывное устройство. Эту адскую машинку, которая могла в клочья разнести не только человека, но и полмашины, он захватил с собой из Москвы, думая именно с ее помощью избавиться от вконец ссучившегося пахана, но у нее, видать, было совершенно другое предназначение.

Он перенес портфель в кухню, чистенькой тряпочкой стряхнул со стола крошки и только после этого аккуратно выложил на столешницу все части взрывного устройства. После чего, вновь покопавшись все в той же кладовке, вытащил на свет божий картонную коробочку из-под детских туфель и небольшой моток серого провода. Вот теперь можно было и за дело приниматься.

Его дьявольски хитрая задумка была в то же время необычайно проста.

Из наиболее любопытных телефонных разговоров, которые записывал Гена-электронщик, прослушивая своего клиента, и которые были прокручены Ярову, как только он появился в Сухачевске, Андрей понял, что делишки у Рядно идут не так хорошо, как ему хотелось бы, головы поднимают не только конкуренты, но и владельцы крупных фирм и магазинов, отказывающиеся платить за его «крышу» еженедельный налог. Но откровенно воспротивился всевластию уголовного пахана только владелец «Руслана», фирменного автосалона, который, видимо, набрал довольно приличный вес в губернии, обзавелся собственными отморозками и теперь решил окончательно освободиться от довольно обременительной опеки Рядно. Несколько раз прослушав это место на пленке, Яров мог почти дословно воспроизвести последний телефонный разговор Рядно с владельцем «Руслана». Мужиком, видать, не робкого десятка.

Причем звонил проштрафившемуся «должнику» сам Рядно, а не наоборот, как это положено.

«Слух идет, что сделку хорошую провернул?» — без обиняков начал Рядно.

«На базаре, что ли, эту брехню подслушал? — в свою очередь поинтересовался владелец «Руслана». — Так там и не такое можно услышать».

«Короче!» — почти взревел Рядно, видимо уже отвыкший от такого непочтительного тона.

«Чего «короче»?» — с откровенной издевкой ухмыльнулся владелец автосалона.

«Ты из себя дурака блаженного не строй! — в

ярости орал Рядно. — Или, может, слишком самостоятельный стал? Так я тебе...»

Он осекся, видно захлебнувшись от собственной злости, молчал и владелец «Руслана» — короче, мужик, судя по всему, довольно твердо послал Тимофея Капралова куда подальше, а тот либо никак не мог поверить в это, либо никак не хотел с этим смириться.

«Ну?» — рявкнул наконец отдышавшийся Рядно.

«Чего «ну»?» — снова с откровенной издевкой в голосе переспросил владелец «Руслана».

И вновь тяжелое молчание. Наконец:

«Последний раз повторяю — не строй из себя идиота! Когда?»

«Чего «когда»?» — повысил голос и вконец осмелевший торгаш.

«Деньги когда принесешь? Причем самолично. И баксами!»

Потом короткое молчание, негромкий ответ не желающего больше тратить время на пустые разговоры человека:

«Я же тебе объяснял: времена тяжелые настали, едва свожу концы с концами. Так что...»

«Значит, отказываешься платить? Ну что ж, — проговорил Рядно, — хорошо еще, хоть по матушке старого человека не послал. — И тут же, но уже с откровенной угрозой: — Разговор этот последний! И ты меня, козел поганый, знаешь! Так что жди гостей».

Именно на этой последней фразе и решил сыграть Яров, закладывая взрывное устройство в «Жигули» восьмой модели, которые уже стояли на ограженном пятачке автомагазина. Конечно, эта история с бомбой ударит по Рядно. Но главной-то его целью был вовсе не старый лагерник, хоть и был у Ярова к нему свой счет, да еще какой. Он знал: когда менты обнаруживают взрывные устройства, они немедленно связываются со специалистами-минерами или экспертами-взрывниками. В данном же случае единственно к кому они могли обратиться — это к специалистам ракетно-артиллерийского арсенала. И по логике вещей, выехать на место ЧП должны были столичные пиротехники, самым опытным из которых был майор Замятин. Тот самый спец, который догадался сопоставить взрыв ракетной боеголовки с довольно странными отношениями прапорщика Шибанова и погибшего солдата.

«Вы достаточно хорошо знаете прапорщика Шибанова?»

Эта догадливость московского майора никак не давала Ярову покоя, и вот он придумал, как поставить на слишком догадливом майоре крест. Даже если это будет стоить большой крови. Закладывая ночью взрывное устройство в салон «восьмерки» и дозваниваясь утром в отделение милиции с сообщением о бомбе, он лишь надеялся, что в поставленный им капкан попадет именно майор Замятин, но все-таки полной уверенности в этом у него конечно же не было — до самого приезда майора на место события.

...Когда наконец со стороны шоссе появилась долгожданная «Волга», за рулем которой сидел паренек в гимнастерке, а на переднем пассажирском сиденье — какой-то мужичок в штатском, вернее, в потертом джинсовом костюме, у Ярова горестно екнуло сердце.

А где же майор Замятин? Неужели не повезло?

Мужичок выбрался из машины, подошел к группе офицеров, и Яров жадно впился в него глазами. Около сорока лет, невысокого роста... Вроде как описывал Гринько. Но почему он в этом потертом джинсовом костюмчике?.. И тут он услышал, как подошедший представился местным стражам порядка. Ура! Он — пиротехник Замятин! Есть все-таки Бог на свете или кто там, наверху.

Майор между тем поговорил о чем-то с милиционерами, те отдали команду подальше отогнать особо любопытных, а сам он направился к огороженному пятачку. Стараясь унять неизвестно с чего появившуюся нервную дрожь, Яров перебросил через плечо ремень спортивной сумки и перебежал дорогу, направляясь к пятиэтажной хрущевке, фасад которой выходил как раз на автомагазин и примыкающую к нему стоянку. Этот дом с тремя вонючими подъездами он облюбовал еще ночью, присмотрев для себя лестничную площадку на втором этаже первого подъезда. Быстро взбежал по лестнице и почти уперся лбом в давно не мытое стекло. С этого места вся картина была словно на ладони.

Замятин произвел внешний осмотр «восьмерки», после чего нагнулся, заглянул под днище. Обошел машину еще раз, достал из кармана очки и нацепил их на нос. Всмотрелся в стекло со стороны пассажира. Видимо, остался доволен осмотром и принял какое-то решение.

Яров затаив дыхание расстегнул сумку, и на его

ладонь лег пульт дистанционного управления. Теперь оставалось только ждать и вовремя поймать нужный момент.

Замятин между тем открыл правую дверцу «Жигулей» и осторожно забрался на место пассажира. В нервном тике дернулась щека Ярова. Еще секунда, другая... Ладонь, сжимавшая пульт, стала мокрой от пота. Еще секунда...

Видимо решив, что перед ним обычная самоделка натяжного действия и ее можно легко обезвредить, Замятин потянулся рукой к проводу, и в этот момент...

Яров нажал кнопку на своем пульте, и страшный, не ожидаемый никем взрыв потряс автостоянку. Дико закричали зеваки, огромным костром полыхнула «восьмерка». Яров сунул пульт обратно в сумку и, не мешкая, покинул подъезд.

V

— И ты, козел, еще запомнишь этот день! — угрожающе произнес Яров и повесил трубку на рычажок.

Он вышел из телефонной кабинки — одной из тех, что рядком выстроились на первом этаже центрального универсама, автоматически оглянулся — не слышал ли кто-нибудь его разговора, и вдруг понял, как сильно он устал за прошедшую напряженную ночь и не менее суматошное утро. Ну что ж, стало быть, пора и отдохнуть малость. Он направился было к выходу, но вдруг остановился и резко свернул к винному отделу.

Он был выжат, как лимон, и уставшие мозги криком кричали о немедленном отдыхе.

...Из телефонной трубки неслись и неслись гудки отбоя, но Рядно не слышал их — в ушах так и застряла последняя угрожающая фраза: «И ты, козел, еще запомнишь этот день!»

Наконец он очнулся, недоуменно посмотрел на издающую короткие гудки трубку и едва ли не силой заставил себя положить ее в гнездо аппарата. Короткие гудки мгновенно оборвались, и он почти осязаемо почувствовал наступившую в доме тишину. Невольно оглянулся на дверь, ведущую в хозяйственную пристройку, где расположилась его охрана. И тут же со злостью сплюнул себе под ноги, вовремя сообразив, что угрозу слышал он один. И оскорбительное «козел», за которого он в другом месте должен был бы ставить обидчика на ножи, было произнесено по телефону и тоже предназначалось только его ушам. А это значило, что его играющие в карты отморозки знать ничего не знают и ведать ничего не ведают. И это было уже хорошо. Хорошо потому, что, как бы ни складывались его дела в Сухачевске, для своих собственных отморозков он должен оставаться тем самым *паханом*, слово которого — закон.

Придя к такой мысли, он немного успокоился и попытался совершенно трезво разложить по полочкам столь неожиданный телефонный разговор. Вернее, даже не разговор, а какой-то словесный понос, закончившийся откровенной угрозой. Что это? И кто, собственно, мог отважиться на подобное? Неужто хозяин «Руслана» оперился и охамел настолько, что позволил себе не только откровенное неповиновение, отказываясь платить ежемесячные проценты с прибыли, но и...

В это не хотелось верить. Не такой уж в конце концов мудак Руслан Давлетов, чтобы откровенно восстать против всемогущего Рядно, за которым стоят не только местные отморозки, но и более серьезные люди, а также братва, которой менее всего светит нашествие в город азеров, грузин с армянами и чеченцев. И все-таки...

И все-таки этот хитрожопый владелец «Руслана» уже позволил себе не заплатить Рядно, а это означало откровенный вызов. Вызов и неповиновение. И этот странный телефонный звонок... Правда, в трубку, похоже, гундосил не сам хозяин магазина, а кто-то из его пристяжных. Однако это сути не меняло.

«И ты, козел, еще запомнишь этот день!» Эта фраза вновь зазвенела в ушах, и тут же какая-то огромная невидимая лапа сдавила ему грудь, заставила схватиться за сердце. Стало трудно дышать.

Рядно изо всех сил помассировал грудь, а когда его немного отпустило и дышать стало легче, привычно шагнул к холодильнику, выдернул из него початую бутылку водки и хватил прямо из горлышка с полстакана обжигающей жидкости. И так, с бутылкой в руке, плюхнулся на широченный диван. Хотел было собраться с мыслями, но так ничего толкового из этого и не получилось. Мешали слова, сказанные гундосым педерастом, который осмелился не только угрожать ему, Рядно, но и обозвать его «козлом», оскорбительнее чего не было в том мире, где провел половину своей жизни сухачевский пахан.

Ишь ты, «козел»... Ну что ж, покажет он им «козла»! И этому гундосому недоноску, и его хозяину. Он их не просто на ножи — он их раком поставит. А потом каждому забьет в кишку по осиновому колу и пустит плыть по реке. Чтобы сами знали и другим напоминали, кто в этом городе «козел», а кто настоящий хозяин!

Выругавшись длиннющим лагерным матом, Рядно сбросил себя с дивана и, пнув ногой дверь, ведущую в хозяйственную пристройку, прокричал в проем:

— Эй, кто-нибудь! Берите машину и мигом к «Руслану». Узнайте, что там случилось, и тут же обратно. И если там шухер какой — не светиться.

...Известие, которое вскоре принес гонец, не то чтобы ошеломило Рядно, оно привело его в полную растерянность. Какая-то сволочь умно рассчитанным ударом загнала его в такую задницу, выбраться из которой ему будет очень непросто... Похоже, что кто-то из конкурентов так лихо накатил на него, что в скором времени, пожалуй, следует ждать «гостей». Как говорится, одного с топором и двоих с носилками. Только вот вопрос: когда?

И еще один вопрос. Сумеет ли он до этого времени разобраться, кто конкретно осмелился поднять на него свое рыло. Но уж если успеет...

О том, что накат на него могла устроить родная милиция, Рядно даже не думал. Не потому, что не допускал такого, — наоборот. Но какой, скажите, ментам смысл убирать самого авторитетного в городе пахана? Ведь случись с ним что-нибудь, и сухачевская ментура тут же поимеет кучу неприятностей. Очередные кровавые разборки, резня на улицах и в ресторанах, новый передел наиболее лакомых кусков городского пирога. А кроме того, в ментуре у него все схвачено. Нет, что не менты — в этом он был уверен. Но кто тогда?

Сам Руслан, начавший дело с автомагазина и решивший, видимо, не только расширить границы своего бизнеса, но и выйти из-под его, Рядно, «крыши»? Или его черножопые земляки, настырно прущие на российский рынок? Хотя с таким же успехом это могли быть и свои же братья славяне, которым надоело ходить под стареющим Рядно.

Подумав о последнем варианте, Рядно вдруг почувствовал, что совсем улетучилась куда-то его первоначальная растерянность, а ее место заполнила волна дикой, неуправляемой злобы.

«Стареющий»... Ничего, он им еще покажет, кто здесь хоть и «стареющий», а все ж настоящий хозяин города! И силенок справиться со всеми этими долбаными русланами у него еще хватит. Слава богу, и стволы есть, и люди, которые пойдут за него в огонь и в воду. Главное сейчас — силушку свою показать и возможности. А всякому, кто, не дай-то бог, посмеет поднять на него руку...

Усмехнувшись страшной улыбкой, перекосившей все его побитое оспой лицо, Рядно прошел на половину охранников и, когда навстречу ему поднялся плечистый бригадир Вовик, произнес все с той же дьявольской и злобной улыбкой:

— В срочном порядке собери всех своих. Чтобы к вечеру тут, у меня, были.

Вовик вопросительно уставился на пахана, и в его маленьких, глубоко запрятанных глазках появился неподдельный интерес.

— Что, «стрелку» забиваем?

— Не твоего ума дело! — осадил не в меру любопытного бригадира Рядно, но тут же смягчился: — Вот еще что: стволы не забудь.

...Мэр Сухачевска кричал, требовательно стучал кулаком по лакированной поверхности стола, чуть не топал ногами. Мужик, видимо, все свое красноречие истратил во время предвыборной кампании, обещая своим избирателям не только скорейшее возрождение «процветающей экономики» города, но также «регулярную» выплату зарплат бюджетникам, пенсий старикам и пособий малоимущим. И еще одно. Страстно желая стать мэром и обойти своих соперников, он сдуру пообещал «в корень» покончить с городской преступностью, и вот теперь...

Словно проклятие обрушилось на Сухачевск.

Сначала убийство капитана и двух прапорщиков на пятом километре Московского шоссе, потом ЧП на ракетно-артиллерийском арсенале, где погиб солдат, и вот теперь... Но если два первых происшествия его как мэра не касались, то страшная смерть московского майора ФСБ Замятина, который погиб при попытке разминирования взрывного устройства, заложенного какими-то местными бандитами, могла окончательно подорвать его авторитет, и без того сильно пошатнувшийся из-за почти полного провала программы, по которой жители Сухачевска должны были вовремя получать свои жалкие крохи из нищенского городского бюджета. Но если экономические беды еще можно было свалить на общероссийский кризис, то откровенный разгул преступности в городе на Москву не свалишь.

Оперативное совещание в мэрии, на которое были вызваны силовики Сухачевска, превратилось в откровенный базар, где мэр и его замы обвиняли руководящий состав милиции и городского управления ФСБ во всех смертных грехах, свалив в одну кучу и криминализацию города, и невыплаченные пенсии старикам, и годичную задержку с зарплатой медикам и учителям. Оказывается, если бы не чувствующие себя безнаказанными криминальные структуры, наложившие свои грязные лапы на экономику города и области, то моментально исчезли бы и все остальные беды и проблемы и замордованные криминалом при полном попустительстве силовых органов горожане смогли бы не только без страха и боязни ходить по улицам, но и начать жить по-человечески.

Силовики, собранные в большом, просторном кабинете городского головы, понуро слушали справедливые и несправедливые потоки обвинений, а мэр уже обращался к каждому из присутствующих конкретно:

— Подполковник Лютиков!

Главный сыскарь Сухачевска, за двадцать лет службы прошедший путь от младшего лейтенанта милиции до заместителя начальника городского управления внутренних дел по уголовному розыску, вскинул на мэра вопросительный взгляд, и собравшиеся откровенно посочувствовали подполковнику, на которого вконец охреневший от собственного бессилия мэр пытался валить теперь все шишки.

— Слушаю, — негромко произнес Лютиков.

— «Слушаю»... Он, видите ли, слушает! — взъярился мэр, представив, видимо, полосы газет, на которых его откровенные враги, противники и недруги будут изливать всякие домыслы и лить ушаты грязи, обвиняя его в полнейшем бездействии, забвении предвыборных лозунгов и вообще в пособничестве криминальным структурам города. А ведь и очередные выборы не за горами. — «Слушаю»... Не слушать надо, а дело делать! Вы можете толково объяснить происшедшее?

Вымотавшийся за сегодняшний нелегкий день Лютиков устало поднялся со своего места, спросил негромко:

— Что конкретно?

— Гибель столичного авторитета по части взрывных устройств, майора ФСБ Замятина! — взревел мэр.

Подполковник пожал плечами. Ему было по-человечески жаль погибшего майора, и он, естественно, выложится до последнего, чтобы «толково объяснить происшедшее», но на это потребуется время. И это прекрасно понимали все собравшиеся у мэра, кроме него самого. И поэтому подполковник ненавидел, презирал и в то же время по военной привычке смотреть на начальство снизу вверх боялся сейчас этого самовлюбленного и самонадеянного придурка, поверившего, что каждая прачка может руководить государством. Однако как к нему ни относись, а пора было и собственную шкуру спасать, тем более что до желанной пенсии Лютикову осталось всего лишь полтора года. А потому он поспешил произнести фразу, к которой всегда прибегал в подобных случаях:

— Мы бросили все силы, чтобы раскрыть это преступление, — и уточнил: — Сейчас в разработке несколько версий и одна из них — бандитская разборка устоявшейся криминальной группировки с владельцем автосалона «Руслан».

— Устоявшаяся группировка — это что, та

банда, которую возглавляет какой-то уголовный авторитет? — сделав устало-мудрое лицо, спросил мэр.

— Так точно! — произнес Лютиков, не вдаваясь в подробности, которые могли вызвать лишние вопросы.

— Та-ак, — заиграл желваками мэр, сразу же забыв про маску мудрого правителя. Однако от крика все же сдержался, лишь спросил, впиваясь в подполковника взглядом: — Версии, значит? Неизвестный вас предупреждает о взрыве, о том, кто делает, что делает, а у вас — версии! Так вот, подполковник, эти версии — они вам нужны для отчетов. И это — твоя печаль, подполковник! А мне нужны конкретные действия, ты понял?! Действуй! Я спрашиваю от имени города: бандиты арестованы? Вместе со своим авторитетом?

Лютиков тяжело вздохнул, посмотрел подавленно на собравшихся офицеров, словно ища у них сочувствия, — кто-то подбадривающе ему улыбнулся, кто-то подмигнул, кто-то трусливо отвел глаза в сторону. Он опять вздохнул и сказал негромко:

— Никак нет! Эта версия также требует тщательной проверки и дальнейшей разработки.

Ну тут уж мэру больше не было нужды сдерживаться. Он аж поднялся и, уничтожающе уставившись на сыскаря налившимися кровью глазами, заорал:

— Что-о-о? Какой, к черту, проверки и разработки! Это в кино да в детективах пускай проверяют да разрабатывают, а ты должен ловить и сажать! Сажать, сажать и сажать! Чтобы другим неповадно было... — И уже чуть тише: — Это надо же! Бандиты ездят на «мерседесах», жрут в ресторанах, разгуливают по городу и закладывают бомбы в магазины, а он мне — «проверки» и «разработки». Или, может, тебе, подполковник, работать надоело? Или старый очень стал и свой оперативный нюх потерял, а? Так ведь у нас молодых и умных предостаточно. Тех, которые не будут «проверять» да «разрабатывать», когда уголовники войну нам объявили. А? Что ты на это скажешь?

Лютиков стоял опустив седеющую голову, и от этого его понурого вида мэра опять словно прорвало. Он ударил кулаком по столу и заорал:

— Сегодня же! Вы слышите? Чтобы не позже ночи все подозреваемые были арестованы! И это касается не только милиции, но и ФСБ с прокуратурой. Контроль за ходом расследования буду осуществлять лично!.. Все свободны.

Выйдя из кабинета мэра, Лютиков спустился на первый этаж здания бывшего горкома партии, где теперь размещалась мэрия, и вышел на площадь, где все так же продолжал стоять монумент основателю революции, указывающий своей кепкой на трехэтажный особняк, в котором еще до войны разместилось городское управление внутренних дел. Правда, в ту пору оно называлось несколько иначе, но по отношению к горожанам суть этого учреждения оставалась прежней: сыскать, догнать, разоблачить, посадить. Если можно — расстрелять. Рядом уютно примостился точно такой же особнячок бывшего КГБ, переименованного нынче в ФСБ, будто близнецы-братья, стояли они под строгим прищуром каменного человека-вождя, за спиной которого вершили свои важные дела городские власти и словно клялись и вождю и властям: «Можете быть уверены, дорогой товарищ Ленин и не менее дорогой мэр города Сухачевска господин Степкин. Город может спать спокойно!»

Утерев платком испарину со лба, главный сыскарь Сухачевска нахлобучил форменную фуражку и, перейдя площадь, окунулся в прохладу кирпичного особняка родного управления. Поднялся в свой кабинет и уже в свою очередь приказал немедленно собрать весь оперативный состав. Решение, родившееся в его голове еще в кабинете мэра, было однозначным. Нет человека — и нет проблемы! Правда, оно кричало и вопило о диком, преступном непрофессионализме, но этого решения требовал от него городской голова, а он, подполковник Лютиков, был просто маленькой шестеренкой, призванной безотказно работать в механизме, поддерживающем в городе хотя бы относительный порядок.

Ловить, искать, разоблачать и сажать. Раньше, еще до всяких там деклараций о правах человека и до мораториев на смертную казнь, таких беспредельщиков, как Рядно, просто расстреливали. Нынче этого делать нельзя — сытенькая Европа ругается и пальчиком грозит. Но ничего, есть и другие испытанные способы избавиться от этого охамевшего от полнейшей вседозволенности беспредельщика. А, как уже сказано, раз нет человека — значит, нет и проблемы.

Если бы Рядно знал или хотя бы мог предполагать, что уготовано ему главным сыскарем Сухачевска, начальником городского уголовного розыска подполковником Лютиковым, он бы, не раздумывая, рванул из города куда глаза глядят. Но, видимо, прав был городской голова, когда сказал, что местные урки вконец охамели и, вместо того чтобы самим бояться, как это было во веки веков, заставили власти бояться их самих. Как бы то ни было, но, вместо того чтобы рвать когти, сменить временно крышу над головой, Рядно набил свой дом узколобыми отморозками, вооружив их хорошо смазанными волынами, а сам убрался на свою половину, водрузив там на стол бутылку водки с тарелочкой малосольных огурцов.

Охрана тоже не осталась без водки. Огромный, чем-то похожий на рукастую гориллу, бригадир Вовик выставил им почти полный ящик «брынцаловки», ящик пива и только предупредил, чтобы «не зазря пережирались». О том, что кто-то из недоношенных конкурентов осмелится рыпнуться на их пахана, держащего в своих руках и город, и всю область, Вовик даже и помыслить не мог. А случись вдруг нечто подобное, он бы посмотрел на это как на довольно затейливый способ самоубийства. И потому, выставляя на круг халявную водку с закуской, думал лишь о своих пацанах, которым, поди, не сахар сидеть с утра до вечера в четырех стенах.

Примерно так же думал и сам Рядно, тупо уставясь в экран телевизора. Ну кто, кто из его конкурентов мог опериться настолько, чтобы в силах был поднять на него руку?

Вот разве что владелец «Руслана». Чем больше Рядно мусолил это имя, ставшее в городе нарицательным, чем больше прикидывал возможности этого «нового русского» по фамилии Давлетов, сравнивал его с другими бизнесменами и дельцами, которые набрали за последнее время силу, тем больше убеждал сам себя в том, что — да! — этот кавказец мог позволить себе не только внаглую отказаться платить за «крышу», но и додуматься хитростью восстановить против него, признанного авторитета, весь город, чтобы потом уже совместными усилиями с другими недовольными... И естественно, при помощи своих земляков, которых столько понаехало за последнее время в Россию, что русскому мужику уже на рынке и приткнуться негде.

Да, похоже, что так оно и есть. Руслан! Стало быть, вполне можно в ближайшее время ждать от этого гаденыша новой «козы» наподобие той бомбы, которую он сам же и подложил себе на стоянку. По логике Рядно, этим старым приемом «подброса», который в тюрьмах и колониях применяли испокон веков, хозяин автосалона сразу убивал двух зайцев: натравливал людей против сухачевского пахана и выставлял себя безвинно пострадавшей стороной. Ну какой, скажите, дурак решится рвать собственные машины, себя же и вводя в убыток?

Не-ет, здесь все было очень хорошо просчитано, и теперь, возможно, разъяренные лаврушники попытаются выкурить Рядно из его собственного гнезда. В этом Тимофей Капралов был сейчас почти убежден. О погибшем при взрыве офицере он почти не думал. Как говорится, работа — рисковать жизнью. За то им и деньги платят. Помер Максим, ну и хрен с ним!

Старел... Да, старел и глупел тюремный бродяга Рядно, растерял в сытом довольстве присущее всем ворам чутье на опасность, которое не раз и не два спасет их в самые критические минуты. Отлеживая бока на мягких перинах и попивая охлажденную водочку наивысшей очистки, поверил в незыблемость новых времен, в то, что теперь на тюремных нарах оказываются только шестерки да бакланы, а настоящие воры становятся чуть ли не первыми людьми в городах и весях России и вершат там свой собственный суд, устанавливая новый порядок. Поверил и в то, что менты будут вечно плясать под дудку воров в законе да новоиспеченных авторитетов, которые кое-где уже примеряют под свои задницы уютные кресла не только мэров, но и губернаторов.

На экране телевизора дергались какие-то жмурики, о чем-то гундосили тощие, как вымоченные воблы, бабы, а Рядно все накачивался и накачивался водкой. И лишь когда в глазах замельтешили черные точки, спустил пустые бутылки под стол и, не раздеваясь, завалился в постель, сунув заряженный пистолет под подушку.

...Проснулся он от звона разбитых окон, грохота выстрелов и дикой матерной ругани. Оторвал взлохмаченную голову от подушки, пытаясь сообразить, что же такое происходит в его собственном доме, но хмельная пелена еще продолжала застилать глаза, и он, вновь уронив голову на подушку, подумал, что, наверно, это его отморозки пережрались-таки дармовой ханки и теперь выясняют отношения друг с другом. Сейчас, спьяна он никак не мог вспомнить, зачем они здесь. Но чтоб так шуметь у хозяина в дому!..

— Ну, с-суки! — едва двигая набрякшим, шершавым языком, пробормотал Рядно и, сбросив подушку на пол, нашарил в темноте пистолет. Единственно, что еще понимали его тупоголовые недоноски — так это силу и авторитет пахана, которые он вынужден был поддерживать тяжелым «макаровым».

Все последующее произошло в считанные секунды.

С треском и грохотом вылетела дверь, ведущая на половину охранников, в проеме показалось несколько человек в бронежилетах... Последнее, что услышал Рядно, сидевший на кровати с пистолетом в руке, была автоматная очередь, прошившая его от бедра к плечу.

VI

Было кое-что, чего не любил подполковник Панков в своей работе, и, пожалуй, более всего — негласные обыски, которые хоть и редко, но все-таки приходилось проводить, завершая или начиная очередную оперативную разработку. И действительно, что хорошего в этом деле? Ты прекрасно знаешь: твой клиент — откровенный враг или матерый преступник, на котором пробы негде ставить и по которому давно уже плачет тюрьма — это в лучшем случае, а ты, вместо того чтобы взять его в оборот, выслеживаешь с командой профессионалов, когда он отлучится из дома, как последний домушник крадешься к нему в квартиру, вскрывая дверь универсальной отмычкой, сработанной умельцами по спецзаказу, и начинаешь дотошный шмон, которому тебя обучали еще в спецшколе. А что, есть у них в системе первоклассные специалисты этого дела...

И непонятно порой становится, кто в данный момент преступник — тот, за кем ты следишь, или ты сам, забравшийся в чужую квартиру воришка. Да и само словосочетание «негласный обыск» мало у кого из оперативных сотрудников вызывало симпатию.

Однако, любишь ты это дело или нет, существует еще такое понятие, как оперативная необходимость. Хочешь не хочешь, а негласный обыск приходится проводить. К тому же проводить так, чтобы хозяин квартиры даже заподозрить не мог, что у него побывали непрошеные гости.

А сколько ему известно случаев, когда негласные обыски заканчивались или могли закончиться таким провалом, что и подумать страшно!

Панков сидел на переднем пассажирском сиденье оперативной «Волги», с интересом наблюдая, как опытный водитель продирается через ревущее, изрыгающее чад и гудящее скопище машин к Смоленской площади, перебирал в памяти различные казусы, случавшиеся во время негласных обысков, и настраивал себя тем самым на соответствующий лад. Это был своего рода аутотренинг, который помогал сосредоточиться задолго до того момента, когда он проникнет в нужную квартиру и найдет то, что искал.

Особенно памятен был ему один «забавный» случай из лейтенантской молодости, который мог бы закончиться для него плачевно.

Оперативная группа, в которую он тогда входил, вела высокопоставленного сановника из МИДа, заподозренного в передаче секретной информации английской разведке. Чтобы убедиться в предательстве, контрразведчики подсунули ему якобы сверхсекретную дезу. Оставалось убедиться, что подозреваемый действительно переснял ее и готовит для передачи своему вербовщику. Топтуны — оперативные сотрудники, которые вели наружное наблюдение за этим ухарем, — в нужный момент сообщили, когда в квартире подозреваемого не осталось никого, кто бы мог помешать негласному обыску, и тогда по нужному адресу срочно выехала группа, в которую входил Панков.

Без особого напряжения они открыли входную дверь и приступили к работе. С дотошностью ученых-археологов исследовали каждый квадратный сантиметр кабинета — ничего. Потом, уже немного волнуясь, перебрались на кухню, затем в спальню, но никаких следов микропленки не было, хотя буквально все говорило о том, что хозяин квартиры не прочь и фотоделом заняться. Фиксажи и проявители, два первоклассных фотоаппарата, один из которых дорогостоящий «Никон» — в начале восьмидесятых годов им мог обзавестись даже не всякий опытный фоторепортер. Высокочувствительная пленка. И в то же время почти что полное отсутствие в доме любительских снимков.

Одним словом, обильная информация для размышления — и при этом никаких серьезных улик.

Прошел час, затем другой, все уже взмокли от пота, однако результат был нулевым. Вернее, почти нулевым. И в это время вдруг ожила рация, и оперативник, который вел жену мидовца по магазинам, сообщил, что дама отоварилась и направляется в сторону дома. А это значило, что здесь она будет минут через двадцать.

Невразумительно матюкнувшись, старший группы приказал сматывать удочки и, еще раз обойдя всю квартиру и прощупав каждый уголок профессиональным взглядом — не наследил ли кто, случаем, во время обыска, — отдал команду уходить. Убедившись, что на лестничной площадке никого нет, все гуськом вышли из квартиры, аккуратно закрыли за собой дверь и спустились к машине.

Вновь ожившая рация предупредила, что у них осталось не более пяти минут. Чтобы не светиться, старший группы решил уже отъезжать, и вот тут кто-то из оперативников обратил внимание, что Панков приехал вроде бы в кепочке, а уезжает без нее.

После этого случая Игоря чуть ли не год преследовал один и тот же кошмарный сон. Он хватается рукой за голову — а кепчонки нет. Модной серенькой кепчонки, которую ему по случаю привезли из Франции. Но это был сон, а тогда, наяву...

Тогда он испытал жуткое отчаяние. Ох уж эта его всегдашняя привычка снимать кепку в прихожей и бросать ее куда-нибудь на вешалку, поверх другой одежды, с которой всегда воевала мать... Сидя в закрытой «Волге» и обливаясь потом, он мысленно видел себя входящим в квартиру мидовца, стаскивающим кепчонку с головы. Было жарко, и у этого козла была почти такая же прихожая, как у родителей Игоря.

Видимо поняв, в чем дело, из машины рванулся старший группы, но тут же обмяк, уставившись на подъезжавшие к подъезду новенькие «Жигули» цвета зеленой волны.

— Кранты! — с какой-то обреченностью произнес он, провожая глазами смазливую бабенку в ярком брючном костюме, которая уже выбиралась из салона, держа перед собой огромную сумку, набитую покупками. И вдруг, резко развернувшись к Панкову и оперативнику — тому самому, что открывал замок отмычкой, приказал: — Ты и ты! Мигом в квартиру. А я попробую задержать эту кралю.

Игорь с напарником буквально вылетели из салона оперативной «Волги», а капитан Ладников уже спешил к жене мидовца, готовый свою собственную жизнь положить, но не дать этой бабенке подняться в свою мидовскую конуру, прежде чем там не побывает засранец Панков.

Однако судьбе суждено было повернуть дело посвоему. На лестничной площадке четвертого этажа судачили около своих дверей две соседки мидовца, и вконец приунывшему Игорю ничего не оставалось, как сделать вид, что он с товарищем ошибся адресом, развернуться и спуститься вниз. Он уже мысленно распрощался с удостоверением Комитета государственной безопасности и со своей карьерой на этой ниве. Выйдя из подъезда, увидел, что Ладников все еще продолжает трепаться с женой мидовца и с игривостью отпетого донжуана пытается навязать ей свою помощь, чтобы донести сумку. Бабенка хоть и смеялась весело, но отказывалась, видимо не желая более тесного контакта с незнакомым мужчиной. Однако капитан все-таки донес ей сумку до подъезда и вернулся к машине.

— Ну? — спросил он хмуро.

Игорь только безнадежно рукой махнул:

— Пишите рапорт, товарищ капитан.

— Ну это, положим, я и без сопливых знаю, что мне делать! — со злостью произнес Ладников и скомандовал водителю: — В контору! — И когда «Волга» тронулась, добавил чуть мягче: — О проколе никому и ничего! Посмотрим еще, как дело повернется.

А повернулось все...

Оперативная группа, прослушивавшая квартиру мидовца, встала, как говорится, на уши, вникнув в суть страшенного скандала, который разразился тем же вечером между этой супружеской парой. Оказывается, муженек, вернувшись домой, совершенно случайно обнаружил у себя в прихожей модную мужскую кепочку, коей сроду не носил. Видать, у мужика и без того нервы были на пределе, и он, естественно, принял стойку обесчещенного рогоносца. Тут же спросил у женушки, откуда столь знатный кепарь. Будучи мидовским работником и бывая в загранкомандировках, он знал, что где продается, знал также, что ничего подобного в московских магазинах тех лет, конечно, не увидишь. Оскорбленная бабенка буром поперла на своего благоверного, стараясь убедить его, что знать ничего не знает и если он ищет повод для развода... Она-то, мол, давно уже догадывалась, что он к секретарше неровно дышит. И вообще...

Между прочим, ее супружескую честность до сих пор подтверждали во всех отчетах слухачи, прослушивающие квартиру. В отсутствие мужа бабенку никто не навещал. А кепка? А если кто-то все же навещал?.. Это уже был бы довольно серьезный повод для рапорта и соответствующей выволочки слухачам — стало быть, проспали мужики! Или за колбасой в это время бегали в соседний магазин, а там очередь. Так что и слухачи решили пока никому ничего не сообщать...

И неизвестно, чем бы закончилась вся эта история о «супружеской неверности», если бы мидовца не взяли с поличным во время передачи микропленки. Что же касается Игоря, то хоть и любил он кепочки, но никогда больше не надевал ни их, ни шапок, когда надо было провести очередной негласный обыск.

...«Волга» наконец-то выбралась из сплошного потока машин, и водитель свернул в тихий и уютный переулок, где жил полковник в отставке Петр Максимович Заворотный, бывший сотрудник секретного управления Генерального штаба Вооруженных сил России. Того самого секретного управления номер 12, что отвечает за хранение ядерного оружия.

Третий день группа подполковника Панкова вела бывшего сотрудника секретного управления, который в свое время имел прямой доступ к документам по хранению российского ядерного оружия, уже дважды генерал Проскурин вызывал подполковника для доклада, но Панков даже слова существенного не мог прибавить к той «объективке» на полковника в отставке, что лежала на его рабочем столе. Впрочем, если рассудить здраво, иного результата и быть не могло. Если Петр Максимович Заворотный, уютно устроившийся после ухода на пенсию непонятно каким консультантом в совместную коммерческую фирму и большую часть своего времени пребывающий за границей, действительно является тем самым человеком, на которого вышли террористы с просьбой помочь им в приобретении «чемоданчиков», и если Андрей Яров действительно тот самый Киплинг, который согласился достать их, получив, естественно, наводку от Заворотного, то выявить факт их знакомства, а тем более доказать предварительный сговор будет весьма затруднительно, если не невозможно. Уж слишком мало фактов, слишком мало времени отпущено им на все про все, тем более что Яров сейчас исчез из их поля зрения.

Тем не менее прямое начальство Панкова метало молнии, требовало крови и немедленного ускорения оперативно-розыскных мероприятий, и единственное, что сейчас мог сделать Панков, — это попытаться выяснить, действительно ли бывший генштабовец знаком с Яровым. И выяснить тем самым не любимым Панковым способом: произведя у Заворотного негласный обыск. Расчет был элементарно прост. Если знаком, то в его телефонной или записной книжке обязательно должен быть телефон Ярова. Рабочий или домашний — не важно. По сообщению оперативников, которые вели за полковником наружное наблюдение, он только что направился с женой на оптовый рынок в Никулино, а это значило, во-первых, что все или почти все его записные и телефонные книжки могут оказаться дома, а во-вторых, что немаловажно, у Панкова было достаточно времени, чтобы как следует покопаться в кабинете Заворотного.

А порыться в бумагах высокооплачиваемого консультанта совместной коммерческой фирмы ох как стоило. Когда служба внешней разведки, через которую в ФСБ поступил изначальный материал о готовящейся переброске через границу взрывных устройств, сообщила также, что по тем сведениям, которыми располагает их резидент, посредником, к кому обратились террористы, мог быть некий Петр Максимович Заворотный, консультант совместной коммерческой фирмы «Аргус», группа Панкова не мешкая собрала на Петра Максимовича свое досье. Анализ материалов этого досье убедительно подтвердил весьма высокую вероятность того, что именно полковник в отставке Заворотный является тем самым звеном, которое связывает уголовника Киплинга с какой-то очень мощной и богатой террористической организацией на Ближнем Востоке.

Не доезжая метров сто до дома, где жил Заворотный, Панков приказал остановиться и первым выбрался из душного салона старенькой «Волги». Разминая затекшие мышцы и вытирая рукавом пот, усмехнулся кисленькой улыбочкой, вспомнив какой-то американский фильм про ФБР. Это у них там, у проклятых американцев, офицеры такого ранга, как Панков, ездят только в шикарных лимузинах с современной автоматикой. Она и воздух в салоне очищает, и температуру держит нормальную. А у нас... Хорошо еще, что эта «Волга» все еще была на ходу, а то бы пришлось мотаться по делам на собственных «Жигулях».

Поднявшись лифтом на нужный этаж и прозвонив на всякий случай в квартиру Заворотного, Панков приказал своим умельцам «прощупать» сигнализацию и, когда ее блокировали, первым переступил порог. Осваиваясь в незнакомой квартире, Панков, раз и навсегда запомнивший истину, что не только театр, но и человек начинается с вешалки, внимательно осмотрел прихожую и, кивнув фотографу, чтобы тот доставал свои прибамбасы, открыл одну дверь, вторую, третью. Хмыкнул с легкой завистью, посочувствовав самому себе. Да, любил и главное — умел красиво жить полковник в отставке Заворотный. Эта трехкомнатная светлая квартира с высоченными потолками дышала спокойствием, комфортом и благосостоянием, выгодно отличаясь от однокомнатного жилища Панкова, которое он получил после развода с женой в спальном районе.

Неожиданно поймав себя на этой мысли и невольно чертыхнувшись — с чего бы это ему завидовать какому-то индюку с замашками барина? — Панков подошел к инкрустированному красным деревом телефонному столику, на котором лежала потертая записная книжка величиной с тетрадь, и, кивнув фотографу, чтобы начал переснимать страницы, прошел в просторную, обставленную новой мебелью гостиную, раскрыл вместительный кейс с блестящими ободками, который лежал на журнальном столике. Внутренняя часть крышки была поделена на многочисленные карманчики, из которых торчали какие-то листочки бумаги, шариковые ручки, две записные книжки и визитные карточки. Теперь оставалось разобраться во всем этом.

Сначала просмотрел визитки, отложил их для пересъемки. И только после этого, мысленно перекрестившись, взял одну из записных книжек. Ту, что была поновей. Открыл на букву «Я». Ведя пальцем по страничке лощеной бумаги и беззвучно шевеля губами, внимательно просмотрел довольно короткий список фамилий рядом с телефонами, однако Ярова среди них не было. Неопределенно хмыкнув, он потянулся было за второй книжечкой, но, остановившись на полпути, снова пролистнул ту, что уже просмотрел, раскрыл ее на букве «К» — Коровины, Куприяновы и так далее. Обе стороны странички были плотно заполнены аккуратно вписанными фамилиями и номерами телефонов знакомых, сослуживцев, друзей и деловых партнеров Заворотного, и завершало этот длиннющий список коротенькое слово «Киплинг». А в скобочках — Яров Андрей Константинович. И два его телефона — домашний и служебный.

Казалось бы, можно было только радоваться, как легко и складно все получилось. И все же Панков не мог не подумать о том, что если чиновники такого уровня, как полковник Заворотный, давший в свое время не одну подписку о неразглашении государственных тайн, начали подторговывать ядерным арсеналом России, то что тогда говорить о более мелкой сошке! Невольно вспомнилось выступление одного крупного военного прокурора, витиевато разглагольствовавшего по телевизору о причинах участившихся случаев воровства и миллионных хищений в среде российского генералитета. И до чего же додумался этот придурок с прокурорскими погонами! Оказывается, воруют генералы потому, что экономическое положение страны стало довольно шатким. «Их тоже — то есть генералов — понять можно. За годы службы они привыкли к более достойной жизни, чем будут иметь после ухода на пенсию. И естественно, у них возникает страх перед будущим. И вполне естественное желание обеспечить нормальное существование своей семье. Так что...»

А самое противное в этом лепете было то, что, оправдывая потерявших всякий стыд и честь генералов, этот прокуроришка в погонах тем самым прикладывал мордой о стол весь генеральский корпус Российской армии! Игорь Панков не был генералом, да и службу нес совершенно в иной епархии, но у него были хорошие друзья, были сослуживцы и знакомые, носившие генеральские лампасы, и никто из них никогда не позарился на лишнюю копейку из государственной казны и никто не воровал из солдатского котла, чтобы притащить лишний кусок мяса домой. Во все века в России это считалось самым страшным позором, а сейчас...

Закончив пересъемку записных и телефонных книжек Заворотного, а также визитных карточек и документов, которые могли представлять определенный интерес для оперативной разработки консультанта коммерческой фирмы «Аргус», Панков дал команду отбоя и, еще раз проверив, все ли в квартире остается так, как это было два часа назад, не дожидаясь, пока соберется вся группа, первым вышел на лестничную площадку и вызвал лифт.

Дожидаясь своих ребят, набрал по мобильному телефону номер Проскурина. В сжатой форме доложил о результатах негласного обыска.

— Хорошо, — буркнул генерал. И тут же, безо всякого перехода сообщил: — Мне тут отлучиться надо, но я во что бы то ни стало тебя дождусь. Так что давай как можно быстрее.

— Случилось что-то? — осторожно спросил его Панков.

14-4

— Случилось! — рявкнул Проскурин. — Еще как случилось. Только что пришло сообщение из Сухачевска. На взрывном устройстве подорвался наш Замятин. Но и это еще не все! Тамошние придурки решили, что во всем виноват твой Рядно, и разлохматили его из автомата, когда штурмовали его дом.

Он так и сказал «твой Рядно», видимо уже уверовав, что через старого пахана Панков сможет добраться и до неуловимого Киплинга.

— «Придурки» — это кто? Сухачевская милиция? — уточнил Панков.

— Естественно! — вновь рявкнул генерал. — Давай, я тебя жду!

Панков вновь сидел на своем привычном месте с правой стороны от водителя, отрешенно смотрел на сплошной поток машин, а в ушах все еще стояли слова, сказанные генералом. Замятин и Рядно! В общем-то он мог понять и излишне резкий тон генерала, и его нервозность. Если хищение взрывных устройств действительно произошло с ракетно-артиллерийского арсенала, что расположен под Сухачевском, то, значит, кто-то довольно умело, даже профессионально заметет следы, убирая лишних свидетелей или подельников. Сначала непонятная гибель капитана и двух прапорщиков, которых расстреляли на ночном шоссе. Затем взрыв на арсенале и пожар с канонадой — чем не способ замести следы хищения! Непонятное, но и явно не случайное убийство чеченского авторитета сразу после того, как с ним встретился сухачевский пахан по кличке Рядно. И вот теперь гибель майора Замятина, которого Панков знал не один год, а вслед за ней — откровенное убийство Рядно. Причем, как говорит генерал, здесь уже постарался не таинственный убийца, а собственная милиция. Вот только зачем было «лохматить» его из автомата? Боялись, что попадет в руки живым?

— Господи, да как тут свести все в одну цепь?! — едва слышно пробормотал Панков и тут же умолк, слепо уставившись в окно.

Видимо понимая его состояние, молчали и оперативники, сидевшие сзади.

Сильнее всего его мучили мысли о трагической гибели Замятина. Как, каким образом мог погибнуть этот опытнейший сапер, способный с завязанными глазами обезвредить практически любое взрывное устройство? Что это — случайность, трагическая ошибка? А может, все-таки умело, профессионально расставленная ловушка?

И почему на разминировании оказался именно Замятин, тогда как в комиссии, которая работала на арсенале, было еще несколько специалистов-взрывотехников? Неужто Павел узнал что-то такое, что преступник или преступники пошли на то, чтобы его убрать?

Да, они не могли исключать такой вариант развития событий, тем более что перед отъездом на арсенал с Замятиным был проведен соответствующий инструктаж. Так что вполне возможно, что Павел...

Пожалуй, ответы на эти все возникающие и возникающие вопросы можно будет получить только в самом Сухачевске. В этом городишке творилось что-то непонятное. По всей вероятности, дело с кражей «чемоданчиков» близится к своему завершению.

...Поднимаясь в кабинет Проскурина, Панков уже знал, на чем будет строить дальнейшую оперативную разработку и что может потребовать сейчас от своего шефа. Усиления его группы опытными оперативными сотрудниками. Концентрации всех сил и внимания на трех объектах. Что это за объекты? Москва, где должен проявиться Заворотный. Сухачевск с его ракетно-артиллерийским арсеналом. И аэродром в Псковской области, через который должны уплыть за границу взрывные устройства. В последнем Панков был уверен на все сто. Уже не сомневаясь, что этот аэродром — единственный канал вывоза адских «чемоданчиков», за которые Ярову, видимо, заплачены или обещаны сумасшедшие деньги, Панков начал не на шутку опасаться за жизнь Антона Крымова. Если Киплинг настолько свободно уничтожает своих подельников, а в том, что уничтожает их именно он, Панков тоже был уверен на все сто, то почему бы ему не освободиться и от нового управляющего «Чудью», когда тот выполнит свою задачу?

VII

Казалось бы, все складывалось как надо. Нашел свою мину не в меру ушлый майор-пиротехник, вслед за ним отправился на небеса вконец ссучившийся Рядно, собственной кровью смывший все свои грехи, и с самого утра город только и говорил о ментах, которые наконец-то взялись за дело. Видимо, Рядно в свое время здорово насолил горожанам, и теперь на каждом углу и в каждом магазине только и судачили о ночной акции сухачевского угро. Причем разукрашивали события такими подробностями, что Яров только диву давался, откуда что берется. Лишь самая главная подробность у всех рассказчиков выглядела примерно одинаково: «Этого самого урку, что у бандитов главным был, автомат надвое расхреначил». В остальном же был полный разнобой — кто говорил, что милиционеры положили всю банду, кто говорил, что не всех, кого, мол, убили, а кого и ранили. Обсуждались и причины этой бойни: «Они, говорят, на городской банк нацелились — этим утром брать его собирались. Ну а тут их...»

Слушая на улице эти разговоры, Яров мог быть доволен собой. Люди, которые представляли для него наибольшую опасность, убраны, причем Рядно уничтожен руками главного сыщика Сухачевска, который, как услышал где-то Яров, самолично приказал «никого живьем не брать». Теперь оставалось малое — поумнее забрать взрывные устройства, переправить их в «Чудь», а там уж... Главное, что он знал, где они у Рядно запрятаны, а остальное — дело техники.

Завтра «чемоданчики» будут в его руках!

Казалось бы, жди завтрашнего дня да радуйся, что все у тебя получилось, приводи в порядок поистрепавшиеся перышки. Однако не было в сердце у Ярова радости, хуже того, неспокойно было на душе. Все хвосты подчистил, все концы обрубил... если не считать Гринько. А ну как следствие возьмет его в оборот!..

Опасаясь звонить Гринько — после гибели столичного пиротехника местные контрразведчики могли поставить всю городскую телефонную сеть на прослушивание, — Яров, еще не зная о предварительных выводах комиссии, так же как не зная и о том, доложил ли на комиссии майор Замятин о своих подозрениях по поводу прапорщика Шибанова, терзал себя самыми мрачными предположениями. А ну как Замятин успел поделиться кое с кем из арсенальцев своими сомнениями? Доложил о своем вечернем разговоре с начальником штаба арсенала?

Уж кто-кто, а он лучше многих других знал, как кадры из спецслужб — а в данном случае из военной прокуратуры, контрразведки и ФСБ — умеют рыть землю в поисках виновника, а тем более когда речь идет об убийстве кого-нибудь из их сослуживцев, да еще таком убийстве, как нынешнее. Можно было и не гадать — специалисты, прибывшие на место гибели Замятина, моментально разобрались в причине взрыва заложенного в «восьмерку» взрывного устройства, а раз так, то уже поняли, что кто-то охотился за майором *специально*, что майор, понадеявшись на свои знания и многолетний опыт, угодил в умело поставленную ловушку.

И это значило, что вся эта кодла — и прокуратура, и контрразведка, и ФСБ начнут или уже начали отрабатывать все возможные и невозможные *причинные* версии охоты на майора. И если они прознают о том, что, перед тем как уехать с пожарища, Замятин поинтересовался насчет прапорщика Шибанова, спросив у начальника штаба, достаточно ли хорошо тот его знает...

Вывод, к которому приходил в конце своих рассуждений Яров, был малоутешителен. Рано или поздно контрразведчики и следственный аппарат военной прокуратуры споткнутся на подполковнике

Гринько. А там уж им и до настоящей правды нетрудно будет добраться...

Он прекрасно понимал, что в данный момент ему не грозит никакая опасность, что все эти его предположения — отчасти результат перевозбуждения, некоего психоза, когда перевозбужденный мозг подбрасывает все новые и новые страшилки, однако ничего не мог с собой поделать — он больше не мог сидеть в бездействии в этих четырех стенах, не зная, что может ждать его завтра.

Наконец, не выдержав, он снял телефонную трубку и набрал домашний номер Гринько.

Когда на другом конце провода прозвучало довольно неприветливое «слушаю» Ивана Мартыновича, Яров сразу почувствовал себя спокойнее.

— Иван Мартынович? Рад вас приветствовать. Андрей беспокоит. Да, тот самый. Насчет ваших «Жигулей» интересуюсь. Слышал, будто продавать машину собираетесь?

Он нес эту ахинею по поводу «жигуленка» Гринько, а сам напряженно прислушивался к реакции подполковника. Если этот спивающийся начальник штаба еще не выбрал свою вечернюю норму, то должен сообразить, отчего это московский гость перешел на такую тарабарщину, и повести себя соответственно. И Гринько, слава богу, догадался. Видать, не все еще мозги пропил мужик.

— Да, Андрей, есть такая мыслишка, — солидно откашлявшись, проговорил он.

— Потолковать бы надо, — осторожно сказал Яров. — А то я тут думаю отлучиться на месяц. В Москву. Может, встретимся? Заодно и побулькаем. Время-то вроде бы еще детское.

И замолчал, выжидая ответа. Согласится ли подполковник? Пойдет ли на эту встречу? Впрочем, если рассуждать здраво, его тоже должна мучить неизвестность, и Яров ему сейчас даже нужнее, нежели он сам Ярову. Да и про обещанные баксы за «чемоданчики» тоже небось хотел бы начальник штаба потолковать.

— Так в чем же вопрос! — неожиданным бодрячком отозвался Гринько — то ли и впрямь о вожделенных баксах думал, то ли сообразил, что на пару пить все-таки приятнее, нежели в одиночку. И тут же: — Приезжайте. Захватите что-нибудь с собой... ну вы понимаете. А я как раз и закусить приготовлю.

— А супруга? — спросил Яров, которому менее всего хотелось общаться с примитивной бабой, которой, похоже, так и не суждено стать полковничихой.

— Одни будем, — успокоил его Гринько. — Уехала сегодня моя благоверная к дочерям. Проведать.

— Тогда ждите, — пообещал Яров и, вешая трубку, облегченно вздохнул. Только сейчас он до конца понял, насколько важен был для него этот звонок — случайно, что ли, он так волновался, разговаривая с Гринько и сторожко вслушиваясь в модуляции его голоса. Ну что ж, на слух вроде бы ничего особенного с подполковником не происходило. По крайней мере, такого, что вызывало бы у него панику или животный страх.

А это значило, что, во-первых, никто пока его не винил и что, во-вторых, Гринько не чувствует своей личной вины в трагической гибели майора Замятина. И это было просто замечательно!

По пути Яров завернул в магазин, взял две бутылки коньяка, так что черную кнопочку звонка у двери начальника штаба ракетно-артиллерийского арсенала он нажал уже хорошо затоваренный.

Уже хорошо подогретый водочкой и оттого, может быть, излишне разговорчивый и хлебосольный, Иван Мартынович пригласил гостя в большую и по местным меркам «богато» обставленную комнату, залитую светом хрустальной пятиламповой люстры, а сам нырнул на кухню, откуда неслись манящие запахи шкварчащего на сковородке мяса, нарезанного лука и еще каких-то закусок, без которых даже представить нельзя настоящее застолье. Хлебосольным хозяином был подполковник Гринько и особенно с теми людьми, от которых в той или иной степени зависел.

Выставив свои бутылки, Яров опустился в глубокое удобное кресло и внимательным взглядом прощупал жилище подполковника. Да, квартирка была, как говорится, упакована, хоть и с провинциальными претензиями на роскошь, и почти все в ней соответствовало должности и званию ее хозяина. Даже ружье, которое висело на огромном ковре, было не простой ижевской двустволкой, а бельгийским «Зауэром», который по нынешним временам стоил годовой зарплаты учителя средней школы или врача городской больницы...

— Увлекаетесь? — спросил Яров вошедшего в гостиную Гринько, кивнув на матово поблескивающую двустволку двенадцатого калибра.

Расставляя на столике закуски, тот пожал плечами:

— Да как сказать... Не очень-то. Но места у нас для охоты знатные, порой и большое начальство наведывается, вот и пришлось на ружьецо раскошелиться, чтобы по весне или по осени на охоту кой-кого свозить. Сам понимаешь, обязанность такая.

— Ясно, — согласился с таким доводом Яров.

Да, Иван Мартынович стал большим мастером по части приемов — глядя на его стряпню, Андрей вдруг почувствовал, что сильно проголодался.

Наконец излишне возбужденный Гринько — ушел, видно, хватить еще одну рюмаху на кухне — церемонно пригласил гостя садиться за стол.

— И надолго уехала хозяйка? — спросил Андрей.

— С неделю в Москве пробудет.

— С чего это вы решили ее сейчас отправить?

Иван Мартынович с удовольствием повертел в руках одну из принесенных Андреем бутылок, наполнил хрустальные рюмочки и только после этого ответил, сделав озабоченное лицо:

— Время сейчас не самое лучшее. И те, что в комиссии, готовы каждому арсенальцу в задний проход заглянуть, лишь бы до истины докопаться. Каждый слушок и каждое небрежно брошенное словцо проверяют. А баба, сами понимаете, она и есть баба. Язык-то без костей, да и умишком бог обидел. Так что, как говорится, от греха подальше.

Полностью согласившись с таким подходом к делу, Яров кивнул одобрительно и поднял свою рюмку:

— Ну что, товарищ подполковник, за удачу?

Гринько какое-то время молчал, двумя пальцами придерживая свою рюмку, вздохнул, будто корова на водопое, и наконец произнес с какой-то тоскливой отчаянностью:

— Дай-то бог!

Было что-то насторожившее Ярова в этой тоске

и в этой бесшабашности, однако он решил лошадей не гнать и, только когда они ополовинили бутылку и хозяин заметно опьянел, спросил осторожно:

— Говорят у вас что-нибудь по поводу гибели московского майора?

— Разное, — слегка скривившись, ответил Гринько и пожал плечами.

— А точнее?

Как ни хмелен был Иван Мартынович, а что-то, видать, сообразил, связал смерть слишком активного пиротехника с этим повышенным интересом московского гостя.

— Точнее, говоришь? Если точнее, — с едва скрытым раздражением сказал он, — то вся комиссия сейчас стоит на ушах и специалисты пытаются понять, как, каким образом такой опытный волчара, как этот майор, смог подорваться на простейшем взрывном устройстве! Господи, прими его душу, — совсем уж не по-военному добавил Иван Мартынович и одним глотком опрокинул в себя следующую рюмку. Ткнул вилкой в кусок мяса и с пьяной слезой во взоре уставился на своего гостя:

— Вот так-то, Андрюша. Сегодня живем, а завтра... — И, не договорив, обреченно махнул рукой.

Наблюдая за хозяином дома, Яров невольно усмехнулся. Пьянея, подполковник менялся буквально на глазах. Становился сентиментальным и, вместо того чтобы говорить дело, начал нести какую-то ахинею. Ишь ты, «прими его душу»! Хотя, впрочем, и винить его за это особо нельзя. По поводу гибели пиротехника сюда приедет еще не одна комиссия, и вполне естественно, что посвящать абы кого в предварительные выводы специалисты не будут. Вот когда подполковник матернется-то! Стоп! Разве подполковник Гринько — «абы кто»? Все-таки начальник штаба арсенала — абсолютно проверенное и доверенное лицо... И если ему не сказали, что на погибшего майора шла настоящая охота...

М-да, хреново. Из того, что провякал сейчас полупьяный Гринько, можно было сделать два вывода. Первый — это то, что о расставленной майору ловушке членам комиссии приказано не распространяться. Видимо, будут искать причину, из-за которой кто-то решился убрать Замятина. Это уже нехорошо. И второй, что еще хуже, — начальник штаба, как и прапорщик Шибанов, попал в круг подозреваемых. А это могло значить одно — вскоре его начнут раскручивать по-настоящему.

Яров говорил о чем-то с хозяином, старался отвлечься, но, как ни заставлял себя, мысли то и дело возвращались к судьбе начальника штаба. Да, видать, мужик действительно угодил в круг подозреваемых. И это хреново. Но еще хуже было бы, если б он догадался или узнал об этом. С его-то нервишками да с его-то безволием, да с его-то активной алкогольной зависимостью... Короче говоря, ничего хорошего от этого ждать не приходилось — раскрутки подполковнику Гринько не выдержать...

И все-таки Яров заставил себя перевести разговор на другое.

— А известны уже выводы комиссии? — угрюмо спросил он, наблюдая за полупьяным подполковником. И когда тот вскинул на него недоуменно-вопросительный взгляд, уточнил: — Предварительные выводы — ну когда члены комиссии в гостинице собирались?

— А-а, — наконец-то сообразил Гринько, и было видно, как он изо всех сил старается сделать вид, что еще совсем не пьян. — В общем, того... Никто ничего не знает.

— А если точнее? — нажал на него Яров.

Иван Мартынович усмехнулся вымученной улыбкой. Он, может, и хотел бы сохранить достоинство, но сознание всей своей никчемности и зависимости от сидящего напротив человека было сильнее.

— Точнее... — почти трезвым голосом произнес он. — Точнее. Как вы, однако, все это слово любите! Чтобы вынь все да по полочкам разложи. Точнее. Нету никакого «точнее». О своих предварительных выводах пиротехники должны были доложить членам комиссии на штабе, то есть в двенадцать ноль-ноль. Ну а тут вдруг это несчастье с майором Замятиным. Как из города позвонили о его гибели... В общем, так все закрутилось, что не до предварительных выводов... — И он безнадежно махнул рукой.

Слушая подполковника, Яров довольно усмехнулся про себя. Выходит, не зря он отправил майора к праотцам. Если бы этот взрывник успел высказать свои сомнения по поводу прапорщика Шибанова, то на этом голубчике уже висел бы весь следственный аппарат военной прокуратуры, грыз бы его насмерть. А он пока что гуляет на свободе и никто его не трогает. А вот насчет самого Гринько... Если идти от следственной логики, то эти мужички из военной прокуратуры в первую очередь должны проверить и перепроверить всех тех арсенальцев, с кем погибший Замятин имел контакт и с кем мог поделиться своими соображениями. Сейчас они уточняют список этих офицеров, и Гринько, видимо, попал в него одним из первых. Но поскольку он все-таки начальник штаба, а не хрен собачий, то следователь, которому поручена его разработка, начнет копать под Гринько по-серьезному. И только полный дурак или дебил не сможет выйти на его кирпичный особняк в Подмосковье, две иномарки, оформленные на дочерей, и прочие «излишества», которые никак не приобретешь на довольно скромное денежное довольствие начальника штаба ракетно-артиллерийского арсенала...

И Яров невольно поймал себя на том, что как ни пытался уйти от мысли о Гринько, однако действительность то и дело возвращала его к судьбе хозяина этой квартиры. Вернее, к тому, что следствие по делу убитого пиротехника может связать его с начальником штаба арсенала, который, оказывается, живет далеко не по средствам и, значит, мог быть причастен к первичному взрыву на арсенале.

Откровенно говоря, ставя ловушку на излишне въедливого пиротехника, Яров не подумал о возможности такого поворота событий. Хотя, впрочем, что бы он еще мог предпринять в той ситуации, которую нарисовал ему тогда запсиховавший Гринько? «Вы достаточно хорошо знаете прапорщика Шибанова?» — этот вопрос, заданный московским майором, мог подвигнуть и не на такие дела. К тому же, если говорить откровенно, сейчас шла зачистка по устранению особо опасных свидетелей или людей, которые могли выступить в качестве таковых. Обычная зачистка, обычная работа. Правда, раньше такими делами занимался Максим и его головорезы. Ну и что? Теперь, после гибели Максима, пришлось этим заниматься самому. Вот и все.

Яров покосился на Гринько.

— Значит, про Шибанова пока что не было сказано ни слова? — уточнил он.

Хозяин дома отрицательно качнул головой и потянулся за новой бутылкой. Видно было, что он уже основательно перебрал свою норму, и с каждой новой рюмкой он все больше превращался в кусок рыхлой, бесформенной плоти.

— Н-нет, — промычал он, все же найдя в себе силы понять, о чем его спрашивает гость.

Яров смотрел на Гринько с брезгливостью, легким сожалением. «До чего же странная штука — жизнь!» — думал он. Приехал сюда, чтобы услышать от него это самое «нет», а теперь... Верно говорят: «Потяни за нитку — и рубашка распустится».

— А что у вас говорят про убийство Рядно? — на всякий случай спросил он.

Иван Мартынович вскинул на гостя голову и вдруг уставился на него совершенно осмысленно. Казалось, одно упоминание имени этого человека, принесшего ему столько страданий и оставившего без желанного капитала, полностью протрезвило его.

— Собаке — собачья смерть! — злобно бросил подполковник и вновь наполнил свою рюмку.

— Понятно, — негромко откликнулся Яров и бросил в рот кругляш сырокопченой колбасы.

Невольно покосился на матово поблескивающую двустволку. Тяжело вздохнул. Ну вот, кажется, и подошла очередь хозяина дома, который все сильнее клевал носом в свою тарелку. Яров поднялся с кресла и, перехватив поудобнее совершенно обмякшего подполковника, поволок его в коридор.

— Спать, дорогой. Спать, — негромко приговаривал он, затаскивая Гринько в ванную комнату.

Тот мычал что-то нечленораздельное, но все-таки дал раздеть себя, и Яров перевалил его в чугунную, допотопного производства ванну, включил теплую воду.

Видимо испытывая особенный кайф, Иван Мартынович хрюкнул от удовольствия и широко раскинул руки. Небось любил подполковник теплую ванну в особо похмельные дни.

Стоя рядом, Яров наблюдал, как вода все больше покрывает белое, уже обрюзгшее тело Ивана Мартыновича. Уставший и измотанный за день как собака, он не испытывал никаких чувств, никаких эмоций от того, что ему предстояло сделать. Он просто стоял и ждал, когда эта вместительная чугунная емкость наполнится до краев. А когда она наполнилась, он все так же спокойно выключил воду и слегка притопил голову Ивана Мартыновича.

О том, что здесь могли остаться его пальчики, он не волновался. Пар и насыщенный влагой воздух надежно сожрут все, что могло бы натолкнуть кого-нибудь на мысль об убийстве.

Он вернулся в комнату, где они только что пили коньяк, внимательным взглядом окинул стол с бутылками и остатками закуски и принялся складывать в свою сумку все то, что могло бы навести на мысль о присутствии здесь второго человека. Когда на столе осталась одна бутылка коньяка с отпечатками пальцев Гринько, ополовиненная бутылка минеральной воды, которую хозяин опорожнял прямо из горлышка, одна рюмка и одна тарелка с вилкой, Яров еще раз внимательно осмотрел стол, оставшись вполне довольным собой.

Даже самый придирчивый дознаватель не мог бы сейчас найти улик, подкрепляющих версию о преднамеренном убийстве начальника штаба арсенала. Жена уехала к дочерям, остался мужик и решил расслабиться малость. Тем более что грешок по поводу спиртного за ним давно замечался. Ну увлекся малость, а потом, чтобы привести себя в порядок, решил принять ванну, ну и... Такое с любым может случиться. А уж с пьяным-то...

А обнаружат его, скорее всего, только утром, когда к подъезду подъедет служебная «Волга» и водитель, поднявшись на знакомый этаж, будет долго и безрезультатно нажимать на кнопку звонка. Потом выйдет кто-нибудь из соседей, сообщит, что у него вчера жена уехала, так что, может, Иван Мартынович того... спит еще, а еще чуть позже кто-нибудь обратит внимание на свет в окне. И когда слесарь из местного ДЭЗа взломает дверной замок...

VIII

Яров так и не смог заснуть этой ночью. То он начинал думать, как без лишнего шума забрать из тайника Рядно по праву принадлежащие ему взрывные устройства, то перед его глазами всплывал тревожно-вопросительный взгляд Гринько. Каких-то особых мучений или угрызений совести он не испытывал, резонно решив, что даже сделал для семьи подполковника благое дело. Во-первых, почти мгновенная смерть, при которой незабвенный Иван

Мартынович ни боли не почувствовал, ни душевных страданий, а во-вторых... Он был почти наверняка уверен, что жена Гринько и его дочери только спасибо ему сказали бы, узнай они, что ожидало их отца и кормильца, раскрути его следственная бригада из военной прокуратуры. Арест, несмываемый позор, суд, конфискация всего имущества и... Голые и безработные, они бы в два счета оказались на улице. А так... Естественно, что соседи посудачат о пьянстве начальника штаба, да и на арсенале слушок нехороший пройдет — все-таки смерть малость позорная для начальника штаба, но и все. Все! Зато останется доброе имя отца и мужа, которое уже никто не станет марать и поливать грязью, пенсия, ну и все то, что подполковник нажил «праведными трудами», стоя на защите Отечества.

Так что это еще вопрос: зло он сделал, утопив подполковника в его собственной ванне, или благое дело, за которое ему спасибо сказать полагается. Так что тут ему все было ясно — не о чем особо переживать. А вот что касается деревенского тайника и «чемоданчиков» — тут проблемы были, и серьезные. Однако ближе к утру у него уже был почти готов план их изъятия.

Пятьсот долларов даже для зажравшихся москвичей большие деньги, что же касается безработного и обнищавшего Сухачевска, то здесь это было целое состояние, и Зинаида моментально согласилась выполнить просьбу незнакомого и, как она поняла, не местного статного мужичка, который пришел к ней вместе с Геной. Отпроситься на день у директора магазина для нее тоже не составило особого труда, и теперь она, чуть захмелевшая от джина с тоником, пышно развалившись на заднем сиденье машины, бубнила вполголоса, добросовестно заучивая слова, которые велел ей сказать в нужный момент Яров.

Впрочем, о том, что этого привлекательного мужичка кличут Яровым, она и знать не знала, да и знать ей это было не положено, как и то, что занозивший ее сердце Максим никогда уже не появится в ее доме, никогда больше не сожмет в объятиях ее пышное, дородное, словно созданное для любви и неги тело. Посоветовавшись с Геной-электронщиком, который преобразился после гибели Максима, прямо на глазах превращаясь в запредельного киллера, Яров решил использовать Зинаиду втемную, и это в общем-то не составило особого труда.

Задуманный им ночью план был до предела прост. Прослушивая записанные на пленку разговоры Рядно со своими отморозками, Яров чисто автоматически запомнил несколько имен и кличек бригадиров из группировки сухачевского пахана, и именно на этом — на знании имен — решил выстроить свою задумку. Когда старому уркагану последний раз звонили из Листвянки, деревушки, где пахан до поры до времени сховал «чемоданчики», звонивший назвался Сивым, и, судя по разговору, это был бригадир оставленной в Листвянке команды отморозков. Вот именно ему-то Зина и должна была передать маляву, которую ей вручил Яров.

«Сивый, падла! — вопил смятый клочок бумаги, на котором размашистой строчкой легли неровные буквы. — Вы в диревне бляди ошиваетесь а мы здесь крававые сопли на рукав мотаем. Какая то сука здала с потрохами и ночью наехали менты. Была стрельба и полегло наших несколько человек. Пахана нашего замочили прямо в кровати. Из «калаша». Я сильно ранен и отсиживаюсь на хати. Из оставшейся в живых братвы кто схоронился в городе, кто уже в ментовке. Боюсь как бы кто ни раскалолся насчет Листвянки. Свали!»

И короткая подпись — «В». Что могло означать и ублюдочного дегенерата Вовика, и любого другого из остававшихся при своем пахане отморозков.

Эта записка, которую должна была передать Сивому Зинаида, могла заставить дергаться не только сопливого бригадира с его командой, которая и без того измотана непонятным ожиданием, сидя в деревушке, словно на пороховой бочке, но и куда более серьезных мужиков. И, как представлял себе Яров, часть этих братков вместе со своим бригадиром должна была тут же рвануть в город, чтобы прояснить обстановку, и уж только после этого принимать какое-то решение по поводу взрывных устройств и остававшегося при них взрывника. В одиночку после такой малявы никто из них в Сухачевск поехать не рискнет — тут Яров рассчитал точно, ну а справиться с двумя или тремя недоносками, которые останутся в Листвянке, особого труда не составит.

Таков был замысел. Вроде бы неплохой. Однако слишком многое сейчас зависело от этой пышнотелой белорыбицы, которая старательно, как школьница, бубнила на заднем сиденье, боясь забыть нужные слова. И вообще, Зина, которую подогревала приятная мысль о баксах (уж как она на них приоденется!), кажется, по-настоящему вошла в свою роль и прониклась важностью доверенного ей дела. И только когда подъезжали к деревушке, она попросила еще немного джина.

— Чтоб зубами не стучать, — пояснила.

Яров приказал Гене остановиться на лесистом взгорке, с которого как на ладони просматривалась вся Листвянка, и вылез из «Москвича». Этот довольно побитый и замызганный драндулет с местным номером Гена увел с какой-то стоянки сразу же, как только Зина дала согласие на поездку, и теперь «Москвич» должен был сыграть свою роль во всем этом спектакле. А главное — он не мог вызвать даже намека на подозрение, будто на такой колымаге может разъезжать сухачевская уголовка, вздумай она хитростью выманить Сивого из Листвянки. К тому же кто еще, кроме самого пахана и Вовика, мог знать о том, что в этой деревне сидит со своей командой Сивый?

Да, наблюдательный пункт Яров себе облюбовал подходящий. Вдохнув полной грудью настоянный на хвое воздух, он мысленно перекрестился и кивнул Гене, чтобы тот ехал дальше. Нет, должен, должен выгореть его план, если, конечно, не дай бог, эта бабенка не споткнется на какой-нибудь хреновине. Все было продумано им до малейшей мелочи. К тому же Гена снабдил Зинаиду наручными часами, в которые был вмонтирован довольно чувствительный микрофон с передатчиком. Так что он будет слышать все, что происходит в доме, и соответственно обстановке принимать решения.

Когда «Москвич» запылил вниз по ухабистой дороге, Яров еще раз попросил Всевышнего о помощи и пошел к кустистому перелеску, где оставил в прошлый раз для наблюдения своих ребят. Теперь все или практически все зависело от того, поверит ли Зинаиде Сивый и справится ли со своей новой ролью Гена-электронщик.

...Сбросив скорость на ухабистой дороге, Гена осторожно въехал в деревню и, чтобы все получилось до конца правдоподобным — вполне возможно, что за появившимся на деревенской улице «Москвичом» уже следили отморозки Сивого, — тормознул у крайнего двора, за изгородью которого возилась какая-то женщина, крикнул, опустив стекло:

— Слышь, хозяйка! Это Листвянка? — А получив утвердительный ответ, поинтересовался: — Не в курсе, где тут ребята остановились? Сухачевские.

Женщина распрямилась и показала на противоположную сторону улицы.

— А вона. Шестая изба. Раньше-то там бабка Пелагея жила.

— Спасибо, хозяюшка, — поблагодарил Гена и медленно подкатил к указанному дому, на пороге которого уже нарисовались двое мордоворотов.

Когда остановился и выключил зажигание, обернулся к притихшей Зине:

— Ну, подруга, давай! Главное — ничего не бойся. Мы будем слышать каждое твое слово. Сделаешь все, как надо, — еще сотня баксов твоя. Премия, так сказать, — проговорил он и оборвал себя каким-то злым смешком.

Пока слегка подвыпившая Зина выбиралась из салона «Москвича», в окнах появились еще три морды, а те отморозки, что только что стояли на крыльце, уже подходили к воротам.

— Чего надо? — хмуро спросил один из них, переводя настороженный взгляд с Зинаиды на водителя «Москвича», который с беззаботным видом ковырял спичкой в зубах.

— Это вы, что ли, из Сухачевска будете? — в свою очередь спросила Зина.

— Ну! — нехотя отозвался второй. — И что дальше?

И тут Зину словно подменили. Она как-то сразу сникла, шагнула к калитке и почти прошептала:

— Наконец-то! Уж думала, что и не найду вас. — И добавила чуть напористей: — Вызови Сивого. Срочно!

При этих ее словах отморозки переглянулись и один из них, тот, что был повыше ростом, произнес угрожающе:

— Слушай, телка... Ты, случаем, не того? Какого еще Сивого?

— К которому Вовик послал! — с натуральной злостью бросила Зина и тут же вновь перешла на шепот: — Да хоть в дом-то пустите, обормоты! Записка у меня к нему.

Она потянула было калитку на себя, и в это время на крыльце появился еще один отморозок. Лет двадцати, но с такой татуировкой на груди и руках, что можно было подумать, будто он по крайней мере десять лет из своих двадцати провел в «малолетке» и на зоне строгого режима.

— Зинка! — неожиданно заорал он и ощерился в щербатой улыбке. — Здорово, бля! — И, заметив недоуменный взгляд своих корешей, пояснил с тем же беззлобным матерком: — Вы что, бля! Не знаете ее? Это же Зинка. Ну, бля! Соседка пахана. Живет напротив. Ну, бля! Продавщицей пашет. В магазине, бля. В винном отделе.

При этих его словах на крыльцо вышли еще два отморозка и тот, что был постарше, молча кивнул Зинаиде, чтобы она заходила в дом. Перед тем как самому скрыться в сенях, спросил приглушенно, с хрипотцой в голосе:

— А что за козел в машине?

— А-а, — равнодушно отмахнулась Зинаида, — частник какой-то. По дороге поймала. За полтинник договорилась, чтоб до вашей гребаной Листвянки довез. Щас обратно поедем.

Чуть увеличив громкость приемника, который лежал у него в сумке, Гена слушал, что происходит в доме.

«Ну-ну, — услышал он все тот же приглушенный, с едва заметной хрипотцой голос. — Ну я — Сивый! Какое дело имеешь?»

Сбиваясь то на испуганную скороговорку, то на доверительный шепот, Зина рассказала о том, что произошло позапрошлой ночью на Первомайской улице, какая стрельба разбудила всю округу, как она выскочила на крыльцо и увидела каких-то мужиков, рвущихся через выбитые окна и выломанную дверь в дом соседа. О том, как во всех окнах вспыхнул свет и как милиция стала выводить тех ребятишек, что были той ночью у Тимофея Капралова. И еще рассказала про страшенную матерную ругань милиционеров, когда кто-то из спрятавшихся в доме рванул через чердак на задний двор и убежал огородами.

— Вроде бы Вовик это и был, — закончила Зина

свой рассказ и попросила воды. — В горле что-то пересохло, — добавила она.

В доме наступила гробовая тишина, потом кто-то матерно выругался и, наконец, Сивый спросил:

— Что с паханом?

— С соседом, что ли? — уточнила Зина.

— Ну!

Зина какое-то время молчала, потом горько сказала:

— Убили его. Сама не видела, а сосед мой сказывал, ну-у тот, что сбоку от Тимофея Ивановича живет, что, когда все уже закончилось, пригнали несколько санитарных машин и стали из дома носилки выносить — с убитыми. Ну, в одном этот самый сосед Тимофея Ивановича и признал. Его милиция для опознания пригласила.

— У же ж с-суки легавые! — раздался чей-то тягучий стон, и столько было в нем ненависти, что Гена невольно поежился. — Меня, блин, там не было!

— Заглохни, баклан! — осадил не в меру шустрого отморозка Сивый и тут же спросил: — Ну так что с Вовиком-то?

— Ранен сильно. В плечо и в грудь.

— Откуда знаешь?

— Так он же сам и сказал об этом — прислал за мной пацана какого-то. Да и перевязан весь. Он сейчас на Северном поселке отлеживается. У кого-то из корешей своих, что ли.

Зина замолчала, молчал и Сивый. Затаив дыхание, уставился на приемник Гена. Этот момент был самым скользким в задумке Ярова. Наконец он услышал:

— Что-то я не совсем врубаюсь. — Это был голос Сивого. — Ранен, отлеживается у кого-то на Северном, а к нам послал тебя. Ты сама-то рубишь, о чем талдычишь?

— Слушай, да пошел ты!.. — раздался обиженный голос Зинаиды. — Я, дура, с работы отпросилась, сюда приперлась, а он еще... А почему меня послал — так ты у него сам и спроси. — И чуть погодя: — Может, оттого, что еще раньше клеился ко мне, и еще... — Чувствовалось, что Зинаида замялась. — В общем, Вовик сказал, что вы здесь все мудак на мудаке и можете абы кому не поверить. А мне поверите, потому как я — соседка и меня ваши в лицо знают. Водку-то небось все у меня брали? Забыли, да?

Весь последний текст она произнесла настолько естественно, что Гена облегченно вздохнул и вытер пот со лба.

Видать, поверили ей и отморозки Сивого. Они загомонили все разом, и в этом хоре матерщины и угроз можно было понять одно: бригада Сивого струхнула и ждет решения своего командира.

— На словах он что-нибудь передал? — спросил Сивый, видимо снова обращаясь к Зине.

На это у нее тоже был заготовленный ответ, и она тут же выпалила его:

— Ничего особенного. Просто сказал, что если вы его с поселка не вытащите и в какую-нибудь больницу, не в Сухачевске конечно, а где-нибудь в другом месте не определите, то он в одиночку подыхать не собирается. В общем, просил, чтобы приехали.

— Вот же б...! — со злостью произнес кто-то, и вновь приемник наполнился матом.

А когда гомон поутих, вновь послышался Зинаидин голос:

— Ну ладно, ребята. Все, что меня просили передать, — я передала и сказала. А мне, извиняйте, пора ехать. Там у меня водила небось уже копытами сучит.

Гена напрягся в ожидании. Этот момент тоже был не менее важным в плане Ярова. То, что они поверили Зине и записке, — это хорошо. Однако как скоро они решатся на активные действия? И что попытаются предпринять?

— Не суетись! — остудил Зинаиду Сивый. — Ты, конечно, свое дело сделала. Теперь будешь делать то, что я скажу.

— Чего-о-о? — с гонором протянула Зина.

— Сядь, говорю! — прикрикнул Сивый. — И не суетись.

Насколько понял Гена, бригадир отморозков уже принял какое-то решение.

— Значит, так. Я правильно въехал, что этот твой извозчик должен тебя обратно отвезти?

— Естественно.

— Хорошо. Тогда так. Останешься здесь до нашего возвращения, чтобы могла пулю в лобешник получить, если вдруг тебя менты-пидоры подослали, а я с двумя братками на Северный смотаюсь. Посмотрю там, что почем. Адрес Вовика небось знаешь?

— Чего-о? — взвился истерический бабий крик. — Дуру нашел, чтобы я здесь осталась! Я только на полдня у заведующей отпрашивалась! Или хочешь, чтобы мне прогул влепили?

— Заткнись! — неожиданно злобно остановил Зинаиду Сивый. — И слушай сюда! Ты останешься здесь. До моего возвращения. А чтобы скучно не было, можешь пока потрахаться! Если все так, как ты рассказала, сразу же после моего возвращения получишь хорошие бабки и тебя отвезут домой. Ну а если тебя подослали, сучка... — Он не стал договаривать, что с ней будет,— видимо, Зинаиде и так все было понятно, потому что Гена услышал ее всхлипывания, а чуть погодя Сивый приказал кому-то: — Ты, Воробей, и ты, Серый, поедете со мной. Вы двое останетесь в деревне. Следите за этой телкой, но главное — это тот, кто в погребе. И его коробки. Все! Собирайтесь.

Гена вздохнул с облегчением. Этот вариант они с Яровым обсуждали, и по нему тоже была приготовлена разработка. Покосившись на окна дома, где началась какая-то суета, он мгновенно связался по рации с Яровым, который все это время находился на приеме, и, получив соответствующие указания, тут же убрал рацию с приемником под сиденье. Когда из дома вышел Сивый с двумя отморозками, спросил нехотя:

— А пассажирка-то моя где? Она вроде в город обратно хотела, так скажите ей, чтоб побыстрее или пусть расплачивается...

— Без нее поедем, — хмуро пробурчал Сивый и сел на переднее пассажирское сиденье. А увидев недоуменный взгляд водителя, пояснил неохотно: — Дела у нее тут. Вечером уедет.

Гена безразлично пожал плечами — мол, дело ваше, ребята, и спросил:

— Куда едем? В город?

— Поселок Северный. И гони побыстрее. Полтинник сверху кладем.

— Ну, такие-то деньги! — в момент повеселел Гена и включил зажигание.

Проскочив лесистый взгорок, где сейчас готовился к своей части операции Яров с ребятами, Гена невольно вздохнул и вдруг поймал себя на мысли о том, что он стал совершенно другим человеком, влившись в команду Максима, дело которой — обеспечивать безопасность туристическому агентству «Андрей и К°». И если поначалу он откровенно побаивался, выполняя очередное задание по электронному отслеживанию, то постепенно эта неуверенность в собственных силах и боязливость сами собой ушли куда-то, их заменил азарт, желание как можно лучше сделать свое дело, подогретое вполне приличными баксами, которые могли обеспечить ему сытую и комфортную жизнь даже в таком городе, как Москва. Но сейчас, после страшной гибели Максима, когда он и сам был на волосок от смерти, в нем вдруг проснулась неведомая ему доныне жажда мести и непонятное пока что, может быть, даже неосознанное стремление *убивать.*

Он *хотел* крови. И может быть, внутренне оправдывая себя, видел сейчас в парнях, которые сидели позади него, и в угрюмом парне с кличкой Сивый не людей, а своих личных врагов, беспредельщиков, которые, не задумываясь, замочили бы его самого, узнай, кто он есть на самом деле. А значит, он первый должен замочить их.

Когда Листвянка осталась далеко позади и дорога запетляла по лесу, сидящие сзади парни вдруг загомонили о «поганых ментах» и не менее, оказывается, поганом Вовике, который, падла... Но Сивый моментально обрубил их треп, и в душном салоне «Москвича» вновь сгустилась гнетущая, напряженная тишина. Сивый от этой поездки за раненым корешем, видимо, не ждал ничего хорошего, по крайней мере для себя, и, насколько понял Гена, лихорадочно соображал, как ему лучше поступить с этим самым Вовиком, который слишком много себе позволил, угрожая ему, Сивому, в своей маляве. Вот он и думал: прямо там замочить, в поселке, или все-таки вывезти куда-нибудь подальше? Впрочем, это были личные проблемы Сивого, которым, как хорошо знал Гена, скорей всего, не суждено будет сбыться.

Подумав об этом, Гена вновь поймал себя на мысли, что он совершенно спокоен и что у него нет даже малейшего страха перед троицей этих подонков, которых он ну никак не мог уже числить людьми. И от тайного торжества, от знания того, что их ждет, от осознания своего превосходства Гена вдруг невольно усмехнулся, но тут же спохватился, скорчил постную рожу.

— Чего это ты? — покосился на него Сивый.

Гена крякнул и скрежетнул зубами:

— Живот что-то... падла. С самого утра крутит. Хотел было водки с солью принять, а тут эта бабенка ваша подвернулась. Не упускать же деньги!

— И что, сильно крутит? — сочувственно спросили сзади.

Гена вновь скрежетнул стиснутыми зубами:

— Невмоготу порой. Пока в деревне ждал, еще ничего было, но щас, падла...

— Только здесь не обосрись, — заржал отморозок сзади, — а то вонь такая будет, что не доедем...

— Ага, — промычал Гена и тут же простонал: — Ох, братцы, обосруся!

И, не дожидаясь реакции пассажиров, резко тормознул, повернулся страдальческим лицом к Сивому:

— Слушай, обождите пару минут. Я моментом. Только штаны скину — и назад.

Развеселый отморозок сзади снова заржал, но Гена уже распахнул дверцу и выбросил на землю свои длиннющие ноги.

— Я щас, ребята, щас, — заискивающе повторял он, выбираясь из салона. — Штаны только скину.

И бросился в густой орешник, обступивший дорогу.

— Ох, мамочка...

На ходу, чтоб видели сухачевские братки, расстегнул брюки, влетел в орешник, проскочил его и присел за корявым стволом старой березы. Чуть поднял голову, высматривая в просвет между деревьями замерший на дороге «Москвич». Было видно, как Сивый, полуобернувшись к своим отморозкам, что-то вдалбливает им, видимо, наказывал держать язык за зубами.

— Козлы! — едва слышно выругался Гена и вытащил из-под ремня точно такой же пульт, какой был в руках Ярова, когда на автостоянке «Руслана» раздался взрыв, унесший жизнь майора Замятина. Ну вот и все, через секунду-другую самолично отомстит за жизнь Максима.

Мысленно прикинув силу пластиковой взрывчатки, заложенной под передним пассажирским сиденьем, критически осмотрел березу, за которой прятался, и, решив, что береженого бог бережет, перебрался за толстенную сосну, от которой открывался совсем широкий просвет на дорогу, посреди которой стоял «Москвич». Вот теперь он был в полной безопасности. Глубоко вздохнув, Гена нажал кнопку.

Страшной силы взрыв потряс округу, с деревьев полетела сорванная взрывной волной щепа, над дорогой вспыхнула гигантская огненная свеча.

Весело окинув взглядом разрушения, причиненные лесу взрывной волной, Гена вышел из-за спасительной сосны и, не оглядываясь на полыхающий костер, заторопился в сторону Листвянки.

Чувства, которыми он был обуреваем в этот момент, нельзя было определить каким-то одним словом или даже фразой. Это было его «крещение». Словно черту перешагнул какую-то. Теперь он *мог* убивать.

Яров даже представить не мог, что творилось в душе интеллигентного Гены-электронщика, но почему-то был совершенно уверен, что тот сумеет взорвать машину с людьми сухачевского пахана, и поэтому спокойно спустился с пригорка, беззаботной походкой отпускника вошел в Листвянку, остановившись у крайней избы, попросил колодезной воды и все так же беззаботно пошел по безлюдной в этот час деревенской улице. Ни собак, ни людей, даже куры попрятались в такую жару по своим подворьям. Пройдя несколько домов, «отпускник» остановился напротив избы, где еще свежи были следы разворачивавшегося «Москвича», и вдруг почувствовал, как радостно перехватило на какой-то миг дыхание.

Если не произойдет ничего сверхнеожиданного и если ему не помешают какие-то небесные силы, то скоро, очень скоро он будет держать в руках заветные «чемоданчики» и наконец-то станет действительно богатым человеком. За свои тылы он был спокоен. С пригорка за ним наблюдали в бинокль его люди, так что случись вдруг что-нибудь непредвиденное...

Он покосился на открытые окна большой деревенской пятистенки, из которой неслись на всю округу приблатненные записи группы «Лесоповал», и решительно толкнул незапертую калитку.

Он еще поднимался на крыльцо, когда неожиданно распахнулась дверь, ведущая в сени, и на пороге вырос широкоплечий, но еще совсем сопливый отморозок и удивленно вытаращился на нестарого мужичка в новеньком адидасовском костюме.

— Че надо? — выдохнул он.

Пока что все складывалось как нельзя лучше, и Яров постарался состроить просительную мину:

— Слышь, кореш, выручай!

— Чего-о?

— Ну-у ты меня пойми. Только правильно. Я из того вон дома, — кивнул он в самый конец улицы, — гостюю здесь. А вчера водка кончилась. Хотел было в сельпо махнуть, да чувствую, что не дойду с похмела. Сердечко барахлит. А баба моя и говорит: «Сходи, мол, к кому-нибудь из соседей.

Может, у кого и найдется в долг». До завтра, — убедительно заверил он. — Ну я увидел, что к вам машина приезжала, так, может, того... Найдется, может, водчонки бутылочка на продажу, а?

До отморозка мало-помалу дошел смысл просительных слов незваного гостя. Он собрался было послать этого интеллигентика со слабым здоровьем куда подальше, но поленился, что ли... Набычился только и протянул лениво:

— Нету у нас. Не пьем!

— Да я же заплачу, командир, — с тоской проканючил Яров. — Я же...

Однако парню надоело его слушать, тем более что в избе уже почти началась попойка с аппетитной бабенкой, и он шагнул навстречу мужичку, тесня его с крыльца животом и плечом. И это была последняя ошибка в его жизни. Яров расслабился, чуть сдвинулся в сторону, фиксируя опорную точку...

Все, что произошло дальше, не смог бы предугадать даже самый опытный боец. Короткий тычок правой в солнечное сплетение, мгновенный отход назад и — страшный удар ребром ладони левой руки по открытому горлу. Секундный хрип, еще живые удивленно-непонимающие глаза парня — и безжизненное падение уже мертвого тела...

Яров бросился было к двери, но, услышав шаги в сенцах и чье-то бормотание, притаился за косяком.

— Толян, ну че ты там? Гони ты его, пидора.

В это время дверь распахнулась и не менее страшный удар по голове завалил и второго парня. На этот раз Яров бил кастетом.

Оглянувшись через плечо — не видел ли кто-нибудь из соседей этой короткой расправы, Яров затащил в сени сначала одного сторожа, а затем и второго и, удостоверившись, что теперь они уже ничем не смогут помешать ему, решительно прошел в избу. Невольно хмыкнул, увидев сидящую за столом Зинаиду. Оставленные для охраны отморозки, как видно, готовились к большой пирушке с «группешником» — на грязной клеенке стояли две бутылки водки с деревенской закуской: капустой, картошкой и ломтями нарезанного сала. Неизвестно, что думала сама Зинаида по случаю столь неожиданного продолжения своей секретной миссии, но, увидев нарисовавшегося в дверном проеме Ярова, громко ойкнула и кинулась ему на шею:

— Ой, миленький! А я уж думала, что они...

— Все, Зина, все! — успокоил ее Яров, постучав по спине и отстраняясь от ее жарких объятий. — Ступай сейчас на улицу и жди меня во дворе. Уразумела? Ну, вперед! — шутливо скомандовал он и шлепнул немного растерявшуюся молодуху по пышному заду. — Давай.

Проводив Зинаиду глазами и убедившись, что она спустилась с крыльца, Яров унял учащенно бившееся сердце и откинул ногой грязный половик — где-то тут под ним должен быть люк, ведущий в погреб. Потянул на себя огромное кованое кольцо, и, когда из огромного темного чрева пахнуло прохладным воздухом и вонью залежавшейся картошки, позвал негромко:

— Степа. Болотов!

В ответ — молчание, показавшееся Ярову вечностью, и вдруг:

— Андрей! Ты?

И дикий, душу раздирающий вопль и плач человека, который уже простился с жизнью...

IX

Панков знал, чувствовал, что Яров где-то здесь, в Сухачевске.

Усилив свою группу опытнейшими оперативниками, которых смог выделить ему Проскурин, Панков искал следы, которые могли вывести его на бесследно исчезнувшие изделия МЧС-518, те самые ядерные «чемоданчики». Он искал их в самом Сухачевске, в его окрестностях, на территории проклятого ракетно-артиллерийского арсенала, вернее, на том пепелище, которое от него осталось, и везде уже почти физически ощущал присутствие Ярова, то бишь Киплинга.

Яров и Киплинг! Киплинг и Яров...

Эти два имени как бы слились для него воедино, стали чем-то нарицательным, неким символом, знаком, воплотившим в себе необыкновенное хладнокровие, точный, до миллиметра выверенный оперативный расчет и — жестокость, которой мог бы позавидовать легендарный Чикатило. Но тот просто маньяком был, пусть и редкостным, хоть чувства какие-то испытывал, когда с жертвами своими расправлялся. Но Киплинг, вернее — Яров...

Зачистка, которую этот дьявол провел на арсенале и в Сухачевске, по жестокости, расчетливости и коварству вполне достойна была войти в историю криминалистики. Ушлые шутники программисты могли бы даже разработать компьютерную игру под названием «На-ка выкуси!» — Киплинг накручивал бы горы трупов, а подполковник Панков с лучшей в конторе группой оперативников догонял бы его и никогда не мог бы догнать.

Никогда! Панкову даже жутковато становилось от ощущения собственного бессилия и от того, что он знать не знал, что еще может выкинуть Яров, заметая следы хищения взрывных устройств. А то, что тут именно его, Ярова, рука и что производит он именно зачистку — в этом Панков даже не сомневался.

Трупы, трупы и трупы! Горы трупов. Правда, тот же генерал Проскурин, пытаясь осадить разбушевавшуюся якобы фантазию подполковника, предложил ему рассмотреть несколько версий обычных криминальных разборок. Но в какие же это разборки местных отморозков можно было уложить и «случайную», по пьяни смерть начальника штаба арсенала подполковника Гринько, и взрыв на самом арсенале, и жуткую гибель опытнейшего сапера-пиротехника Замятина, и кровавый наезд сухачевской милиции на бандитское гнездо Рядно, и почти не замаскированный самосуд над самим паханом? А если добавить сюда вроде бы совершенно непонятный взрыв угнанного «Москвича», в котором остались обгоревшие останки трех человек (как показал опрос жителей окрестных деревень — отморозков из банды Рядно), еще два трупа с переломленными шейными позвонками, а также труп погибшей такой же смертью молодой женщины — соседки Рядно, обнаруженный в ее собственном доме, то можно с полной уверенностью сказать, что никакая местная разборка не вызвала бы такого количества столь разных и столь не связанных между собой убийств. И совсем другая картина — если объяснять эту эпидемию смертей яровскими зачистками.

Хотя, конечно, если идти милицейским путем, когда важнее не результат, а отчет о проделанной работе, можно свалить все и на местные бандитские разборки, а про подполковника Гринько вообще забыть, окончательно уверовав в то, что имел место несчастный случай, что мало найдется умельцев из среды российских мокрушников, которые станут придумывать такой изысканный и сложный способ убийства, когда на стене висит заряженное ружье. Но Панкова, влезшего в суть дела с ядерными «чемоданчиками» так глубоко, как не влез в него больше никто на свете, вряд ли кто-нибудь смог бы убедить, что в квартире Гринько имел место несчастный случай. Да, конечно, если бы это был просто мокрушник, неизвестно по какой причине решивший завалить начальника штаба, он бы, естественно, и воспользовался этим самым ружьем, что висело на ковре. Но Яров, вернее — Киплинг, был совершенно другим человеком. Он был не только, что называется, исчадием ада, но еще и думающим человеком, у которого был творческий подход к своей работе и которого в начале восьмидесятых годов обучали спецкурсу в спецшколе, готовя для внедрения в криминальный мир. И не просто в банды, а в среду матерых уголовников, которых надо было уничтожить физически, не дав им выйти из зоны. Киплинга обучали лучшие профессионалы бывшего КГБ, а потом он еще прошел школу зоны. И если ему действительно понадобилась смерть несчастного подполковника, он никогда не стал бы убивать его из ружья, а организовал бы чистое самоубийство или вот такую бытовуху по пьяни.

Была еще одна зацепка — уже не умозрительная, а вполне реальная, улика, которая говорила за то, что гибель пиротехника Замятина и взрыв «Москвича» с тремя боевиками из банды Рядно — дело одних и тех же рук. Эксперты, которые работали на месте взрыва «Москвича», установили, что здесь был применен точно такой же тип самодельного взрывного устройства, что и в случае с майором Замятиным. Пластиковая взрывчатка и радиоуправляемое устройство.

Панков пока не мог сказать, какая роль во всем этом деле отводилась рецидивисту Тимофею Капралову, но его приезд в столицу, плотная слежка за ним людей Киплинга, затем убийство чеченца, с которым Рядно общался в Москве, и дальнейшая череда трупов лиц, принадлежащих к сухачевской группировке Рядно, — все это тоже говорило о многом. Точнее, о причастности Рядно к хищению со складов арсенала ядерных взрывных устройств. Областное управление ФСБ уже прорабатывало версию возможного контакта начальника штаба арсенала с сухачевским уголовным миром. Тем более что хоть и не принято на Руси говорить о покойниках плохо, для этой версии были довольно веские основания. Только что выстроенный, весьма не дешевый особнячок в ближнем Подмосковье, две иномарки, якобы приобретенные дочерьми-студентками, и прочие «мелочи», которые не наживешь трудами праведными.

Генерал Проскурин, которому подчинялась группа Панкова, предложил ему также проверить выдвинутое кем-то из вышестоящего начальства предположение, что «чемоданчики» так и остались в спецхранилище — мол, преступлению помешал пожар, начавшийся с трагического взрыва, при котором погиб солдат. Панков догадывался, чем вызвано это предположение, зная о политических амбициях его автора. Но Панков также знал, что традиционная надежда на российское авось, на то, что, может, все как-нибудь рассосется само, в данном случае сбыться никак не может, поскольку заказанные террористами взрывные устройства уже в руках Киплинга и он теперь только выжидает удобного момента, чтобы перебросить их за границу, передать с рук на руки и, видимо, получить полный расчет. Почему он в этом уверен? Да потому, что, будь все иначе, Яров не стал бы с таким остервенением зачищать свои следы в Сухачевске.

...Едва получив информацию о том, что Яров появился в Москве, Панков, забрав из Сухачевска часть группы, плотно сел ему на хвост, фиксируя буквально каждую его встречу, прослушивая все телефонные разговоры — не только с домашнего номера, но и те, которые Яров вел по служебному телефону. Что же касается Петра Максимовича Заворотного, то бывший сотрудник секретного управления Генерального штаба Вооруженных сил России срочно отбыл за границу, на свою фирму, так что теперь находился под опекой Службы внешней разведки.

Похоже, опасаясь за свою генеральскую задницу, Проскурин предложил Панкову арестовать Ярова, тем более что предлог можно было найти, а уж потом, на допросах в Лефортове, выбить из него всю правду, но Панков тут же отверг этот вариант, обосновав свое несогласие с генералом тем, что, во-первых, Киплинг может и не расколоться и тогда они будут вынуждены отпустить его, а во-вторых — где гарантия, что Яров не предусмотрел такую возможность. Разве не может получиться так, что Ярова будут допрашивать в Лефортове, а заказчики тем временем спокойненько получат свои «чемоданчики» с ядерной начинкой — и ищи их тогда, свищи...

— Я бы подождал с арестом. Тем более, — доказывал Панков, — что у нас в запасе аэродром. Ведь аэродром-то Киплинг еще никак не задействовал, верно? Если похищенные взрывные устройства действительно у него, то он обязательно воспользуется этим аэродромом для переброски груза через границу. Более надежного канала ему просто не найти, и Яров загодя думал об этом, внедряя Крымова на должность управляющего и заставляя его совершенствоваться в вождении вертолета.

В конце концов Проскурин вынужден был с ним согласиться, правда на прощание обозвав Панкова «самонадеянным индюком». И пообещал напоследок:

— Ну смотри, Игорь! Уйдут из России эти хреновины, а если тем более всплывут где-нибудь... В общем, никогда тебе после этого не бывать не то что полковником, а даже прапорщиком!

Не менее Панкова был озабочен и майор Крымов. Правда, ему-то никто не грозил страшными карами за провал операции, однако он и сам понимал, чувствовал свою невольную ущербность в этой разработке, его начал обуревать комплекс так называемого «недоделанного сексота», то есть внедренного секретного сотрудника, который вместо активной работы отсиживается за чужой спиной, а поделать с собой ничего не может. Хотя в данном случае он всего лишь подчинялся приказу непосредственного начальника. А приказ Панкова был более чем жестким: строго следовать оперативной разработке, ни в коем случае не высовываться и тем более не предпринимать каких-либо самостоятельных шагов. Киплинг был не тем зверем, с которым можно было поиграть в казаки-разбойники, он своим профессиональным носом за версту чувствовал любую опасность, и поэтому малейшая ошибка со стороны Крымова могла закончиться не только полным провалом всей операции, но и уходом Ярова за границу, где достать его будет практически невозможно.

Конечно, Крымов, сам будучи опытным профессионалом, прекрасно понимал все это. Понимал и оттого метался по своей «Чуди», мечтая хоть чем-то помочь Панкову или хотя бы ускорить события. Однако операция словно остановилась в какой-то точке, словно судно, попавшее в мертвую зыбь. Измучившийся от безделья и ожидания Антон потерял сон. Теперь он старался выматывать себя на аэродромной работе, лишь бы только суметь забыться ночью нормальным сном. Но, ложась в постель и закрывая глаза, он впадал в какое-то странное состояние, в котором каждый раз виделся ему один и тот же случай, действительно происшедший с ним еще тогда, когда он...

Случилось это зимой — он, тогда еще курсант,

осваивал учебно-тренировочные прыжки на планирующих парашютах.

Он шагнул в раскрытый зев люка и привычно распростер руки и пошел затяжным к земле. Как и надо было по заданию, сделал задержку на семь секунд, дернул кольцо основного парашюта — вытяжной парашютик почему-то не вышел. Камнем падая вниз, Антон сгруппировался, чтобы заглянуть себе через плечо и, увидев, что вытяжной купол потоком воздуха прижало к спине, сделал несколько резких движений вправо-влево. Вытяжной отошел, потащил за собой купол основного парашюта. И вот здесь случилось неожиданное.

Началась стабилизация — довольно-таки неприятный момент в парашютных прыжках, когда не знаешь, раскроется купол или нет. Антон встряхнул стропы, однако это не помогло — он продолжал все так же падать, хотя теперь за ним тянулся шлейф нераскрытого парашюта. Он достиг примерно четырехсот метров, когда принял решение отцепить основной парашют.

Но, видимо, правду говорят, что беда не ходит в одиночку. Антон начал уже снимать предохранители с замков основного парашюта и вдруг понял, что один из них заклинило. Земля приближалась с невероятной быстротой...

Это потом уже инструктор скажет ему, что жив он остался только потому, что не смотрел на несущуюся навстречу смерть, а хладнокровно пытался одолеть заклинивший предохранитель.

Удалось ему это только с третьей попытки, когда до аэродрома, до взлетной полосы, на которую он должен был приземлиться, оставалось не более трехсот метров и к месту его предстоящего падения уже мчалась машина «скорой помощи», бежали люди. Правда, он не видел этой суматохи на земле, продолжая работать так хладнокровно, будто все происходит на тренажере.

Он все же отцепил основной парашют и тут же дернул кольцо запасного. Автоматически сгруппировался, приготовившись к динамическому удару, однако его почему-то все не было и не было. Как в дурном сне, когда важнее всего — вовремя проснуться, и тогда все беды останутся там, за гранью реальности... Все-таки это было слишком много для одного прыжка.

Одна из наиболее возможных причин такого отказа — пластиковое кольцо вытяжного тросика. Оно могло треснуть на морозе, оставив при этом сам тросик в парашюте. В отчаянии пытаясь разобраться, что же все-таки произошло, он вдруг понял: беда была в том, что вершина запасного парашюта, уйдя ему за спину, попала в так называемое затенение. Надо было срочно менять положение тела, а до стремительно приближающейся земли оставались считанные метры.

Антон вытянул руку, и его тут же крутануло потоком воздуха. Почувствовав знакомый динамический рывок, он с ощущением счастья понял, что купол наконец-то раскрылся, и в это же мгновение последовал удар...

В тот момент он даже не потерял сознания. Сообразив, что живой, открыл глаза. Правда, поначалу ничего не понял. Словно упакованный в груду пеленок, он свечкой стоял в плотном снегу, а дыру пробитого им сугроба накрывало полотно запасного парашюта.

Шевельнул ногами, руками — вроде все цело. Попытался выбраться наверх — и не смог. Только услышал рев пронесшегося над ним Ан-12, с которого он только что выпрыгнул навстречу своей смерти, попади он метров на пять правее сугроба, который за зиму намели снегоочистительные машины.

Совершенно не думая о том, что остался жить только чудом, Антон начал злиться на свою беспомощность. И тут вдруг, оглушив аэродром тревожными сиренами, к его сугробу подскочило несколько машин, из которых начали выпрыгивать его товарищи; подошли врачи с носилками, кто-то отдавал короткие, резкие команды, и вдруг он увидел Игоря Панкова, разгребающего сугроб голыми руками.

Это было возвращение с того света. Однако не простой подарок судьбы — специалисты потом подсчитали, что, не открой он купол запасного парашюта, динамический удар при свободном падении в тот же сугроб был бы настолько сильным, что он, Антон Крымов, вряд ли остался бы в живых. А уж о переломанных костях и смещенных позвонках и говорить не пришлось бы.

Вот тогда-то инструктор и сказал: «Ну, Антон, второй раз на свет родился. Такое, парень, в моей практике случается впервые».

...На этом месте Крымов просыпался, шлепал босыми ногами к ведру с водой и уже не мог заснуть до утра, вороша в памяти и другие случаи, когда он в очередной раз уходил от смерти. И думал порой с невольной обидой: «А на хрена мне, спрашивается, все это надо? Ни орденов тебе, ни медалей. Да и звание смешное — майор. Майором хорошо быть, когда тебе тридцать. А когда уже к сороковнику клонит...» Да и платили бы хоть по-людски. А то ведь ставка слесаря-сантехника из ДЭЗа. Скажи кому — засмеют. Так у слесарей у этих хоть халтура есть, а у него? С одной стороны — постоянный страх за возможный провал очередной операции, а с другой... С другой стороны — он секретный сотрудник ФСБ, и расколи его тот же Яров — пули в затылок ему не миновать...

С этой мыслью он умывался, делал изнуряющую «разминку» с пятикилометровой пробежкой, затем заваривал кружку крепкого чая и шел в диспетчерскую на утреннюю планерку.

В то утро на Крымова вышел оперативник, через которого шла связь с Москвой, и передал Антону довольно лаконичное сообщение.

«Туристическое агентство Ярова зафрахтовало в Выборге яхту «Виктория» для круизного путешествия частного лица с заходом в порты Финляндии, Швеции, Дании и Норвегии. Предварительный отход 24-го в пятнадцать ноль-ноль. Возможен наш вариант. *Панков»*.

«Господи! — подумал Антон. — Уж скорей бы, что ли!»

И в тот же день он получил еще одно сообщение — на этот раз от самого Киплинга, которое полностью подтверждало вывод Панкова. Дозвонившись из Выборга по телефону, Яров приказал

Крымову держать наготове «вертушку» к двадцать четвертому числу.

— Что, наконец-то начинаем работать? — поинтересовался Антон.

— Пора! — не особо вдаваясь в подробности, сказал Яров и тут же добавил: — Рулить придется тебе самому. Так что будь в форме. Все дополнительные инструкции получишь от человека, который прибудет к тебе с грузом.

Антон почувствовал, как перехватило дыхание, что, однако, не помешало ему тут же спросить:

— Когда человека ждать?

— Пока что не знаю, — чуть помедлив, ответил Яров. — Но вернее всего — в ночь на двадцать четвертое.

— Будет выполнено, гражданин начальник! — дурашливо отрапортовал Крымов. И тут же: — Сам-то когда к нам завалишься? А то я уж тут со скуки зверею...

— До двадцать четвертого вряд ли. Скорее всего, что нет. А там уж... Там и видно будет. — Он помолчал секунду-другую, а потом сказал почти доверительно:

— Слушай, Антон, ты профи, и не мне тебя учить, что делать. Если выполнишь эту работенку так, как надо, — сразу же получишь приличную премию и двухнедельный отпуск.

Когда в мембране зазвучали короткие гудки отбоя, Крымов покосился на трубку и процедил, усмехнувшись:

— С-сука! Жмот. Капиталист недоделанный. Две недели... Мог бы, падла, и на месячишко отпустить.

И еще подумал о том, что по крайней мере сегодня он уснет, как положено нормальному человеку, и ему не будет больше сниться этот проклятый, изматывающий сон о свободном падении с нераскрытым парашютом за спиной. И уже одно это было хорошо...

X

Войдя в комнату, где проходило оперативное совещание, Панков слегка оторопел. Он догадывался, что генералов у них в конторе развелось многовато — свежих, новоиспеченных, появившихся в стенах бывшего КГБ неизвестно откуда и неизвестно чем занимающихся, но чтобы их стало *так много* — этого он не ожидал. К тому же вдруг оказалось, что многие из них задействованы на окончательной стадии разработанной им операции по обезвреживанию Киплинга. Как в той пословице, где один с сошкой, а семеро с ложкой. Ему не жалко было отдавать честно заработанные лавры в чужие руки, нет. Просто он боялся утечки информации и еще того, что при всегдашней трудности координирования разных отделов и управлений неразбериха и откровенное «перетягивание одеяла» на себя позволят Киплингу уйти вместе со взрывными устройствами и остаться безнаказанным. Он, подполковник ФСБ Панков, боялся этого и ничего не мог с собой поделать.

Когда оперативное совещание вышло на финишную прямую, его попросили еще раз пройтись по основным моментам завершающей стадии операции. Он постарался быть как можно более лаконичным и в то же время предельно понятным.

— Донесения, которые были получены нами по линии Службы внешней разведки, еще раз подтвердили информацию о том, что консультант коммерческой фирмы «Аргус» полковник в отставке Заворотный имел несколько довольно продолжительных контактов с человеком, который известен в международных террористических кругах под кличкой Генерал Али. По всей видимости, они обговорили окончательные условия и место передачи заказанных взрывных устройств террористам, от имени которых Генерал Али вел переговоры с Заворотным.

Окинув взглядом сидящих за длиннющим столом людей, Панков позволил себе сделать паузу, ожидая возможных вопросов. Убедившись, что их пока не предвидится, продолжил:

— Вчера Заворотный вернулся домой, то есть в Москву. Нам удалось установить, что туристическим агентством «Андрей и К°» для Заворотного зафрахтована яхта «Виктория», приписанная к Выборгскому порту, и что генеральный директор этого агентства — Андрей Константинович Яров, получивший в свое время в криминальной среде кличку Киплинг, — находится сейчас в Выборге, видимо дожидаясь приезда Заворотного и, как я думаю, предполагая вместе с ним уйти на этой же яхте в Финский залив. Чтобы затем уже...

— А нельзя ли как-нибудь обойтись без этих ваших домыслов, подполковник? — оборвал его кто-то из сидящих за столом совещания генералов, намеренно уколов Панкова не только «домыслами», но и этим пренебрежительно брошенным «подполковником».

— Это не домыслы, а рабочая версия, основанная на логике мышления и поступков подозреваемого! — с откровенной злостью произнес Панков и повернулся к хозяину этого длиннющего стола и просторного кабинета. — Разрешите продолжать, товарищ генерал-лейтенант?

— Да, пожалуйста.

— Так вот, скорее всего, они пройдут в Выборге таможенный и пограничный досмотры и совершенно чистыми выйдут в Финский залив. В это время человек Ярова загрузится с товаром на борт вертолета, принадлежащий акционерной компании «Чудь», майор Крымов, выполняя задание Ярова, должен будет подняться в воздух, чтобы затем выйти в заданную точку Финского залива, где его будет ждать зафрахтованная яхта. Груз с вертолета будет спущен на яхту, после чего «Виктория» выйдет в нейтральные воды, где и произойдет передача взрывных устройств заказчику. Для дальнейшей транспортировки террористами может быть использован любой сухогруз, пассажирский теплоход или частная крупная яхта, которая затем возьмет курс в Атлантику.

Панков замолчал и обвел глазами сидящих за столом. На этот раз его уже никто не подкалывал, так что он спокойно закончил:

— Что касается, так сказать, меркантильной стороны дела... полагаю, что и у Ярова, и у Заворотного есть предварительная договоренность с заказчиком об открытии счета в каком-нибудь из банков Швеции, Дании или Финляндии, так что при желании они могут совершенно свободно воспользоваться своими «гонорарами», зайдя в один из портов этих стран...

— Логично и убедительно! — резюмировал его доклад хозяин кабинета. Спросил, подняв глаза на Проскурина: — Сергей Петрович, вы уверены в благополучном исходе всей затеи? Может быть, все-таки не рисковать и провести операцию поэтапно? Сначала полностью обезопаситься, арестовав человека Ярова вместе с его грузом, а потом уж взять и самого Киплинга с отставным полковником? Все-таки, сами понимаете, риск. Причем риск нешуточный.

Проскурин вздохнул и хмуро покосился на Панкова. Тот незаметно для других пожал плечами — мол, ты генерал, тебе и решать. Проскурин, нахмурившись, отвел глаза.

— Слушаю вас, Сергей Петрович, — напомнил о себе хозяин кабинета.

— Риск, товарищ генерал-лейтенант, конечно есть, — в раздумье начал Проскурин. — Однако Киплинга с его подельником надо брать в момент истины. То есть когда взрывные устройства будут у них на руках. А иначе мы совершенно ничего не сможем вменить ни тому, ни другому. Участие Киплинга в хищении взрывных устройств из спецхранилища арсенала практически недоказуемо, если у него не будет на руках этих проклятых пятьсот восемнадцатых изделий, точно так же будет недоказуема и его роль в зачистке, которую он провел в Сухачевске. Так что сами понимаете...

Огромные, обвисшие к земле лопасти описали один круг, другой, третий, вращение их становилось все быстрее и быстрее — и вот они уже начали распрямляться, набирая упругую силу. Тяжелая машина вздрогнула, словно ее бил нервный озноб, мягко оторвалась от земли.

— Ну что, мужики, с богом? — ощерившись в развеселой улыбке, произнес Крымов и покосился на двух молчаливых парней, расположившихся справа от него. Один Степан, другой Геннадий. Видимо, особо доверенные люди Ярова. Они прибыли на аэродром уже поздно ночью, внесли в комнату Крымова вместительную картонную упаковку, тщательно перевязанную капроновым шнуром. По тому, с какой осторожностью они ее несли, по тому, как сгибались под ее тяжестью, Антон понял, что это и есть тот самый долгожданный груз, ради которого он столько времени занимался делами какого-то заброшенного аэродрома и оттачивал навыки вождения этой винтокрылой махины.

Но сегодня, кажется, его незапланированному отпуску, который уже превратился в томительное, изнуряющее ожидание, придет конец. От этой мысли Антону вдруг стало грустно. Опять Москва, утомленно расквасившаяся под жарким летним солнцем, и ни тебе березового лесочка, ни щадящего покоя псковской глухомани, ни самолетов, замерших в самом начале взлетной полосы. А ведь правда — как бы хорошо было навсегда остаться управляющим этой самой «Чуди»!

Размечтавшись, Крымов не сразу понял, о чем его спрашивает бледный парень, назвавшийся Степаном, но последнюю фразу все же уловил. Утвердительно кивнул:

— Да, конечно. Координаты помню.

И опять погрузился в свои размышления, но на этот раз уже более внимательно прощупывая глазами местность, над которой летел вертолет. Слева по борту нежилось под солнцем Чудское озеро, впереди лежал Ивангород и Усть-Луга, а еще дальше — просторы Финского залива, в заданном квадрате которого их ждет яхта «Виктория». Крымова пока что не посвящали в дальнейший ход операции, но по веревочной лестнице, которую предусмотрительные ребята также привезли с собой, Антон понял, что картонную упаковку предстоит со всеми мерами предосторожности спустить на «Викторию», и уж только после этого... Впрочем, Крымов и загадывать не пытался, что предпримет Киплинг после того, как взрывные устройства окажутся у него, а до нейтральных вод будет рукой подать. Вариантов у Ярова более чем достаточно.

Когда под брюхом вертолета заискрился Финский залив и оба парня засуетились, крутя головами и лихорадочно выискивая на водной глади приметную яхту, эта их нервозность неожиданно передалась Крымову и он вдруг понял, как хочет, чтобы все закончилось как можно быстрее. Продлись эта пытка вынужденным ожиданием хотя бы сутки, и он не выдержит, сорвется и натворит таких глупостей, которые потом невозможно будет распутать ни ему самому, ни Панкову, ни генералу Проскурину...

«Викторию» они заметили практически все одновременно — Антону пришлось чуть скорректировать курс, чтобы выйти на яхту как можно точнее. Он покосился на своих пассажиров и увидел, что длинный Гена достает из своей сумки портативную рацию.

— Снижайся! — обращаясь к Антону, крикнул Степан, и Крымов утвердительно кивнул.

— Слушаюсь, командир! — не удержался он от подколки.

Когда подлетели так близко, что стали различимы лица выбравшихся на палубу людей, неожиданно резко заверещала рация и тут же раздался слегка искаженный голос Ярова:

— Привет, ребята! — Босс был явно возбужден и, видимо, хотел сказать что-то доброе и ободряющее своим подельникам. — Добрались нормально? Груз на борту?

— Доставлено, как приказано! — бодренько ответил Гена и засмеялся довольным смешком.

«Интересно, а эти обормоты знают, что за груз они сюда притаранили?» — невольно подумал Антон и тут же обругал себя за это. Его сейчас менее всего должны были волновать проблемы этих двух придурков, с которыми хитромудрый Киплинг мог играть как втемную, так и в открытую. Здесь каждый отвечал только за себя.

— Вот и отлично! — отозвался между тем Яров. — Скажи Антону, чтобы снизился до высоты мачты и завис над палубой. А сам приготовь к сбросу трап.

Когда Крымов выполнил приказ и дрожащая от напряжения машина зависла на предельной от яхты высоте, по рации вновь раздался голос Ярова:

— Антон держит высоту, а ты сбрасывай трап. — И тут же уточнил тревожно: — Груз запеленали надежно?

Гена вопросительно уставился на своего товарищи, тот утвердительно кивнул.

— Полный порядок, — отрапортовал хозяину Гена. — Степан говорит, что надежней некуда.

— Ай молодцы ребята! Тогда слушайте меня внимательно. Степа спускается по трапу на палубу и принимает груз. Ты, Гена, груз страхуешь. После чего вы с Антоном возвращаетесь на базу. Ты, Гена, сразу двигаешь в Москву, а Антон дожидается меня в «Чуди». Вопросы есть?

Гена покосился на Степана, перевел взгляд на Крымова и, когда оба отрицательно замотали головами, проговорил в микрофон:

— Все ясно. Приступаем к сбросу. — И вдруг почти просяще: — Мне бы тоже на яхте хотелось! Я и на пароходе-то никогда не плавал...

Сверху было видно, как засмеялись Яров и стоявший рядом с ним высокий седовласый мужик в шортах.

— Успеешь, Гена. Успеешь еще, дорогой! Когда возвращусь в Москву, самолично выпишу тебе путевку на Гавайи. А пока что обожди малость...

Приказав отнести картонную упаковку вниз и проводив глазами уходящий в сторону российского берега вертолет, Яров удовлетворенно потер руки и спустился в каюту, где его уже дожидался Заворотный. С невольным восхищением и в то же время с опаской Петр Максимович кивнул на объемистый груз, и его холеное, загорелое лицо исказила гримаса, мало чем похожая на улыбку:

— Неужто все же вывезли?

Яров пожал плечами, будто речь шла о партии контрабандных джинсов.

— Вывезли, Петр Максимович! Вывезли. И уже завтра мы с вами... — Он не договорил, что будет с ним завтра, и вдруг спросил резко: — Небось желаете самолично убедиться в наличии «чемоданчиков»?

— Хотелось бы, — утвердительно кивнул Заворотный.

— Степан! — крикнул Яров в открытую дверь. И когда на порожке появился Болотов, весело приказал: — А ну давай распаковывай коробку! Смотреть будем товар!

Взрывник уже заканчивал отдирать от картонного короба навороченный в несколько слоев широченный скотч, как вдруг раздался голос вахтенного матроса:

— Эй, в каюте! К нам вертушка какая-то. Со стороны Выборга. Радио говорит, что мы таможенную декларацию неправильно оформили. Просят бросить якорь и вписать какую-то формальность. Прикажете дать «стоп»?

— Этого еще не хватало, — заворчал Заворотный и покосился на Ярова. — Сейчас вы — хозяин. Вам и решать.

Привыкший за годы работы в своем агентстве к постоянным таможенным придиркам и накладкам, которые, как оказывалось потом, и яйца выеденного не стоили, просто кто-то еще в порту захотел получить на лапу — ни стыда у козлов, ни совести, Яров чертыхнулся и, приказав Степану убрать коробку с «чемоданчиками» в тайник под сундуком, вышел на палубу, над которой уже зависало брюхо мощного Ми-8.

Капитан яхты держал с летчиком связь по рации.

— Ну, чего там еще у них? — недовольно спросил Яров, кивнув на открытый люк вертолета, из которого высовывалась чья-то морда.

— Таможенную декларацию требуют. Мол, оформлена неправильно.

— Козлы! — выругался Яров и добавил: — Спросите, сколько хотят, и пускай поскорее заканчивают с этим.

Капитан забубнил что-то в микрофон, ему что-то ответили, затем из открытого люка на палубу сбросили веревочный трап, по нему, ловко перебирая ногами, спустился молодой парень в форме таможенника, и в это же самое время...

Все дальнейшее происходило словно в страшном сне.

Отвлекшись на таможенника, Яров даже не заметил, как на порожке люка появились какие-то странные фигуры с короткоствольными автоматами на изготовку, как на палубу яхты, словно лущеные горошины из стручка, посыпались вооруженные десантники. Когда Яров сообразил, в чем дело, и пришел в себя, он рванулся было в сторону каюты, но «таможенник» опередил его и страшным ударом в челюсть опрокинул на палубу, а два здоровенных парня уже выворачивали ему руки на затылок. Он попытался было сбросить их с себя, заорал: «Сте-е-па!», но на кистях уже щелкнули наручники, и Яров едва не завыл, от бессилия заскрежетав зубами. А когда поднял от палубы окровавленное лицо, то увидел, как из каюты выводят сначала Заворотного, а следом за ним и Степана. Они тоже были в наручниках.

Посадив вертолет на взлетную площадку «Чуди», Антон повел занемевшими плечами и посмотрел в салон, где на дюралевой скамейке довольно уютно устроился длинный Гена, кемаривший всю обратную дорогу. Когда затих шум лопастей, он поднялся со своего места, открыл люк и вдруг спросил негромко:

— Слушай, Антон, а ты бывал на Гавайях?

Крымов едва не расхохотался, сообразив, почему вдруг Гена задал ему этот неожиданный вопрос. Но вовремя сдержался и только покачал головой:

— Нет, не бывал.

— А вообще за границей?

— Нет!

— В отпусках?

— Если бы, — вздохнул Крымов и вдруг подумал о том, что, наверно, действительно неплохо было бы когда-нибудь провести отпуск за границей.

— Ужасно хочу, — признался Гена, спрыгнув на землю. — И непременно на Гавайи. Яров обещал.

— Хотеть не вредно! — пробормотал Антон, думая о том, чего оно теперь стоит, обещание Киплинга.

Он сладко потянулся. Эх, если бы наши желания совпадали с возможностями!

И только богу да еще, пожалуй, ФСБ было ведомо, что ждет их обоих в самом скором будущем...

ОГЛАВЛЕНИЕ

Литературно-художественное издание

Гайдук Юрий

Единожды предавший

Редактор А.С. Карлин
Художественный редактор О.Н. Адаскина
Компьютерный дизайн: И.А. Герцев
Технический редактор Н.В. Сидорова
Корректор Е.Н. Новикова

Подписано в печать 22.12.99.
Формат $84 \times 108^{1}/_{32}$. Усл. печ. л. 25,20.
Тираж 5000 экз. Заказ № 33.

Налоговая льгота – общероссийский классификатор продукции
ОК-00-93, том 2; 953000 – книги, брошюры

Гигиенический сертификат
№ 77.ЦС.01.952.П.01659.Т.98. от 01.09.98 г.

ООО "Фирма ''Издательство АСТ"
ЛР № 066236 от 22.12.98.
366720, РФ, Республика Ингушетия,
г.Назрань, ул.Московская, 13а
Наши электронные адреса:
WWW.AST.RU
E-mail: astpub@aha.ru

"Олимп"
Изд. лиц. ЛР № 070190 от 25.10.96.
123007, Москва, а/я 92
E-mail: olimpus@dol. ru
Отпечатано с готовых диапозитивов в типографии издательства "Самарский Дом печати"
443086, г. Самара, пр. К. Маркса, 201.

Качество печати соответствует предоставленным диапозитивам.

15*